新 요한복음 공부

바람으로 계시는 創造主 하나님의 靈 · 上

(요한복음 1장~20장)

임중기

시와사람

국립중앙도서관 출판시도서목록(CIP)

바람으로 계시는 創造主 하나님의 靈. 上, 요한복음 1장
~10장 / 지은이: 임중기. -- 광주 : 시와사람, 2017
p. ; cm

ISBN 978-89-5665-498-0 03230 : ₩30000

요한 복음[--福音]

233.65-KDC6
226.5-DDC23 CIP2017030003

아내 김달순과 두 아들 효성, 재성

뒷줄 좌로부터 김진호, 이재권, 김연수, 임봉애, 엄태현, 박동래, 김명술, 저자.
앞줄 좌로부터 오영환, 저자의 스승 국희종 선생, 이기영 목사, 김성근.

국희종 선생 소천 11주년 기념일에

뒷줄 좌로부터 일본인 關根義夫, 山本浩, 關根義夫 부인, 森山浩二.
앞줄 왼쪽 송문호, 저자.

좌로부터 山田章博, 송문호, 저자, 渼子

발 간 사

창조주 하나님이 아담을 지으신 원리로 우주 만물이 생육 번성되고 있음을 요한복음을 통해 밝히고, 아담의 죄악으로 에덴에서 추방당하여 이 땅에서 죄에 묻혀 살아가는 인간들을 불쌍히 보신 하나님—즉, 창조주(創造主) 하나님이 육신의 옷을 입고 예수 그리스도로 오시어 인류를 처음 창조하실 때의 모습으로 회귀(回歸)하도록 은혜를 내리시는 그분의 참 모습을 보는 데에 공부의 목적이 있다.

다시 말하여 처음 창조의 원리는 하나님의 생명의 기운인 생기와 흙의 만남인데, 이 만남의 원리로 우주 만물과 인류의 생육 번성을 보고, 그 만남의 원리로 우리 인류가 십자가상에서 예수 그리스도를 만남으로 구원받는 모습을 보는 것이 목적인 것이다.

중세기의 '종교개혁자들은 성경을 잘못 읽고 예수 그리스도의 십자가 사건을 '대속(代贖)' 또는 '속죄(贖罪)'의 죽음이라고 주장하여 왔다. 그러나 증언자 바울은 예수 그리스도의 십자가 사건을 대속으로 보지 않았다. 바울이 십자가의 사건을 대속으로 보았다면, "내가 그리스도와 함께 십자가에 못 박혔나니 그런즉 이제는 내가 산 것이 아니요 오직 내 안에 그리스도께서 사신 것이라"고 말하지 않았을 것이다. 대속의 이론이 성립하려면 예수 그리스도 혼자 죽어야 하기 때문이다. 바울은 '내 안에 그리스도께서 사신 것'이라고 고백을 하고 있다. 우리는 예수 그리스도와 함께 십자가 좌, 우에서 강도의 모습으로 죽었다. 곧 접붙임의 만남이다.

예수 그리스도와의 접붙임이 이루어지기 위하여 우리 인류는 밑동이 절단되어 죽고, 예수 그리스도는 자신의 피를 우리 인류에게 흘려주시기 위하여 돌아가셨다.

예수 그리스도의 십자가상의 죽음을 대속으로 보았던 것은 십자가 사건의 진리를 잘못 읽었기 때문이다. 그로 인해 인간 세상에는 큰 혼란이 와서 거짓이 판치게 되었다. 이 혼란과 거짓을 몰아내기 위해서는 지금이라도 성경을 올바로 읽고, 하나님과 예수 그리스도를 올바로 알고 믿어야 한다.

그러면 성서를 어떻게 읽어내야 하는가? 성서는 순리(順理)에 맞도록 기록되어 있다. 그래서 순리에 맞도록 읽어야 한다. 즉, 자연과학과 통하도록 성서를 읽어내야 하고, 자연철학! 곧 물리(物理)와도 통하도록 성서를 읽어내야 한다. 그것을 보이기 위하여 새롭게(新) 요한복음을 공부하게 되었다. 신 요한복음 공부는 자연과학과 통하는 공부이며 이 세상의 이론과 통하는 공부이다.

하나님의 창조의 원리가 생육 번성의 원리요,

인류 구원의 원리임을 찾아 보임으로써

첫째, 예수 그리스도는 창조자요,

둘째, 예수 그리스도는 생육 번성과 생명력의 근원이며,

셋째, 최종 구원자로 우뚝 서 계시는 예수 그리스도를 바로 전한다는 목적이 있다.

新 요한복음 공부는 한국사람(korean)이 발견(發見)한 예수 그리스도의 새로운 십자가의 진리다. 이는 자연과학과 통하는 진리요, 자연철학과도 통하는 진리이다. 그래서 우주 만물과 創造主, 그리스도와 인류—즉, 나 자신이 하나로 통하는 진리이다.

화가 레오나르도 다빈치는 최후의 만찬에서 예수 그리스도께서 한 가운데에 좌정하신 모습을 그렸다. 거기에 상대적으로 제자들은 몸을 뒤로 제키고, 앞으로 구부리거나 옆으로 비트는 등 바른 자세가 아닌 모습을 그림으로써 좌정하신 유일신 하나님을 잘 표현해 냈다. 어느 누가 저토록 바른 자세로 앉아 있겠는가?

레오나르도 다빈치의 그림처럼 그리스도인들 마음에 예수 그리스도가 있어야 한다. 新 요한복음 공부는 예수 그리스도가 우리, 나 자신 안에 좌정(坐定)하고 계심을 믿는 진리이다.

끝으로 新 요한복음을 공부 할 수 있게 허락하신 아버지 하나님께 무한한 감사와 영원한 찬송을 드리며, 공부 처음부터 끝까지 교정을 보아주시고, 책 발간 때에도 교정을 맡아주신 조동희 선생께 깊은 감사를 드리며, 내부 컷에 작품을 제공해 주신 신장용 사진작가께도 감사를 드립니다.

아울러 『작은 목소리』 『우리가 먹어야 할 생명의 떡』에 이어 출간을 맡아주신 〈시와사람〉의 강경호 사장님과 편집부 관계자들께도 깊은 감사를 드립니다.

2017년 9월

임중기

| 추천사 |

나는 내 신앙으로 산다

노승무

1. 나는 스스로 역사하는 나다

남의 신앙을 평가하는 것은 어려운 일이다. 임중기 선생으로부터 추천서 청탁을 받고 주저했다. 고민하는 중 "임중기는 그의 신앙으로 산다." 라는 생각이 떠올랐다. 이 말씀은 야훼 신앙의 본질이고 그리스도 신앙의 핵심이다.

이스라엘 민족은 BC 1710 년경부터 430년 간 바로의 노예가 되었다. 모세가 바로의 핍박을 피하여 미디안 광야로 도주했다. 그는 그 곳에서 제사장 이드로의 양을 치고 있었다. 떨기나무가 타는 불꽃에서 음성이 그에게 들려왔다. "나는 너희 조상 아브라함과 이삭과 야곱의 하나님이다. 내가 너희를 바로의 노예에서 탈출하게 하겠다. 네가 백성에게 가서 전해라." 그 말에 모세는 내 백성이 당신을 믿지 않을 것입니다. 당신의 이름이 무엇입니까 라 고 물었다(출3:1-).

이에 야훼 하나님이 "나는 스스로 역사하는 나다(אֶהְיֶה אֲשֶׁר אֶהְיֶה)." 라고 말씀하셨다(출3:14). 이를 루터는 'Ich werde sein, der ich sein werde'라고, NIV는 'I am who I am' 이라고,

대한성서공회에선 ‘나는 스스로 계신 분이다’라고 번역하였다. 원문의 동사 원형((היה(ειμι)은 존재하다(be), 되다(become), 사건이 일어나다(happen), 근원이 되다(cause) 등의 뜻으로 쓰인다. 또한 본문의 동사(אֶהְיֶה) 는 일인칭 미완료형으로 루터처럼 미래시제나 NIV처럼 현재시제로 번역할 수 없다. 히브리어의 동사형은 시제를 가리키기보다 동작의 상태를 가리킨다. 완료형은 동작이 단정적으로 완결된 상태를 의미하고, 미완료형은 동작이 과거에서 시작되어 현재는 물론 미래까지도 계속 진행되는 현상을 의미한다. 본동사 ‘스스로 역사하다(אֶהְיֶה)’를 ‘존재할 것이다(werde sein)’나 존재한다(am)로 번역할 경우 야훼 하나님은 하늘이나 성전의 권자에 앉아 계시어 제물을 받아 잡수시고 복을 내려 주시는 분으로 오해할 수 있다. 그런 오해로 인해 인간은 성전에 나가 제물을 바치고 복을 빌었다. 그러므로 본문은 앞 내용 ‘너희를 바로의 노예에서 탈출시키겠다’와 연결시켜 “나는 스스로 역사하는 나다.” 라고 번역하여야 원문의 뜻에 가깝다.

사마리아 여인과의 대화에서 사마리아 여인이 그리스도가 나와 생명수를 줄 것이다 라고 말했다. 그 때 예수는 ‘나는 스스로 역사하는 나다(ἐγώ εἰμι)’라고 대답한다(요4:26). 또 제사장들이 보낸 병사들이 예수를 잡으려고 찾았다. 그때도 같은 대답을 한다(요18:5). 이 말도 앞내용과 연결시켜 예수가 잡히시고 죽으시며 부활하시고 성령을 주시는 역사를 스스로 일으키는 나다 라는 의미다. 그 외에도 예수는 나는 진리요 길이요 생명의 근원이다 라고 말했다. 나는 포도나무와 양의 문의 역활을 스스로 역사하는 나다 라고 표현했다. 그러므로 ‘스스로 역사하는 하나님’

즉 '야훼(יהוה)' 신앙이 유대교와 기독교의 본질이 되었다.

2. 스스로 역사하게 생성된 나다

야훼신앙의 본질은 '나도 스스로 역사하게 생성되었다'는 고백이다. 야훼기자는 "야훼 하나님이 땅의 흙으로 사람을 빚으셨다. 그리고 코에 산 호흡을 불어 넣으니 사람이 산 생명이 되었다(הַפִּיו הַמָדָאֲהָ־ןִמ רָפָע םָדָהָ־תֶא םיִהלֱֹא הָוהְי רֶצִיּ ַיִו בּ ַאפּ ָיו נְשׁ ַמ ַת ה ַיּ ִי ם ו ְי ִה ְי ה ָא ָד ָם ל ְנ ֶפ ֶשׁ ה ַיּ ָח)."(창2:7)라고 고백했다. 이곳에서 '흙(המדא)'으로 빚은 '아담(מדא)'은 육적 사람이다. 또 '호흡(המשנ)'은 숨 바람으로 성령을 의미한다. 육적 사람에게 성령을 불어 넣으니 '산 생명(היח שפנ)이 되었다.

이곳은 요한복음 1장의 서문과 의미가 같다. "원시에 로고스가 있었다('Eν ἀρχῆ ἦν ὁ λόγος). 그리고 그 로고스가 하나님이다(καὶ θεὸς ἦν ὁ λόγος). 그(로고스)에 의해서 만물이 생성되었다(πάντα δὶ αὐτοῦ ἐγένετο). 그 안에 생명이 있었다(ἐν αὐτῶ ζωὴ)"(요1:1-3). 야훼기자는 생명의 근원을 숨 바람으로 봤으나 요한은 로고스로 고백했다. 학자들은 로고스를 숨바람 즉 성령으로 해석한다. 그러나 그 로고스를 루터는 wort로 NIV는 Word로 대한성서공회는 말씀으로 번역하였다. 중국인들은 그를 도(道)로 번역하였다. 도(道:川+白+之)란 하나님의 영이 인간의 머리에 내려 그 뜻에 따라 움직이는 경지를 의미한다. 이곳에서 '생성되었다(ἐγένετο)'는 '창조되었다'로 번역할 수 없다. 또한 미완과거형으로 생성의 역사가 과거로부터 현재와 미래에도 계속된다는 의미이다. 이를 바울은 예수를 '죽은 사람들 가운데 살리신 분의 성령이 여러분 안에서 여러분의 죽을 몸도 살리십니다'라고 고백했다(롬8:11-12).

편집사적으로 성령이 인간의 생성시에 형성되었다는 생성설과 예수가 부활하신 후 내려 보내주셨다는 수수설이 주장되었다. 현재엔 성령이 인간 안에 내재되었다는 내재설, 우주에 가득하다는 만유설 등이 있다. 중세 암흑시대에 교황청은 '성전에 제물을 바치고 예수의 십자가 앞에 예배드리면 성령을 내려 주신다'고 선언했다. 루터를 중심으로 한 개신교는 '예수의 보혈을 믿으면 성령을 주신다'고 주장했다. 그러나 몰트만과 하이데카 등 실존 신(철)학자는 '성령은 내재된 것을 깨닫는 것'이라고 주장한다. 나아가 물론 하츠혼과 화이트헤드 등 과정신학자들은 '성령의 역사는 인간을 통하여 이루어진다'고 고백했다. 하비 콕스와 헨리 나우웬 등 영성신학자들은 '가난한 자와 함께 할 때 성령의 역사를 깨닫게 된다'고 주장했다.

3. 야훼 신앙의 자리

야훼 신앙의 자리를 바울과 요한이 잘 설명하였다. 요한은 예수 그리스도 안에서 믿음으로 영원한 생명을 얻는다고 고백했다(요3:16). 바울은 믿음으로 의인은 영적으로 산다(롬1:17)라고 가르쳤다. 이를 다시 성령 안에서 예수 그리스도의 십자가와 함께 내가 죽고 예수 그리스도의 부활과 함께 내가 산다(롬6:5-6, 8:11). 그러므로 나는 내가 사는 것이 아니라 내 안에 그리스도의 영이 사는 것이다 라고 가르쳤다(갈2:20). 이를 하이데카는 성령의 내재가 생명력 형성의 자리이고 존재의 근원이며 삶의 자리고 주장했다.

그럼에도 루터는 로고스(λογος)를 말씀(Wort)으로, 신실(πι

στις)을 믿음(Glaube)으로 번역하였다. 이어 그는 믿음 만으로, 은혜 만으로, 성서 만으로의 삶을 주장했다. 이는 당시 교황청의 성전과 제사 중심 신앙을 거부하기 위한 주장으로 그 의미가 크다 할 수 있다. 그러나 그후 루터리안들은 믿음과 성서를 복을 받기 위한 수단으로 변질시켰다. 더욱 바울이 성전(ιερον)을 모임(εκκλεσια)과 친교회(κοινωνια)로 전환시켰으나 루터는 그를 교회(Kirche)로 번역하였다. 그후 루터리안들은 교회를 성서와 믿음을 가르치는 장소로 변질시켰다. 그러나 성서의 말씀이나 교리를 가르치는 장소를 신앙의 자리로 오해할 경우 신앙이 조직화 되고 교리에 빠질 위험성이 크다.

더욱 자신의 영혼이 성서의 말씀과 융합되지 않고 성직자의 설교나 선생님의 가르침에 매일 경우 그분들의 종교적 노예가 될 수 있다. 성서의 구절을 암송한다고 해서 성령이 내려오고, 설교를 듣는다고 해서 영혼이 성령과 융합된다고 할 수 없다. 율법과 육성에서 벗어나 성서의 말씀에 접할 때 영적 교합이 일어날 수 있다. 장자의 말대로 경전은 그 뜻에 의미가 있으므로 뜻을 얻었으면 그 경전에서 벗어나야 한다. 그러므로 스피노자와 안쉬타인은 유대인으로 유대교 교리와 의식을 떠날 때 하나님을 만날 수 있다고 암시했다. 그는 자신이 하나님을 믿기보다 자연과 인간 안에서 역사하는 하나님을 깨닫는다고 말했다. 하비 콕스와 헨리 나우웬은 차라리 성전과 강단을 떠나고 교리를 벗어나 이웃에게 사랑을 베풀 때 성령의 역사를 감지할 수 있다고 주장했다.

그러므로 신앙은 성령의 역사에 참여하는 삶이지 설교를 듣거나 강의를 하는 것이 아니다. 온실에서 비료를 먹고 핀 장미꽃과

목련꽃은 귀족의 연회장에서 박수를 받을 수는 있다. 그러나 자연에서 숨어서 핀 민들레 꽃이나 들국화 꽃은 실의에 빠진 농부에게 위로를 준다. 인공적으로 성장한 꽃은 색갈이 호화롭지만 자연에서 자생한 꽃은 향기가 짙다. 임중기 선생은 생업에 종사하면서 성서를 공부하고, 그를 주제로 한달에 한번 '천우회'에서 천우(天友)들과 담론을 나눴다. 그는 성직자의 설교나 선생의 가르침에 매이기보다 성서를 읽으면서 성령의 역사에 따라 삶의 생명력을 활성화시켰다. 그 열매로 이번에 천우들과 나눈 고백을 한 권의 책으로 묶었다. 임중기 선생의 신앙 담론과 고백은 야훼 신앙의 본질을 드러낸 것이라 해석된다.

-일심회 집회원-

임중기의 新 요한복음 공부

바람으로 계시는 創造主 하나님의 靈 · 上

차 례

들어가면서

요한복음 공부를 시작하기 전에 요한복음이 쓰여진 역사적 배경과 기록된 연대나 기록된 장소 등은 학자들에게 맡기고, 여기에서는 예수 그리스도의 제자 요한이 기록한 성서 말씀만을 공부하기로 한다.

요한복음은 복음서 중에서 으뜸 되는 복음서이다. 그런데 예수 그리스도교 2000년 역사에서 으뜸 복음서에 대한 마땅한 주해서가 없었다. 물론, 요한복음에 대한 주해서가 전혀 없다는 게 아니라 올 바른 주해서가 없었다는 말이다. 여기에 반해 로마서에 관한 주해서는 많이 나왔다. 우리가 잘 알고 있는 일본의 우치무라(内村鑑三) 선생이나 노평구 선생의 로마서 주해서는 참으로 좋은 주해서들이다. 그러나 복음서 중에서도 으뜸인 요한복음에 관해서는 이렇다 할 주해서가 아직까지 없다. 왜 그럴까? 그것은 개신교 500년 역사에서 마틴 루터가 대속(代贖)의 신앙관(信仰觀)을 내세웠고, 거기에서 벗어난 주장을 하면 이단으로 몰았기 때문이다. 요한복음은 루터의 대속이나 속죄의 신앙관으로는 절대로 깊이 접근할 수 없는 성서이다.

요한복음을 주해하고 싶은 성서학자가 왜 없었겠는가? 요한복음을 주해하려고 붓을 든 사람은 많았을 것이다. 그러나 십자가의 대속(代贖)이라는 신앙관으로는 깊은 접근이 불가능하기 때문이다. 그래서 붓을 놓고 말았을 것이다. 그런 까닭에 믿음을 강조하는 로마서만 공부하고, 또 공부하여 온 것이 오늘까지의 그리스도敎 사정이다.

로마서는 예수 그리스도를 증언하는 말씀이다. 그런데 이 증거의 말씀이 으뜸인 것으로 되어 있다. 주객전도란 이런 경우를 두고 하는 말일 것이다. 예수 그리스도의 생명의 진리, 길의 중심이 되는 진리가 요한복음 안에 있건만 정작 중심의 자리에는 로마서가 자리하고 있는 것이 현실이다. 증인석에나 있어야 할 로마서가 거꾸로 중심이 되어있다는 말이다. 이것이 오늘날의 그리스도敎 현실이다.

예수 그리스도가 참 생명—곧 창조의 생명, 생육번성의 생명, 구원의 생명인데 이것을 증언하는 로마서가 증인석에 있지 않고, 그리스도교의 중심이 되어 있다는 말이다.

여기서 밝힐 말씀은 앞으로 신·구약 성서 주해(註解)서는 우리나라 사람 것이건, 외국인의 것이건 참고하지 않겠다는 것을 밝혀 둔다. 오직 성서만을 교재로 삼겠다. '새 술은 새 부대'란 말처럼 새로운 공부를 한다는 말이다.

新 요한복음 공부

바람으로 계시는 創造主 하나님의 靈 · 上

(요한복음 1장~20장)

임 중 기

〈제1과〉
우주 만물과 인류의 창조

본문 말씀 요한복음 1:1~5

"1태초에 말씀이 계시니라. 이 말씀이 하나님과 함께 계셨으니
이 말씀은 곧 하나님이시니라. 2그가 太初에 하나님과 함께 계
셨고, 3萬物이 그로 말미암아 지은바 되었으니 지은 것이 하나
도 그가 없이는 된 것이 없느니라. 4그 안에 生命이 있었으니
이 生命은 사람들의 빛이라. 5빛이 어두움에 비취되 어두움이
깨닫지 못하더라."

본문 공부

1절 "태초(太初)에 말씀이 계시니라. 이 말씀이 하나님과 함께 계셨으니 이 말씀은 곧 하나님이시니라."

요한복음서의 머리말로, '태초!' 이 우주가 만들어지던 첫 순간부터 '말씀'이 계셨다. 즉, 아무것도 없는 공허(空虛)한 곳에 '말씀'이 계셨다는 말이다. 그런데, 이 '말씀'이 하나님과 함께 계셨으니 이 '말씀'이 곧 하나님이라는 것이다.

"이 말씀은 곧 하나님이시니라." 태초부터 계신 말씀! 1절 하반절 말씀처럼 하나님은 형상으로 보이시지 않으시고, 말씀으로 계셨는데, '있는' 그 말씀이 곧 하나님이시라는 것이다.

2절 "그가 태초에 하나님과 함께 계셨고,"

여기서 '그'는 예수 그리스도를 가리키고 있다. 예수 그리스도가 태초부터 하나님과 함께 계셨다는 말씀이다.

'태초'라는 말은 구약성서에서도 나온다.

창세기 1장 1절에 **"태초에 하나님이 천지를 창조하시니라"**고 하였다. 그 분! 곧, 천지를 창조하신 그분과 함께 하신 분이 요한복음에 예수 그리스도로 등장하는 것이다.

3절 "만물이 그로 말미암아 지은 바 되었으니 지은 것이 하나도 그가 없이는 된 것이 없느니라."

만물이 **'그'**, 곧 예수 그리스도로 말미암아 지은 바 되었고, 어느 것 하나도 **'그'**, 곧 예수 그리스도가 없이는 된 것이 없다고 기록하고 있다.

다시 말하면 요한복음 1장 3절의 말씀은 태초부터 예수가 창조자로 계셨다는 말씀이다.

이 '말씀'으로 계신 하나님은 많은 사람들에게 말씀으로 나타나신다. 예를 들면 아브라함, 야곱, 이사야 등, 셀 수 없이 많은 사람들에게 '말씀'으로 임하심을 본다.

예수 그리스도는 자신을 **'나는 처음과 나중'**이라고 하였다. 곧 자신은 **'알파와 오메가'**라고 하신 것이다(사48:12, 계21:6).

'알파' 창조자로 서신 예수 그리스도!

'오메가' 최종 구원자로 서신 예수 그리스도!

그런데 이 창조와 구원이 하나의 논리, 하나의 원리로 되어야 전능자(全能者) 예수 그리스도란 것이다. 하지만, 그리스도교 2000년! 개신교 500년 동안 창조의 원리와 생육 번성의 원리를 간과(看過)하고 있다. 창조와 생육 번성을 보아야 구원의 원리가 보이는데, 현재의 그리스도교, 개신교는 구원의 원리만 보고 있다. 그리고 구원은 믿음만으로 된다고 한다. 그러나 인간 창조의 과정과 인류, 만물의 생육 번성을 보면 구원이 십자가를 통하여 보이는 것이다.

창조의 원리

하나님은 '어떻게 사람을 지으셨는가?'

하나님이 하늘과 땅과 바다를 지으시고, 그 위에 생물을 지으실 때 모든 것을 말씀으로 창조를 하셨다. 그러나 오직 '사람'만은 말씀으로가 아니고 행동으로 지으셨음을 본다.

하나님은 하늘, 땅, 바다, 각종 짐승들, 공중의 새, 바다의 어족들과 모든 식물들을 말씀으로 지으신 후 당신의 뜻대로 되어진 것을 보시고 좋아 하시면서 '생육하고 번성하라'고 말씀하셨다. 모든 것이 말씀으로 되어졌음을 보는 것이다.

그런데, 인간 창조는 말씀으로가 아닌 행동으로, 하나님께서 직접 일을 하시어 지으심을 본다.

"여호와 하나님이 흙으로 사람을 지으시고 생기를 그 코에 불어 넣으시니 사람이 생령이 된지라"(창2:7).

말씀처럼 '흙과 생기의 만남'으로 첫 인간인 아담이 창조되었다. 창조는 만남이다. 하나님의 생기와 흙의 만남이 창조의 원리이다. 하와도 만남으로 지음을 받았다. 아담의 갈빗대와 하나님의 만남으로 하와가 지음을 받은 것이다. 하나님이 아담에게서 갈빗대를 취(取)하는 동시에 하나님과 갈빗대의 만남이 된다. 그리하여 창조의 원리는 만남이다.

"여호와 하나님이 아담에게서 취(取)하신 그 갈빗대로 여자를 만드시고 그를 아담에게로 이끌어 오시니, 아담이 가로되 '이는 내 뼈 중의 뼈요, 살 중의 살'이라. 이것을 남자에게서 취하였은즉 여자라 칭하리라."(창2:22)

"아담과 하와의 만남"은 본능의 사랑의 만남이다. 본능으로 자신의 반신(半身)으로의 만남이다. 아담과 하와의 만남은, 피조물과 피조물의 만남이다. 처음으로 피조물과 피조물의 만남을 본다. 하나님의 능력에 의하여 처음으로 만들어진 그들도 '본능 의식'으로 서로서로 만남으로써 생육하고 번성하였다.

공중의 새도 서로 만남으로 생육하고 번성한다. 들짐승도, 가축도 서로 만남으로 생육한다. 어족도, 들에 피는 꽃도 벌 · 나비와의 만남으로 씨알이 생성되고, 땅에 떨어져 '땅과 씨알의 만남'으로 새 싹이 돋는다. 언어도 글자와 글자가 만나면 새로운 단어가 생성된다. 이 만남은 "창조의 원리요, 생육 번성의 원리, 구원의 원리"가 되는 것이다.

구약의 하나님은 창세기 2장 1절에서 **"천지(天地)와 만물(萬物)이 다 이루니라"** 하였고, 신약의 하나님이신 예수 그리스도는 요한복음 19장 30절 하반절에서 **"다 이루었다"**고 하였다. 구약의 하나님은 '천지와 만물, 인류의 창조를 다 이루었다'는 뜻이고, 신약의 하나님이신 예수 그리스도는 '인류 재창조를 다 이루었다'는 뜻이다.

아담과 하와, 선악과를 따먹다

"강(江)이 에덴에서 발원(發源)하여 동산을 적시고 거기서부터 갈라져 네 근원이 되었으니"(창2:10) '네 근원'은, 에덴에서 발원하여 네 방향으로 흐르기 시작하는 강의 시원을 말한다. 첫째 강은 비손, 둘째 강은 기혼, 셋째 강은 힛데겔, 넷째 강은 유브라데라고 하였다. 이렇게 에덴동산은 물이 풍부하고, 각종 과일과, 셀 수 없도록 많은 꽃들과 아름다운 새들의 노래 소리가 넘치는 곳이었다.

하나님은 인간의 조상인 아담과 하와를 저토록 아름답고 사랑이 넘치는 에덴동산에서 살도록 하였던 것이다.

그러나 아담과 하와는 그 곳에서의 하나님의 명령을 저버리고 금지의 과일인 선악과를 따먹는 죄를 범하므로 하나님을 볼 수 없게 되었다. 그들은 왜 하나님의 낯을 피하여 숨었는가? 그것은 거룩하고 거룩한 빛의 근원인 하나님을 볼 수 없는 죄인이 되었기 때문이다.

죄인의 몸으로 하나님을 대하면 하나님의 거룩한 광채에 질식사하게 되고, 그것이 두려워 숨은 것이다.

하나님은 왜 아담과 하와를 에덴에서 추방하였는가?

자신의 새끼는 애지중지 하는 것이 모든 생명체의 본능이다. 하물며 하나님이 당신의 손으로 만드신 아담과 하와를 사랑하는 마음이 오죽하셨을까. 그러나 하나님도 죄악으로 물들어 있는 당신의 창조물인 아담과 하와를 추방하지 않으면 그들은 살수 없게 되어있었다. 이미 그들은 죄로 물들어 사탄에게 귀속되었기 때문이다. 그들을 에덴에 두어도 될 사정이었다면 하나님은 그들을 계속 그곳에 두었을 것이다. 그러나 안타깝게도 그곳에 두면 그들은 죽게 되어있었다.

물고기가 예쁘다고 사람의 손에 오래 둔다면 그 물고기는 죽고 만다. 마찬가지로 아무리 하나님이 아담과 하와를 사랑해도 이미 죄인이 된 그들이 하나님을 보면 죽게 되어있다. 하나님은 거룩 거룩한 빛의 근원이라 죄인이 보면 죄인은 바로 죽는다. 그렇기에 결국, 에덴에서 내보내야 그들이 살 수 있었다. 비록 죄인의 몸이지만, 살려보려는 하나님의 큰 배려가 있었던 것이다.

아담은 하나님의 **낯을 피해야** 살 수 있었고,
하나님은 아담을 **추방하여야 그를 살릴 수** 있었다.

에덴에서 추방

에덴 곧 하늘나라와 세상 땅의 경계

세상! 죄로 물들은 사람들이 사는 땅

도망과 추방이라는 두 면을 다 가지고 에덴의 바깥 땅, 곧 세상으로 나온 아담과 하와는 죄로 물들어 하나님과 단절된 이분화(二分化) 사회에서 살게 되었다.

이 이분화 상태를 예언자 이사야는 "**極上品(극상품) 포도나무를 심었도다. 좋은 포도 맺기를 바랐더니, 들포도를 맺혔도다.**"(사5:2) 라고 탄식하였다.

또 증언자 바울 사도는 로마서 3장 23절에서 "**모든 사람이 죄를 범하였으매 하나님의 영광에 이르지 못하더니…**" 라고 이분화 상태로는 하나님 앞에 이르지 못하는 이유를 말하고 있다.

그런데 예수 그리스도께서 "**너희와 하나 되기 위하여 왔다.**" 이분화 상태에 있는 우리와 하나 되기 위하여 왔다고 하신다(요6:56).

4절 "그 안에 생명이 있었으니 이 생명은 사람들의 빛이라."

4절과 5절 말씀 안에는 4,5천년이라는 기나긴 시간적 공간이 들어있다. 그 시간적 공간 사이에는 많은 일들이 일어났음을 우리는 성경을 통하여 알 수 있다.

노아의 방주의 대홍수가 있었고, 바벨이라는 탑으로 하늘까지 정복하겠다는 교만이 인간들에게 있었으며, 창세기 12장에서는 하란 땅의 젊은 아브람에게 **'너는 너의 본토(本土) 친척(親戚) 아비 집을 떠나 내가 네게 지시한 땅으로 가라'**고 하여 아브람을 믿음의 조상으로 택하시는 일이 있었다.

그 후, 아브람은 아브라함으로 이름을 바꾸었고, 100세에 아내 사라에게서 이삭을 낳고, 이삭이 야곱과 그 형제를 낳고, 야곱은 요셉을 낳아 애급의 총리대신이 되었으며, 그 후 400년 동안 애급에서 노예 생활을 하다가 모세의 인도로 홍해를 육지 같이 건넌 이스라엘 백성과, 그 후 광야 40년 세월동안 연단하여 가나안에 입성하는 시간적 공간이 있었다.

구약성경은 선지자(先知者) 시대와, 사사(士師) 시대, 왕정 시대를 거쳐 포수 시대까지 수천 년에 걸쳐 늘 변천하며 여러 사람에 의하여 쓰여졌다.

그 중에서도 선지자 이사야가 최고의 기록자로, 하나님의 마음을 깊이 보여준 선각자였다.

이사야는 이사야서 1장 2절 이하에서 **"하늘이여 들어라! 땅이여 귀를 기울이라! 여호와께서 말씀하시기를 내가 子息을 양육(養育)하였거늘 그들이 나를 거역하였도다. 소는 그 임자를 알고, 나귀는 주인(主人)의 구유를 알건마는 이스라엘은 알지 못하고, 나의 백성은 깨닫지 못하는도다. 슬프다 범죄한 나라요 허**

물진 백성이로다." 라고 탄식의 노래를 읊고 있다.

또, 5장 2절에서는 "극상품(極上品) 포도나무를 심었도다. 좋은 포도 맺기를 바랐더니, 들포도를 맺혔도다." 라고도 하였다.

이는 포도나무의 이분화 상태를 이야기한 것이다. 심을 때는 극상품 포도나무였는데 그 열매는 들포도가 되었다는 것이다.

아담도 에덴에서 창조되었지만, 만년에는 저주 받은 땅에서 살다가 죽었다. 이 역시 이분화 상태를 보여주고 있다. 이 이분화 상태에 있는 하나님과 인류를 하나 되게 하시려고 예수 그리스도가 오셨다.

아담은 극상품으로 지어졌는데 죄를 범하여 에덴에서 추방당하게 됨으로 이분화 된 삶을 산 것을 이사야는 포도나무로 비유하여 이야기하고 있는 것이다. 그리고 이사야는 계속해서 인류를 향하여 이야기하자는 하나님의 애절한 호소를 전달하고 있다.

선지자 이사야는 1장18절에서 "여호와께서 말씀하시되, 오라 우리가 변론하자. 너희 죄가 주홍(朱紅) 같을지라도 눈과 같이 희어질 것이요, 진홍(眞紅) 같이 붉을지라도 양(羊)털 같이 되리라"고 하며 하나님의 사랑을 이스라엘에게 전하고 있다.

'그 안에 생명이 있었으니' 그 안에 있는 생명은 우리 인간을 창조한 '창조의 생명'이다. '그 안'이란 세상을 말한다. 세상 안에 예수 그리스도의 생명이 있었다는 것이다. 예수의 생명은 창조의 생명력이다. 이 생명이 사람들의 빛이요, 구원의 빛이다.

'이 생명은 사람들의 빛이라.' 만물이 그로 말미암아 지은 바 되었으니, 지은 것이 하나도 그가 없이는 된 것이 없다는 '그 생명이 사람들의 빛'이다.

5절 "빛이 어두움을 비취되 어두움이 깨닫지 못하더라."

4,5절의 생명과 빛은 창조의 생명이요, 그 생명이 사람들에게 희망을 주는 빛이라는 것이다. 사람들에게 생명을 주는 빛이지만, 어둡기 짝이 없는 사람들은 깨닫지 못했다는 것이다.

우리는 예수 그리스도가 우리 인류를 창조하셨고, 만물이 생육하고 번성의 생명력으로 오늘까지 영원히 계시고, 구원도 그 생명을 십자가상에서 '접붙임의 만남'으로 됨을 믿는 것이다.

그런데 여기에는 중요한 부분이 있다.

처음 창조 때에, 하나님의 생명인 '생기와 흙의 만남'으로 사람이 된다.

만물은 서로서로 만남으로 생육하고 번성한다.

최종 구원도 처음 창조 때와 같이 하나님이신 예수 그리스도의 십자가상에서 흘리신 피를 들포도나무인 '인류'가 "접붙임의 만남"으로 '극상품 참 포도나무'로 회복되어 인류가 처음 살았던 에덴에서 본래의 아담의 모습으로 회복하는 것이다. 그리하여 하늘 백성으로 거듭나는 것이다.

십자가상에서 접붙임의 만남으로 접목된 들포도나무가 참포도나무로 새로운 싹이 돋기 위해서는 부활의 봄이 와야 한다. 그래서 사흘 동안 땅 속에 있는 것이다. 부활초로 부활 한 뒤에는 참포도나무로 살아가게 된다. 들 포도나무가 참 포도나무로 거듭났으니 하늘 백성으로 예수 그리스도와 하나가 되는 것이다. 예수 그리스도는 **"너희와 하나 되기 위하여 왔다"**(요6:56)고 하셨다. 믿는 사람들은 예수 그리스도의 은혜로 하나 될 수 있다.

2009년 5월 10일 발표

〈제2과〉
세례 요한은 누구인가?

본문 말씀(요한복음 1장 6~9절)

"6하나님께로서 보내심을 받은 사람이 났으니 이름은 요한이라. 7저
가 증거하러 왔으니 곧, 빛에 대하여 증거하고 모든 사람으로 자기를
인하여 믿게 하려 함이라. 8그는 이 빛이 아니요, 이 빛에 대하여 증거
하러 온 자(者)라. 9참빛 곧, 세상에 와서 각 사람에게 비취는 빛이 있
었나니"

인류 최고의 사람-세례 요한

세례요한에 대한 기록 분해

○ 이사야서 40장 3절 이하에 '광야에서 외치는 자'로 예언.

○ 누가복음 1장 36절과 57~80절의 세례 요한에 대한 출생에 관한 기록.

○ 마가복음 1장 2~8절의 '약대 털을 입고, 허리에 가죽띠를 띠고, 메뚜기와 석청을 먹으며, 야인으로 광야에서 외치는 사람으로 표명되는 사람'

○ 마태복음 3장 1~11절의 '회개하라, 천국이 가까웠느니라'는 외침.

○ 사도행전 1장 5절의 "요한은 물로 세례를 베풀었으나 너희는 몇 날이 못 되어 성령(聖靈)으로 세례를 받으리라"는 비교 기사.

위에서 살핀 대로 세례자 요한에 대하여는 여러 곳에서 기록하

고 있다. 이토록 성서 4복음서 모두에 기록이 있고, 구약 시대의 최고의 예언서인 이사야서에까지 예언되어 있음을 보면 역시 세례요한은 예수 그리스도의 말씀대로 '여자가 낳은 자 중에서 최고의 사람'으로 생각된다.

세례자 요한은 일반 서민의 신분이 아니다. 그는 당시 최상층 계급인 대제사장 「사가랴」의 아들로, 태어날 때부터 명예와 부를 다 가지고 태어났다고 할 수 있다. 그러나 그는 명예와 부를 분토처럼 버리고 광야에서 외치는 자로 섰던 것이다. 우주 만물을 창조하시고, 우주만물을 운행하시는 그 분 예수 그리스도! 인류를 창조하셨으면서도 인류가 죄에 빠짐으로 다시 새롭게 하시려고 오신 우주 만물의 주인인 예수 그리스도의 길을 예비하기 위해서였다.

만왕의 왕이신 그분 예수 그리스도가 오시는데, 세상에 소개하는 사람이 있어야 할 것이며, 그 소개할 사람은 여자가 낳은 사람 중에서 최고의 사람이어야 할 것이다.

한 나라의 대통령이 지방을 방문하면 그 지방의 최고 책임자가 나와 영접하고 소개하며 안내한다. 하물며 우주만물과 인류의 주인이요, 만왕의 왕이 오시는데 격에 맞는 인물이 영접하고 소개하며 안내하는 것은 당연한 일이다.

명예와 부를 양손에 거머쥐고 대제사장의 아들로 태어난 사람, 세례요한! 그는 스스로를 '예언자 이사야가 말한 광야에서 외치는 자'로 말하고 있으며, 그는 또한 '나는 쇠해야 하며, 그(예수 그리스도)는 흥(興)하여야 한다'고 말하고 있다.

그렇다면 세례요한에 대한 기록을 남긴 사람들은 누구인가?

그들은 예언자 이사야와 4복음서를 기록한 마태, 마가, 누가,

요한. 그리고 바울 사도가 있다.

이 사람들의 면면을 살필 필요가 있다. 이 여섯 사람 중 이사야는 예언자 중 최고의 예언자이다. 특히 예수 그리스도의 탄생에 대하여 예언이 적중한 예언자이다.

마태와 마가는 공관복음서를 기록한 예수 그리스도의 제자들이다. 누가는 바울의 제자로서 누가복음을 기록하였고, 또한 세례자 요한의 탄생의 모습을 자세히 기록하고 있다.

요한복음을 기록한 요한 역시 예수 그리스도의 제자로서 그는 스승의 사랑을 독차지 할 정도로 귀염을 받았고, 복음서 중에서도 최고인 요한 복음서를 기록한 사람이다. 성서학자들은 요한을 일컬어 예수의 12제자 중에서 최고의 인품을 갖춘 사람이라고 말하고 있다. 베드로와 안드레는 어부요, 서민 하층 계급의 사람들이지만, 복음서를 쓴 요한은 그 시대의 지식층 계급에 속하는 사람으로, 법원 같은 곳을 자유로이 들어 갈수 있었던 사람이라고 성서는 기록하고 있다(요18:15 참조). 이러한 요한이 복음서 중에서도 최고의 복음으로, "하나님께로부터 보내심을 받은 사람"을 소개하고 있다. 세례요한은 '이 세상의 여자가 낳은 자 중에서 최고의 사람'이다.

또한, 사도행전의 주역이요, 서신서 대부분을 쓴 바울이 세례사 요한에 대하여 **'그는 물로 세례를 주었지만, 그 뒤에 오신 분-곧, 예수 그리스도는 성령(聖靈)으로 세례를 주는 분'**이라고 하였다.

그리스도교 2000년 역사에서 **"광야의 소리"** 하면 누구나 세례요한을 생각한다. 그가 외친 뒤로는 지금까지 세상 어느 누구도 광야의 소리를 뛰어넘지 못하였다. 왜 광야의 소리를 뛰어넘는 사람이 없었을까? "광야의 소리"가 예수 그리스도에 대하여 외치는 소리였기 때문이다. 우주 만물, 인류 창조주에 대한 커다란 소리였기에 2000년이 흐르도록 그를 뛰어넘는 소리가 없었던 것이다.

물로 세례를 주었던 세례요한은 예수 그리스도에 대하여 이렇게 외치고 있다. "나는 물로 세례를 주지만, 내 뒤에 오시는 그분 예수 그리스도는 성령(聖靈)으로 세례를 주는 이인 줄 알라"고. 성령은 무엇인가? 예수 그리스도의 영의 세계의 근본이다. 인류를 창조할 때에 흙에 불어넣은 생기, 곧 성령으로 세례를 준다는 것이다.

본문 공부

6절 "하나님께로서 보내심을 받은 사람이 났으니 이름은 요한이라."

세례자 요한은 하나님의 보내심을 받아 왔다고 하였다. 쉽게 풀이하면 하나님의 심부름 즉, 창조주의 심부름을 하러 왔다는 이야기이다. 바꾸어 말하면 창조주가 세례요한을 보낸 것이다. 물론, **"예수 그리스도가 참빛임을 증거하라"**는 임무를 지워서 말이다.

7절 "저가 증거하러 왔으니 곧, 빛에 대하여 증거하고 모든 사람으로 자기를 인하여 믿게 하려 함이라."

세례자 요한은 빛—곧, 예수 그리스도에 대한 자기의 증거를 모든 사람들이 듣고, 사람들로 하여금 믿게 하려는 목적이 있었다. 여기서 모든 사람은 과거와 현재, 미래의 사람을 다 포함하고 있다. 미구에 태어날 단 한사람까지도 소외되는 일 없이 모두 믿게 하려는 것이었다. "잃어버린 양 한 마리"의 비유처럼 인류라면 모두가 믿게 하기 위한 증거이다.

8절 "그는 이 빛이 아니요, 이 빛에 대하여 증거하러 온 자(者)라"
요한복음을 기록한 사도 요한은 세례요한을 가리켜 "그는 이 빛(예수 그리스도)이 아니요, 이 빛에 대하여 증거하러 온 자(者)"라고 하였다. 세례요한이 정말로 위대한 사람이라서 세례자 요한을 빛으로 착각 할 수 있기 때문에 "그는 이 빛이 아니요"라고 선을 분명히 긋고,"이 빛(예수 그리스도)에 대하여 증거하러 온 자"라고 한 것이다.

9절 "참빛 곧, 세상에 와서 각 사람에게 비취는 빛이 있었나니"
이 말씀은 5절의 "빛이 어두움에 비취되 어두움이 깨닫지 못 하더라"는 말씀에 이어지는 말씀이다.

예수 그리스도—곧, 창조의 하나님이 우주만물과 인류를 창조하시고, 그 창조물을 운행하시며 늘 계셨다. 빛으로, 말씀으로 늘 계셨지만, 어두움이었던 세상은 그 빛에 대하여 알지 못했다는 말이다. 예수 그리스도가 이 땅에 오시기 전에도 세상에 빛으로 말씀으로 계셨지만, 어두움이었던 세상 사람들은 깨닫지 못했다. 그래서 창조자이면서도 구원자로 오신 예수 그리스도를 바르게 알리기 위하여 세례자 요한이 하나님의 심부름꾼으로 와서 증거를 하고 있다.

창조자 하나님이 빛으로 말씀으로 계셨지만, 왜 인류는 알지 못했을까? 그 까닭은 이분화(二分化)된 상태에 있었기 때문이다.

하늘나라와 인간세상은 이분된 상태이다.

이 땅의 **"모든 사람들이 죄를 범하였기에, 하나님의 영광에 이르지 못하였으니"**(롬3:23) 분명 이분된 상태가 아닌가.

지음을 받을 때는 극상품 포도나무, 열매는 들포도. 이렇게 이분된 상태에 있었기 때문에 영으로 계시고, 빛과 말씀으로 계시는 그 분을 알지 못했다. 그러나 깨어있던 사람들은 빛으로, 말씀으로 영으로 계신 하나님을 알았다. 그들은 선견자, 또는 선각자, 예언자들이다. 아브라함, 엘리야, 이사야 등 수 없이 많은 선각자들은 이미 일찍부터 알고 말해 왔다. 그런데 선견자, 선각자, 예언자들에게도 하나님이 먼저 보여주심으로 알 수가 있었지, 인간이 먼저 하나님을 알아 본 것은 절대 아니었다.

이제 새로운 시대가 왔다. 말씀으로, 영으로, 빛으로 계시다가 인간의 모습으로 육신이 되어 오신 예수 그리스도를 세상에 소개하고 안내하러 온 세례자 요한의 증거를 우리는 지금 느끼고 있다.

역사는 새로운 시대를 이렇게 말한다

역사에서 '기원'은 빼놓을 수 없는 말이다. B.C(Before Christ)는 기원 전, A.D(Anno Dommini)는 기원 후를 나타낸다. 여기에서 기원의 전과 후는 로마제국이 전 영역 안의 인구를 조사할 때를 기준으로 하는데, 마침 예수 그리스도가 탄생하신 때여서 그 이전의 시대를 B.C로 쓰고 있는 것이다. 새 기원 **'서기'**(서력기원)란 말도 이때부터 쓰이기 시작했는데, 라틴어로 'A.D'는 그리스도 기원이라는 뜻도 있다고 한다. 이때를 성서에서는 '은혜의 시대'라 하기도 하고, '자유의 시대'로 말하기도 한다.

새로운 시대가 열렸다는 말은 말씀으로, 빛으로, 영으로 계시던 하나님이 육신의 옷을 입고 오신 때를 일컫는 말이다. 구약의 율법 시대에서 신약의 예수 그리스도가 오심으로 은혜의 시대, 자유의 시대, 구원의 시대가 온 것이다.

예수 그리스도교는 역사가 증거하고, 예수 그리스도는 역사와 함께하는 길 · 진리 · 생명이 되신다.

창조의 역사 하나님!

생육 번성의 생명력 하나님!

마지막 새 생명을 다시 인류에게 주신 하나님이신 예수 그리스도이시다.

요한복음서는 서두의 말씀처럼 "태초에 말씀이 계셨고," 그 말씀으로 우주만물과 인류를 창조하신 역사가 있다. 아담이 범죄하여 인류가 죄인이 되었는데, 우리 인류를 처음 아담의 모습으로 회복시키시려고 예수 그리스도가 오신 것이다.

오신 그분! 창조자요, 구원자인 예수 그리스도를 세례요한이 세상에 소개하고, 그분의 길을 안내하고, 앞에 서서 '**이 분이 그리스도 예수!**'라고 이야기 하려는 세례요한을 사도 요한이 기록으로 소개하고 있다.

세례자 요한을 소개한 성서 기사는 여섯 사람이다. 예수님의 제자로서 복음서를 기록한 마태, 마가, 요한과 바울의 제자인 누가가 있으며, 구약 시대의 예언자 이사야와 사도행전을 기록한 바울이 그들이다. 이들 모두가 세례자 요한을 소개하고, 나중에 예수 그리스도에 대하여 기록하고 있음을 보는 것이다.

신약의 복음서들은 모두가 예수 그리스도에 대하여 기록하고 있다. 서신서 또한 '**예수 그리스도는 하나님 본체이신 분이 아들의 모습으로 오셨다**'고 말하고 있다.

계시록에도 예수 그리스도의 심판과 구원을 말하고 있는데, 이는 곧 '예수 그리스도가 재림의 왕'으로 새 하늘과 새 땅을 보이는 기사(記事)들이다.

모든 사람들이 예수 그리스도에 대하여 이야기를 한다. 필자 자신도 예수 그리스도를 이야기하려고 요한복음을 공부하는 것이다.

모든 자연(自然)이 하나님의 구원의 진리를 가르쳐 주고 있다.

자연은 하나님이 진리를 가르치기 위한 시청각 자료로 창조하셨다. 예를 들어보자. 꽃은 벌과의 만남으로 씨앗을 맺게 된다. 그 씨앗이 땅에 떨어져 땅과 만나면 새싹이 돋아난다. 이 만남은 생육 번성을 이야기하고 있다. 그런데 이 싹이 크게 자라는 사이에 병이 들면 '**접붙임의 만남**'으로 회복하게 된다. 나무가 불에 타거나, 바람에 맞아 가지가 끊어지거나 못쓰게 되면, 그 가지의 밑동에 불에 타지 않은 가지를 접붙임 하면 된다.

사람이 병들었을 때에도 접붙임의 만남으로 회복할 수 있다. 모든 외과 수술은 접붙임의 만남의 원리에서 온 의술이다. 각막이식수술이나 신장이식수술도 같은 원리이다. 인체의 어느 부위에 염증이 생기면, 그 염증을 제거하고 약을 발라 치료하는 것도, 화상을 입은 얼굴에 이식수술을 하는 것도 모두가 접목의 이치를 적용한 의술이다.

인류가 만들어 내는 언어나 공작품도 모두 만남의 원리로 만들어지지만, 잘못 되거나 못쓰게 되면, 이것들의 치료는 접붙임의 만남의 원리로 된다.

사람들이 살고 있는 집에 불이 나더라도 타다 남은 것들을 뜯어내고, 수리를 하는 것도 접붙임의 원리로 볼 수 있다.

이와 같이 하나님이 창조하신 우주만물과 인류는 만남의 원리로 생육하고 번성하며, 사람이 만든 창작품과 공작품도 모두가 만남의 원리로 만들어진다. 그러나 병든 식물이나, 사람들의 치유는 접붙임의 원리로 되어짐을 본다.

그런데 접붙임의 깊은 의미는 무엇인가? 그것은 병든 신장을 잘라내는데 큰 의미가 있다. 신장을 이식하는 수술이라도 그저 이식수술이 아니다. 병든 신장을 잘라내고 그곳에 병들지 않은 신장을 접붙임 하는 것이다. 십자가의 접붙임도 같은 원리이다. 죄인인 강도! 곧 우리는 자신의 몸을 멸하기 위하여 죽고, 예수 그리스도는 강도에게 자신의 생명을 주기 위하여 죽는 것이다. 이것을 증언자로 나선 바울 선생은 서신서 대부분에서 아래와 같이 이야기한다. 로마서 6장 5절부터 **"만일 우리가 그의 죽으심을 본받아 연합(聯合)한 자가 되었으면 또한 그의 부활(復活)을 본받아 연합(聯合)한 자가 되리라" "우리가 알거니와 우리 옛 사람이 예수와 함께 십자가에 못 박힌 것은 죄의 몸이 멸(滅)하여 다시는 우리가 죄(罪)에게 종노릇하지 아니하려 함이니"** 증인자 바울은, 셀 수 없이 많은 곳에서 예수와 같이 죽었다고 증언하고 있다. 그래서 십자가의 사건도 대속이나 속죄가 아닌, 접붙임의 만남으로 역사하셨음을 보게 되는 것이다. '접붙임의 만남'의 신앙은 영과 육을 다 살리는 신앙이다.

오늘의 결론

오늘 말씀의 주제는 '세례요한은 누구인가?'였다. "하나님께로부터 보내심을 받은 세례요한"은 예수 그리스도에 대하여 증거하러 왔다는 기록을 공부하였다. 아울러 구약성서의 내용과 신약 복음서, 서신서, 계시록도 예수 그리스도를 증거 한다는 것을 공부하였다.

또한 하나님이 창조하신 우주만물—곧, 자연(自然)과 사람(人體)이 하나님의 십자가의 진리인 접붙임의 만남을 설명하고 있음을 볼 수 있었다. 우주만물—하늘과 땅 위의 모든 것들은 주 예수 그리스도의 십자가 진리를 증명하고 있다.

2009년 6월 10일 발표

〈제3과〉
독생자 예수 그리스도

본문 말씀 요한복음 1:9~14

"[9]참빛, 곧 세상에 와서 각(各) 사람에게 비치는 빛이 있었나니 [10]그
가 세상에 계셨으며 세상은 그로 말미암아 지은바 되었으되 세상이 그
를 알지 못하였고, [11]자기 땅에 오매 자기 백성이 영접치 아니 하였으
나 [11]영접하는 자 곧 그 이름을 믿는 자들에게는 하나님의 자녀가 되
는 권세를 주셨으니 [13]이는 혈통으로나 육정으로나 사람의 뜻으로 나
지 아니하고, 오직 하나님께로서 난 자들이니라. [14]말씀이 육신이 되어
우리 가운데 거(居)하시매 우리가 그 영광을 보니 아버지의 독생자(獨
生子)의 영광이요, 은혜와 진리가 충만하더라."

요한의 지혜와 밝은 영(靈)의 눈을 본다

요한은 1장 1,2절에서 태초부터 말씀으로 계시는 하나님이신 예수 그리스도를 말하고 있다.

1장 3절에서는 그가, 곧 예수 그리스도가 우주 만물을 창조하신 하나님으로 보고 기록하고 있다.

1장 4,5절에서는 그분이 지은 땅! 세상, **'그 안에 생명이 있었으니 이 생명은 사람들의 빛이라. 빛이 어두움에 비치되 어두움이 깨닫지 못 하더라'**는 요한이 본 예수 그리스도상(象)을 그리고 있다. 참으로 위대한 요한 사도의 영(靈)의 밝은 눈을 본다. 이렇게 요한이 보고 기록 할 수 있었던 것은 하나님이 보여 주셨기에 가능한 일이었다.

6절부터 8절까지 세례요한을 소개하고, 그가 곧 세례요한이 예수 그리스도를 인류에게 소개하고 안내할 것임을 예고하고 있다.

요한은 예수 그리스도만 잘 보고 말한 것이 아니라, 세례자 요

한을 참으로 바로 소개하고 있는 것이다.

지난 번 공부에서 자연의 겨울잠을 봄바람이 깨워서 모든 식물들의 새싹이 돋아나게 하는 것을 보았듯이 하나님이 창조하시고 운행하시는 우주만물의 근원이신 하나님이 빛으로 말씀을 하셨지만, 인간들이 알지 못하므로 세례요한을 보내어 광야에서 외치는 소리로 인류가 깊은 잠에서 깨어나게 한 것이다.

오늘은 이어서 독생자(獨生子) 예수 그리스도에 대하여 살펴보기로 하자.

본문 말씀 공부

9절 "참빛, 곧 세상에 와서 각 사람에게 비치는 빛이 있었나니"

밤의 어둠에서 태양의 떠오름으로 밝음을 보는 것 같이, 우리들 각 사람의 마음의 눈이 어둡지만 **"참빛"**으로 오신 생명의 근원인 예수 그리스도를 영접하면 마음의 눈이 밝아지게 됨을 말하고 있다.

예수 그리스도는 이 세상에 오셔서 자신을 '**길이요, 진리요, 생명**'이라 하시고, '생명의 떡'이라고도 하셨으며, '**참빛**'이라고도 말씀하셨다. 요한은 1장 전반부에서 예수 그리스도를 **"참빛"**으로 표현하고 있다.

우리들의 마음눈에 하나님의 본체인 예수 그리스도의 생명을 받을 수 있다. 예수 그리스도의 생명을 받으면 마음의 눈이 밝아질 수 있다. 그러기 위해서는 역시 우리가 십자가상에서 주를 따라 죽어 **"나"**라는 존재가 없는 상태가 되어야 예수 그리스도의 **"참빛"**을 영접할 수 있지만, 내가 살아 있으면 마음눈이 밝아질 수 없다. 영접하면 그곳에 하늘의 생명이요, 하나님의 본체인 예수 그리스도의 생명이 나의 생명과 합체(合體) 되어 나는 없고,

오직 예수 그리스도가 사는 것이다.

찬송가 495장에는

"내 영혼이 은총 입어 중한 죄짐 벗고 보니

슬픔 많은 이세상도 천국으로 화하도다" 라는 소절이 있다.

여기서 '중한 죄짐'을 벗는다는 것은 거듭남을 표현한 말이다. 거듭남의 눈으로 볼 때에 '슬픔 많은 이세상도 천국으로 변하는 것이다.

"각 사람에게 비치는 빛이 있었나니" 우리 영혼 안에 빛의 근원 즉, 참빛으로 오심을 이야기 하고 있다. 참빛은 곧 예수 그리스도의 생명이다.

예수 그리스도가 우리들의 마음눈을 밝히는 참빛으로 오시면, 한낮을 비추는 태양처럼 우리들과 이 세상을 참과 진리로 밝혀 주신다는 것이다.

10절 "그가 세상에 계셨으며 세상은 그로 말미암아 지은 바 되었으되 세상이 그를 알지 못하였고."

예수 그리스도가 태초부터 창조자로 계셨다고 요한은 말하고 있다. "세상은 그로 말미암아 지은 바 되었으되" 세상은 그—곧, 예수 그리스도에 의해서 지은 바 되었다고 한다. 그런데 "세상이 그를 알지 못하였고" 자신의 주인인 창조주(創造主)를 세상 사람들은 알지 못했다는 것이다. 참으로 안타까운 일들이다.

11절 "자기 땅에 오매 자기 백성이 영접치 아니 하였으나"

여기서 '자기 땅' 은 자신이 지은 땅—곧, '예수 그리스도가 지은 땅' 을 말한다.

창조주 예수 그리스도가 구세주로 이 땅에 오셨지만, 죄에 빠진 백성들은 그 분을 영접하지 않았다. 그러나 그 분은 자신을 영접할 백성에게 큰 선물을 준비하고 계신다.

12절 "영접하는 자 곧, 그 이름을 믿는 자들에게는 하나님의 자녀가 되는 권세를 주셨으니"

하나님의 자녀가 되는 권세

비록 자기 백성들이 영접치 아니 하였지만, 늦게라도 영접하는 백성들에게는 하나님의 자녀 되는 권세를 주셨다는 것이다. 이 권세는 예수 그리스도가 창조주로서, 구세주로서 우리 인류에게 주신 큰 선물이 아닐 수 없다.

자녀의 권세는 부자(父子)의 관계를 말하는 것이다. 부자 관계는 곧 혈통(血統) 관계이다. 혈통은 생명의 상징인 피를 이어받는다는 뜻이다. 아담을 창조하실 때에 하나님이 자신의 형상을 흙으로 빚으시고, 그 형상에 자신의 생명인 생기를 불어넣음으로 생성된 그 생기와 흙의 만남의 관계는 생명—곧, 혈통의 관계 또는 생명의 관계이다. 마찬가지로, 십자가상에서 들포도나무인 인류 강도에게 예수 그리스도라는 참포도나무로 생명을 주신 것도 생명—곧, 혈통의 관계 또는 생명의관계가 성립되는 것이다.

이는 첫 인간 아담을 창조할 때의 생명이요, 인류 재창조를 위하여 구세주로 오신 예수 그리스도의 생명의 피는 십자가의 접붙임에 의한 새로운 만남의 생명이다.

뒤돌아보면, 세상 창조의 맨 마지막에 만들어진 첫 사람 아담은 순결한 인간이었다. 그러나 아담은 사탄의 유혹으로 죄인이 되고 말았다. 이것을 이사야는 "처음 창조 때에 아담은 극상품 포도나무였는데, 아담이 죄에 물들어 들포도 열매가 되었다"(사 5:2)고 말하고 있다. 이 들포도나무인 인류를 참포도나무로 바꾸시려고 예수 그리스도가 오셨다. 접붙임의 일은 농부인 하나님이 하신다. 증언자 바울은 **"접붙임의 능력이 하나님께 있다"**(롬 11:23 참조)고 하였다.

인간 창조 때에 흙에 생기를 불어넣어 아담이 창조된 것과 인류 구원자로 오신 하나님—곧 예수 그리스도가 인류 재창조를 위하여 십자가에서 피 흘린 사건은 같은 맥락이다. 예수 그리스도의 생명을 십자가상에서 접붙임으로 받은 사람은 하나님과 혈통! 또는 생명의 관계가 맺어진다. 그래서 예수 그리스도의 부활을 힘입어 다시 살 때는 하늘 백성으로서 하나님 자녀의 권세를 받아 사는 것이다.

증언자 바울은 **"내가 그리스도와 함께 십자가에 못 박혔나니 그런즉 이제는 내가 산 것이 아니요, 오직 내 안에 그리스도께서 사신 것이라."**(갈2:20)고 하였다. 우리는 그리스도 예수의 생명을 받기 위하여 십자가에서 죽은 것이다. 그리하여 그리스도 예수와 함께 부활하여 그리스도 예수의 생명으로 살고 있다는 말이다. 증언자 바울은 갈라디아서 2장 20절 하반절에서 우리들의 믿음을 정의(定意)하기를 **"나를 위하여 자기 몸을 버리신 하나님의 아들을 믿는 믿음 안에서 사는 것이라"**고 하였다. 그렇다면 무엇을 어떻게 믿을 것인가? 이에 대한 답으로 바울은 로마서 6장 11절에서 **"너희 자신은 죄에 대하여는 죽은 자요, 그리스도 예수 안에서 하나님을 대하여는 산 자로 여길지어다"**라고 하였다. 여기서 끝부분의 '여길지어다' 라는 대목은 믿으라는 말이다.

다시 말하여

'너희 자신은 죄에 대하여 이미 죽었다는 것을 믿으라'고 하였으니 우리들 자신이 '그리스도 예수 안에서 하나님을 대하여서는 이미 산 자로 되었음을 믿으라'는 것이다.

죄인 강도는 이미 십자가상에서 죽임을 당하였다. 이는 곧, '예수 그리스도가 죽을 때에 강도와 같은 우리도 죄의 몸을 멸하기 위하여 이미 죽었다'는 것을 믿으라는 것이다. 달리 생각하면 '십자가상에서 그리스도 예수의 흘린 피로, 새 생명을 받아 살아가고 있다'는 것을 믿으라는 말씀이다.

믿음의 두 가지 의미(意味)

첫째 믿음은 하나님이 다 이루어 놓은 인류 구원의 사실을 믿는 것이다. 이런 믿음을 로마서 믿음이라고 하겠다.

둘째 믿음은 자신의 소망을 믿는 것이다. 이 믿음은 히브리서 믿음이다. 자신의 소망을 이루어주실 줄 믿고, 기도드리며 소망하는 믿음이다. 이 믿음을 일컬어 "믿음은 바라는 것들의 실상" 이라고도 한다.

그런데 로마서적인 자신의 구원을 믿는 믿음이 없다면 후자의 믿음은 있을 수 없다. 먼저 자신의 구원의 믿음으로 거듭난 후에, 그 믿음에 따라 소망이 생기고, 그 소망을 앙망하는 믿음이 있게 되는 것이다. 그런데 거듭남도 하나님의 은혜로 되어짐을 믿는 것이다.

예를 들면 『성서조선』지의 발기인들—김교신, 함석헌, 송두용 선생들의 소망인 '성서를 사랑하는 조선에게, 조선을 성서 위에' 세운다는 것은 소망의 믿음이었다. 국회종 선생이 『이사야서 강의』에서 인류 구원을 위하여 기도한 것이나, 노평구 선생이 늘

"제2의 루터, 제3의 루터가 한국에서 나와야 한다"고 앙망한 것들이 히브리서 믿음이다. 이 믿음은 바라는 것들이 실상으로 다가온다는 것을 말함이다. 그런데 우리가 믿게 된 것도 은혜로 되었다고 하여 "은혜 위에 은혜더라"고 하였다.

13절 "이는 혈통으로나 육정으로나 사람의 뜻으로 나지 아니하고 오직 하나님께로서 난 자들이니라."

아들의 권세! 이는 죄를 범한 아담과 유대인의 혈통, 다윗의 자손으로 태어났어도 결코 하나님의 자녀가 될 수 없다는 것이다. 오직 하나님의 독생자의 생명으로만 인류 구원이 되고, 우리가 하늘 백성으로 다시 사는 것은 독생자의 생명을 십자가를 통해 접붙임 받는 길, 또는 예수 그리스도를 우리 모두가 생명으로 영접하는 길 뿐이라는 것이다. 사람의 생각과 뜻으로가 아닌 하나님의 뜻에 의해서이다. 말씀이 육신이 되어 오신 그 분의 뜻—곧, 농부인 아버지의 뜻으로 **"오직 하나님께로서 난 자들"**이다. 여기에서 **'난 자들'**이란 예수 그리스도라는 '참포도나무의 생명을 받아 거듭난 자'들을 일컫는다. 오직 예수 그리스도의 생명을 받아 새로 지음을 받은 사람만 **"하나님께로서 난 자들"**인 것이다.

14절 "말씀이 육신이 되어 우리 가운데 거(居)하시매 우리가 그 영광을 보니 아버지의 독생자의 영광이요, 은혜와 진리가 충만하더라."

천지창조 때부터 말씀으로 영(靈)으로 계신 그분, 유일신 하나님이 그 높고 높은 하늘나라 천군 천사의 찬양과 영광을 다 뒤로 하고 오셨다. 우주 만물의 창조 때부터 말씀과 영으로 계신 창조주가 우리와 같이 육신의 옷을 입고, 우리 인류 가운데 거하신다는 것이다.

요한복음을 기록한 요한이 볼 때에 그분, 태초부터 창조주로 계신 하나님, 곧 말씀이 육신의 옷을 입고 예수 그리스도께서 우리 가운데 거(居)하신다는 것이다. 일반 사람들은 보지 못한 것을 요한은 보고 기록한 것이다. 참으로 놀라운 요한의 영의 눈을 본다. 이것은 오직 하나님이 은혜로 보여 주신 것으로, 그분 하나님께 무한한 감사를 드린다.

'우리가 그 영광을 보니' 요한과 그 시대의 사람과 오늘의 사람, 또는 미래의 사람들을 아우른 모두가 **'그 영광을 본다'**는 말이다. 요한복음을 쓴 요한만 주님의 영광을 본다는 말이 아니다. 요한도 보고, 지금 우리의 눈으로도 그 영광을 본다. 이는 하나님께 은혜를 입은 사람들이 그 영광을 본다는 말씀이다.

어떤 영광인가?

'아버지의 독생자의 영광이요' 아버지의 독생자의 영광이라고 하였다. 하나님 아버지의 독생자의 영광이라는 것이다. 아버지는 우주 만물을 창조하신 창조주를 일컫고, 예수 그리스도는 곧 조물주의 아들이란 말씀이다. 그분이 우리 가운데 육신의 옷을 입고 오셨다. 우리에게 당신의 생명을 주시려고 오신 것이다. 그분! 예수 그리스도의 생명을 받아야 예수 그리스도와 하나 될 수 있다.

우주 만물을 창조하신 하나님의 독생자의 영광! 이 얼마나 위대하고 대단한 분인가? 그 분이 죄 많은 세상에 오셨다. 그분의 기(氣)의 능력과 사랑! 자신이 죽기까지 인류—나와 여러분을 사랑하신 그분의 위대한 사랑과 오묘한 능력을 요한은 보고 독생자의 영광으로 표현하였던 것이다. 독생자. 하나뿐인 하나의 귀중함을 이야기한 것이다.

그런데 여기에서 독생자는 두 가지 뜻으로 볼 수 있다. 첫째는 하나님의 **외아들—獨生子**로 오셨다는 뜻으로도 볼 수 있고, 다음으로는 홀로, 스스로—獨生者로 오셨다는 뜻도 있다.

우리 인류는 그 분의 생명을 받아야 하늘 백성으로 거듭나게 된다. 하늘 백성은 하나님의 독생자 예수의 생명의 유전자를 갖고 있어야 하늘 백성으로 거듭날 수 있다는 말이다. 그 어떤 다윗의 씨라 하여도 하나님의 독생자의 생명을 받지 않으면, 하나님의 백성으로 거듭날 수 없는 것이다.

우리 그리스도인이 그리스도의 유전자를 갖고 있어야 하늘 백성이 된다는 것을 증언자 바울은 고린도전서 6장에서 이렇게 말하고 있다.

"[19]너희 몸은 너희가 하나님께로부터 받은 바 너희 가운데 계신 성령(聖靈)의 전(殿)인 줄을 알지 못하느냐. 너희는 너희 것이 아니라. [20]값으로 산 것이 되었으니 그런즉 너희 몸으로 하나님께 영광을 돌리라"

여기에서 값으로 샀다는 것은 무슨 말인가? 하나님이 독생자 예수의 피를 십자가를 통하여 우리에게 주어 새로운 생명으로 만들었다는 말이다. 그래서 19절에 **"너희는 너희 것이 아니라"** 하나님의 것이라고 하였으며, 20절에서 **"영광을 하나님께 돌리라"**고 하였다.

'은혜와 진리가 충만하더라.' 여기서 은혜란 우리에게 아무런 대가없이 하늘 아버지의 생명을 주신다는 것이다. 흙의 형상에 생명을 불어넣어 아담을 창조한 생명의 근원이신 하나님 곧, 예수 그리스도께서 십자가상에서 흘리신 생명의 진액인 보혈을 죄인에게 주신 것이 은혜이다.

예수 그리스도께서는 요한복음 6장 50, 51절에서 **"이는 하늘**

로서 내려오는 떡이니 사람으로 하여금 먹고 죽지 아니하게 하는 것이니라. 나는 하늘로서 내려온 산 떡이니 사람이 이 떡을 먹으면 영생하리라. 나의 줄 떡은 곧 세상의 생명을 위한 내 살이로다." 라고 말씀하신다. 은혜는 곧 산 떡으로 오신 예수 그리스도의 몸인 생명의 떡을 십자가상에서 갈기갈기 찢어 나누어 준다는 것이다.

예수께서는 보리떡 다섯 개와 생선 두 마리로 오천 명을 먹인 기적을 행하셨다. 그 때에 보리떡 다섯 개를 자신의 손으로 떼어 나누어 주셨는데, 이 보리떡 다섯 개는 예수 그리스도의 살을 나타내는 표징으로 보여주신 것이다. 하나님께서 예수 그리스도의 몸을 십자가상에 놓고, 그 살을 갈기갈기 찢어 인류인 우리 한 사람, 한 사람에게 나누어주는 모습을 상징(象徵)으로 보여주는 기적이었다.

떡 다섯 덩어리와 생선 두 마리로 오천 명이 먹고도 조각이 12광주리에 넘치게 남았다. 이 남음을 '은혜가 충만하다'로 기록한 것이다. 이 남음은 예수 그리스도의 보혈이 인류 모두에게 생명을 주고도 12광주리에 남았으니 은혜가 충분하여 넘치는 모습이다.

우리는 십자가를 통하여 예수 그리스도의 피를 받았으니 그분의 생명을 받은 것이다. 이처럼 그분의 피를 소유하게 된 것이 바로 은혜란 말이다.

십자가상에서 강도는 생명의 떡을 받기 위해 죽고, 예수 그리스도는 자신의 생명을 강도에게 나누어주기 위해 돌아가셨다. 이것이 은혜와 진리이다. 독생자(獨生子) 예수 그리스도에게는 이 은혜와 진리가 충만하여 모든 인류에게 생명의 떡을 줄 수 있는 것이다. 이것이 영구불변의 진리요, 은혜이다. 2009년 7월 10일 발표

〈제4과〉
은혜(恩惠) 위에 은혜

본문 말씀 요한복음 1:15~18

"[15]요한이 그에 대하여 증거 하여 외쳐 가로되 '내가 전에 말하기를 내 뒤에 오시는 이가 나보다 앞선 것은 나보다 먼저 계심이니라' 한 것이 이 사람을 가리킴이라' 하니라. [16]우리가 다 그의 충만(充滿)한 데서 받으니 은혜 위에 은혜더라. [17]율법(律法)은 모세로 말미암아 주신 것이요, 은혜와 진리는 예수 그리스도로 말미암아 온 것이라. [18]본래 하나님을 본 사람이 없으되 아버지 품속에 있는 독생(獨生)하신 하나님이 나타내셨느니라."

사도 요한과 세례 요한의 예수 그리스도관(觀) 비교

지난 공부에서 요한복음 1:9~14절까지는 요한복음을 쓴 사도 요한이 본 예수 그리스도였다. 요한은 예수 그리스도를 독생자(獨生子)로 보았고, 이 독생자는 창조 때부터 계셨음을 강조한다. 그러한 예수가 인류와 하나 되기 위하여 오심으로써 "독생자의 영광이요, 은혜와 진리가 충만하더라"라고 쓰고 있다.

한편, 1:15~18절까지는 **세례자 요한이 본 예수 그리스도**를 기록하고 있다. 세례요한도 사도요한처럼 예수 그리스도를 깊은 의미로 표현하고 있다. "우리가 다 그의 충만한 데서 받으니 은혜 위에 은혜더라."(16절) 여기서 이스라엘 자손들의 위대함을 본다.

다시 말하여 요한복음을 기록한 요한은 예수 그리스도를 하나님의 아들 독생자(獨生子)로, 덧붙여 우주만물 창조 때부터 계셨던 창조자로 기록하고 있다. 그런데 세례자 요한은 조금 달리 "하나님 품속에 있는 독생(獨生)하신 하나님"으로 이야기하고 있다. 뿐만 아니다. '바울'이란 대 증언자가 있었고, 예수를 "하나님의 아들"이라고 간파한 '나다나엘'이란 현명한 청년도 있었다. 유대민족의 위대성이 여기에 있는 것이다.

그 시대에는 들에서 양을 치는 목자들도 메시야의 도래(到來)를 앙망하였다. 또 예루살렘 성전지기인, '시므온'이란 사람은 아기 예수를 보고 "내 눈이 주의 구원을 보았사오니"(눅2:30) 하며 '장차 이 아기가 구원자, 곧 인류에게 하나님의 생명을 주실 분'이라고 좋아함을 볼 수 있다. 또 바누엘의 딸 '안나'라 하는 여선지자는 과부로써 성전지기로 84년 동안을 성전에 살면서 메시야를 기다린 여인이다. 그녀 또한 아기 예수를 보고 인류 구원에 대하여 이야기를 한다.

같은 시대에 살던 그들은 참으로 예수 그리스도를 바로 본 것이다. 사도 요한은 예수를 獨生子—우주 만물 창조자의 아들로 보았고, 세례요한은 스스로 독생(獨生)한 자(者)—하나님 품속에 있던 그분이 오심을 본 것이다. 나다나엘은 예수의 말 한 마디에 "랍비여, 당신은 하나님의 아들이시오, 이스라엘의 임금입니다."(요1:49)라고 하였다.

이 세상에 가장 아름다운 사회는 어떤 사회일까? 그것은 인물을 인물로 알아주는 사회가 가장 아름다운 사회일 것이다. 이것은 개인이건, 사회이건, 국가이건 마찬가지이다. 우주만물을 창조하신 창조주 하나님이 오셨는데 그를 알아 본 사람이 이스라엘에 있었다. 예수 그리스도를 하나님의 독생자(獨生者)! 또는 스스로 오신 하나님으로 알아본 사람들이 이스라엘에 있었다는 말이다. 예수 그리스도가 오신 지 2000년이 지난 지금도 예수 그리스도를 바로 아는 것이 최고의 복이요 구원이다.

본문 공부

15절 "요한이 그에 대하여 외쳐 가로되 '내가 전에 말하기를 내 뒤에 오시는 이가 나보다 앞선 것은 나보다 먼저 계심이니라' 한 것이 이 사람을 가리킴이라' 하니라."

본문에서 "그"는 예수그리스도를 가리키는 말이다.

세례자 요한은 예수 그리스도에 대하여 목이 터지도록 외친다. **"내가 전에 말했던 분이 바로 이분이시다!"** 라고. **"이분이 세상에는 나보다 뒤에 오셨지만, 먼저 계신 분이다!" "처음 우주만물 창조 때부터 계신 분이다!"** 하는 외침이 우리들 귀에 쟁쟁하게 들린다.

세례자 요한은 예수를 만나기 전부터 말해 왔다. **"내 뒤에 오시는 분이 계시는데, 그 분은 나보다 먼저 계신 분으로 우주만물의 창조자(創造者) 되시며 운행자시다"** 라고. 그 후, 예수님과 처음 만났을 때 즉시 알아보고 **"바로 이 분이 내가 말하던 그 분 예수 그리스도시니라!"** 라며 기뻐 외쳤다.

16절 "우리가 다 그의 충만(充滿)한 데서 받으니 은혜(恩惠) 위에 은혜더리."

여기서 '우리'는 누구를 말하는가? 세례자 요한의 이야기를 접하는 모든 사람들을 우리라고 하였다. 그 시대에 세례자와 함께 하였던 사람과 오늘날 성서를 통해 세례자 요한의 말씀을 접하는 모든 사람이 우리이다. 곧, 택함을 받아 이 성서를 접하는 모든 사람들이 우리인 것이다.

"그의 충만(充滿)한 데서 받으니" '그의 충만'은 '예수 그리스도의 충만'이다. 충만은 가득 찼다는 뜻으로, 가늠할 수 없도록 큰 그릇에 가득 찬 양(量)을 뜻하는 말이다. 즉, 가득하게 늘 차고 넘침을 뜻한다.

예화 하나. 예수께서 빈 들판에서 가득 찬 청중들에게 말씀을 하시던 중 식사 때가 지나게 되었다. 예수께서는 제자들에게 '이 사람들을 이대로 보내면 돌아가는 도중에 기진하여 쓰러져 탈진할 수 있으니 이들에게 떡을 주어서 먹게 하라'고 하신다. 이 같은 스승의 말씀에 제자들은 '이토록 많은 사람들에게 떡을 먹이려면 엄청난 양의 떡이 필요하고, 그렇게 하려면 경비 또한 많이 들것입니다. 설마 돈이 있다고 한들 이들에게 먹일 떡을 갑자기 어디에서 구하겠습니까?' 하였다. 예수께는 돈도 없었지만, 많은 양의 떡을 어디서 어떻게 구하겠는가?

여기에서 기적이 일어나게 된다. '보리떡 다섯 개와 물고기 두 마리'로 오천 명을 먹인 오병이어(五餠二魚)의 기적이 바로 그것이다. 이 오천 명은 단순한 숫자의 개념을 벗어나 인류 전체를 상징하는 수치이다. 오천 명을 먹이고도 먹고 남은 조각들이 열두 광주리에 넘치게 남았다. 하나님의 은혜는 이토록 충만하다는 것이다. 결국에는 예수 그리스도의 십자가상에서 흘린 피가 인류에게 생명을 주고도 남음이 있음을 상징적으로 보여주는 기적이다.

"은혜 위에 은혜더라" 은혜는 십자가상에서 흘린 피로 인류에게 하나님의 생명을 나누어 주는 것을 말한다. '은혜 위에 은혜'란 생명을 주심으로 은혜의 끝이 아니고 계속하여 이어짐을 말한다. 즉 이 은혜를 알도록 깨달음을 주심도 은혜로 되고, 모든 것들이다 은혜로 되어짐을 강조하는 말이다. 은혜 위에다 더 한층, 보다 더, 더욱 더 주어지는 은혜인 것이다.

17절 "율법은 모세로 말미암아 주신 것이요, 은혜와 진리는 예수 그리스도로 말미암아 온 것이라."

율법은 모세를 통(通)하여 이스라엘 민족에게 주어졌다. 하나님이 모세를 통해 주신 것이다. 그런데 '은혜와 진리는 예수 그리스도로 말미암아 온 것이라' 하였다.

본문대로라면 모세와 예수는 동격이 된다. 그러나 모세와 예수는 결코 동격이 될 수가 없다. 그렇다면 무엇이 문제인가? 본문 가운데에서 '말미암아'라는 표현의 번역에 문제가 있다. '말미암아'라는 말은 '누구를 통하여'라는 뜻으로 볼 수 있다.

율법은 하나님이 모세를 통하여 주신 것이 맞지만, '은혜와 진리'는 누구를 통해서 온 것이 아니다. 이 부분은 '예수 그리스도에게서 나왔다.' 로 표현해야 이치에 맞는 말이 된다.

인류 창조 때에, 하나님이 흙으로 만들어진 당신의 모형에 생기를 불어넣어 사람을 창조하신 것처럼 예수 그리스도에게서 출현(出現)한 생명(生命)—곧 죄인인 사람들에게 접목되는 것이 은혜와 진리이다. 이리하여 "은혜와 진리는 예수 그리스도에게서 나타나는 생명 즉, 생명의 진액이다.

요한복음서 1장 17절을 일본어 성경(신공동번역 판)에서는 아래와 같이 쓰고 있다.

"律法はモセを通し与えられたが 恵みと真理はイエス キリストを通して現れたからである" 위의 글에서 '율법은 모세를 통해 주신 것'이요 '은혜와 진리는 예수 그리스도를 통해 나타난 것'이

라 하였다. 그래서 우리말 성경이 잘못 번역되었음을 알 수 있다. 누구를 통해 온 것이 아니라 예수 그리스도에게서 나타나다, 또는 출현되다 로 번역되어야 맞는 부분이다.

일본어에서 現れたからは

'나타나다', '출현', '저절로 나타나다'라는 뜻이 있다.

다시 말하여 인간 창조 때에 하나님에게서 생기가 나와 그 생기가 흙과 만남으로 사람 즉, 아담이 창조 된 것처럼 두 번째의 인류 창조도 하나님이신 예수 그리스도에게서 나온 새 생명으로 이루어졌으니 이 부분은 '은혜와 진리는 예수 그리스도에게서 출현하였다(또는 나타났다)'로 되어야 한다고 하겠다.

태초에는 하나님의 생기가 흙과 만남으로 아담이 창조되었다.

두 번째 창조—곧, 하나님의 인류 품종개량사업인 십자가 사건도 하나님이신 예수 그리스도가 십자가상에서 흘린 피를 들포도나무로 전락한 인류에게 줌으로써 하늘의 생명을 가진 참포도나무로 개량하는 사업이 십자가의 사건인 접붙임으로 이루어졌다. 즉, 예수 그리스도의 피로 참생명을 준다는 것이다. 참생명의 피를 접붙임으로 받은 사람은 하나님과의 자녀 관계가 성립되는 것이다. **"영접하는 자 곧 그 이름을 믿는 자들에게는 하나님의 자녀가 되는 권세를 주셨으니"**(요1:12) 이 말씀은 십자가상에서 흘린 피를 받으면 혈통의 관계인 부모와 자식 관계가 성립되는 것이다.

18절 "본래(本來) 하나님을 본 사람이 없으되 아버지 품속에 있는 독생(獨生)하신 하나님이 나타내셨느니라."

아담 이후 하나님을 눈으로 본 사람이 없었다. 말씀과 영으로,

빛과 생명으로는 계셨지만, 본문 말씀대로 '하나님을 본 사람이 없었다.'

'아버지 품속에 있는 독생하신 하나님' 사람으로는 볼 수 없는 '아버지 품속에 있는' 그 분 하나님이 홀로—즉, 스스로 태어나셨다는 것이다. 구약에서 하나님은 자신을 스스로 있는 존재로, 신약의 하나님 예수 그리스도는 스스로 태어나신 것으로 세례자 요한은 본 것이다. 그러나 요한복음을 쓴 요한은 하나님의 외아들을 뜻하는 독생자(獨生子)로 오셨다고 이야기한다.

하나님이 스스로 오신 것이나, 외아들로 오신 것이나 어떻든 다 하나님께서 스스로 인류를 새롭게 하시려고 오신 것은 분명하다.

이사야 선지자는 인류가 지음받을 때는 극상품 포도나무였다고 했다. 그런데 아담과 하와의 범죄로 극상품 포도나무에서 들포도나무로 전락되었다고 하였다. 세상은 들포도 농장이 되고 만 것이다. 이 들포도 농장 한 가운데에 하나님—태초부터 생명으로 계신 그분이 참 포도나무로 오셨다.

아담을 창조하신 하나님 아버지의 품속에 계셨던 그분 예수 그리스도가 참포도나무로 오셔서 들포도 농장 한 가운데 심어진 것이다. 좋은 접붙임 가지를 주기 위하여 말이다. 이 일을 농부인 하나님이 하셨다. 아버지 품속에 계신 분이 독생 즉, 스스로 오셨다고 보는 것이다. 이 부분은 사도요한이 본 것처럼 외아들인 독생자로 보아도 좋겠다.

분명한 것은 처음 창조 때에 흙의 형상에 生氣를 불어넣어 아담을 지으신 그분이 그리스도로, 또는 참 포도나무로 오시어 십자가상에서 흘린 피를 들포도나무인 인류에게 줌으로써 참생명을 얻게 하셨다는 것이다. 이것을 증언자로 나선 사도 바울은 로마서 11장 23절에서 "**저희도 믿지 아니하는 데에 거(居)하지 아니하면 접붙임을 얻으리니, 이는 저희를 접붙이실 능력(能力)이 하나님께 있음이라**"고 하였다.

'저희도 믿지 아니하는 데에 거(居)하지 아니하면'이란 말은 무슨 뜻일까? '불신자로 있지 아니하면'이란 뜻이다. 바꾸어 말하면 '믿음에 거(居)하면 접붙임을 얻는다'는 말이다. 결론은 '농부인 하나님께 접붙임을 얻는다'는 말이다.

2009년 8월 10일 발표

〈第5과〉
유대인 대리인의 질의와 세례요한의 답변

본문 말씀 1장 19~28절

"19유대인들이 예루살렘에서 제사장(祭司長)들과 레위인들을 요한에
게 보내어 '네가 누구냐?' 물을 때에 요한의 증거(證據)가 이러하니라.
20요한이 드러내어 말하고 숨기지 아니하니, 드러내어 하는 말이 '나는
그리스도가 아니라' 한대 또 묻되 '그러면 무엇, 네가 엘리야냐?' 가
로되 '나는 아니라.' 21또 묻되 '네가 그 선지자(先知者)냐?' 대답하되
'아니라.' 22또 말하되 '누구냐? 우리를 보낸 이들에게 대답하게 하라.
너는 네게 대하여 무엇이라 하느냐?' 23가로되 '나는 선지자 이사야의
말과 같이「주(主)의 길을 곧게 하라고 광야에서 외치는 자(者)의 소리」
로라' 하니라."
"24저희는 바리새인(人)들에게서 보낸 자라. 25또 물어 가로되 '네가
만일 그리스도도 아니요, 엘리야도 아니요, 그 선지자도 아닐진대 어찌
하여 세례를 주느냐?' 26요한이 대답하되 '나는 물로 세례를 주거니와,
너희 가운데 너희가 알지 못하는 한 사람이 섰으니 27곧 내 뒤에 오시
는 그이라. 나는 그의 신들메 풀기도 감당(堪當)치 못하겠노라' 하더라.
28이 일은 요한이 세례 주던 곳 요단강 건너편 베다니에서 된 일이니
라."

유대인의 시녀 제사장과 레위인

예루살렘이란 곳은 권력자(權力者)들의 집합소(集合所)요, 위정자(爲政者)와 기득권(旣得權)자들의 집합소이다. 금력(金力) 또한 집중(集中)되어 있으며 거기에다 성전(聖殿)이 있는 곳이다. 이 성전이야말로 성직자(聖職者)들—곧, 기득권자들의 집합체인 것이다.

이런 예루살렘에서 유대인들이 종교지도자, 권력자, 부자들이 자기들의 대리인을 세례자(洗禮者) 요한에게 보내게 되었다. '광

야에서 외치는 저가 누구인가를 알아오라'는 심부름을 보낸 것이다. 그런데 그 심부름을 간 사람들은 참으로 놀랍게도 "제사장과 레위인들"이었다.

제사장(祭司長)은 사제이다. 이스라엘 국민(國民)들의 정신을 높이고, 그것도 신앙의 정신을 높이는데 큰일들을 하여야 할 사람들이 권력자들과 기득권자들의 시녀(侍女)로 전락(轉落)한 모습을 우리는 지금 보고 있다. 레위인은 누구인가? 그들은 장차 제사장이 될지도 모르는 제사장 후보 반열에 있는 사람들이다. 이런 사람들이 권력자들과 기득권자들의 시녀(侍女)로, 또는 하속(下屬)인으로 전락한 것이다.

그런데 더욱 놀라운 일들은 권력자들과 부자, 기득권자들은 세례자 요한의 소리를 듣고, '저 소리는 새로운 소리인데 무슨 소리냐?' 하는 의문(疑問)을 갖게 되었다. 그런데 신앙적(信仰的)으로 민감(敏感)해 있어야 하는 제사장과 레위인들은 세례자 요한의 '광야에서 외치는 소리'에는 전혀 가치를 두지 않음을 볼 수 있다. 그저 단지 "우리를 보낸 이들에게 대답하도록 답을 달라."고 하는 저들의 주문을 보아도 알 수 있다.

예루살렘의 제사장들과 레위인들이 신앙적으로 정신적으로 썩을 대로 썩어 있음을 볼 수가 있다. 하나님의 뜻을 전달하고, 하나님의 심부름을 하여야 할 제사장과 레위인들이 도리어 권력자들의 시녀, 또는 하속인으로 전락하고 말았으니 더 말해 무엇 하겠는가.

이에 대하여 예수 그리스도께서는 예루살렘을 향하여 "예루살렘아! 예루살렘아! 선지자(先知者)들을 죽이고 네게 파송(派送)된 자(者)들을 돌로 치는 자(者)여! 암탉이 그 새끼를 날개 아래

모음 같이 내가 네 자녀(子女)를 모으려 한 일이 몇 번이냐? 그러나 너희가 원(願)치 아니하였도다."(마23:37) 하시며 통곡하셨다. 우리의 주님! 예수 그리스도의 사랑을 깊이 생각해봐야 할 것이다.

이렇게 예루살렘의 제사장들이 썩을 대로 썩었기에 메시야, 구원자 예수 그리스도 탄생의 기쁜 소식을 전해 받을 사람이 예루살렘에는 없었던 것이다. 그래서 멀리 떨어진 동방(東方)의 이방인(異邦人) 박사(博士)들과 함께 들판에서 양(羊)을 치며 밤마다 하늘의 별들에게 "너는 메시야 도래(到來)를 알겠지?" 하며 속삭이던 목자들에게 그 소식이 전해졌던 것이다.

이런 나라는 희망이 없는 나라이다. 예수께서 "예루살렘아! 예루살렘아!" 외치며 통곡하신 이유가 그것이다. 주후 70년경에 찾아온 예루살렘 패망의 까닭이 거기에 있었던 것이다.

본문 공부

19절 "유대인들이 예루살렘에서 제사장(祭司長)들과 레위 인들을 요한에게 보내어 '네가 누구냐?' 물을 때에 요한의 증거(證據)가 이러하니라."

광야에서 들려오는 **"회개하라! 천국이 가까웠느니라!"** 라는 커다란 소리에 놀란 유대인들이 제사장과 레위인들을 요한에게 보냈다. 광야에서 외치는 저가 누구인지 알아오라는 것이었다. 요한에게 간 그들이 묻는다. '네가 누구냐?' 이 물음에 대한 요한의 증거(證據)가 20절부터 질의 답변 형식으로 시작 된다.

20,1절 "요한이 드러내어 말하고 숨기지 아니하니, 드러내어 하는

말이 '나는 그리스도가 아니라 한대 ◇또 묻되 '그러면 무엇, 네가 엘리야냐?' 가로되 ' 나는 아니라.' 또 묻되 '네가 그 선지자(先知者)냐?' 대답하되 '아니라.'"

'드러내다'라는 말은 '안에 있는 물체나 생각을 밖으로 나타내 보인다'는 말이다. 요한은 앞절의 '네가 누구냐?'는 물음에 숨기지 아니하고 드러내서 '나는 그리스도가 아니라'고 하였다. 누가 자세히 묻기도 전에 드러내어 '나는 그리스도가 아니라'고 한 것이다. 참으로 세례 요한의 정직함을 본다.

찾아온 사람들은 '그리스도가 아니라'고 하는 요한에게 또 묻는다. '그러면 무엇, 엘리야냐?' 아니면 '네가 그 선지자냐?' 그러나 요한은 또 **'아니라'**고 답한다. '선지자 엘리야'는 유대인들에게 하나님의 말씀을 전하는 대언(代言)자요, 선지자였다. 그래서 찾아온 사람들은 '네가 이런 엘리야 같은 사람이냐?' 하고 물은 것이다. 그러나 대답은 역시 '아니라' 였다.

22절 "또 말하되 누구냐? 우리를 보낸 이들에게 대답하게 하라. 너는 네게 대하여 무엇이라 하느냐?"

여기에서 '묻는' 뜻은 다른 데에 있다. '우리를 보낸 이들에게 돌아가 대답할 답을 달라'는 읍소형 물음이다. 보기에 참으로 딱한 제사장과 레위인들의 신앙과 정신을 본다. 예루살렘에 있는 유대인들 곧 위정자, 종교지도자들과 각종 기득권자들은 세례자 요한의 **'광야에서 외치는 소리'** 때문에 지금 비상이 걸려 안절부절하고 있는데, 제사장과 레위인들은 왜 심부름을 갔는지조차 분별 못하는 맹인들이었다.

우리나라에서도 이러한 전도자들을 향하여 이미 5,60년 전에

"외치는 자 많지만, 생명수는 말랐어라." 하며 개탄한 선각자가 있었다.

23절 "가로되 '나는 선지자(先知者) 이사야의 말과 같이 주(主)의 길을 곧게 하라고 광야에서 외치는 자의 소리로라' 하니라."

19절에서부터 시작된 문답 끝에 세례자 요한은 23절에서 명확한 대답을 하게 된다. "나는 선지자(先知者) 이사야의 말과 같이" 즉, 선지자 이사야가 예언한(사40:3) 대로 '주(主)의 길을 곧게 하려고 광야에서 외치고 있다' 고 하였다.

여기서 '주(主)의 길을 곧게' 한다는 말은 무슨 말인가? 주의 길을 바르게 한다는 뜻이다. 즉, 예수 그리스도에 대하여 바르게 소개하려고 왔다는 말이다.

'광야에서 외치다'의 광야는 자연의 상태이다. 그곳에는 거짓이 없다. 인간들의 생활의 소리가 없는 곳이다. 거짓을 외치는 자는 인간들이 떠들썩한 번화한 도심의 거리를 무대로 삼지만, 세례자 요한은 인간들이 없는 조용한 광야에서 '귀 있는 자는 와서 들으라!'고 외친 것이다.

바리새인의 고정(固定) 관념(觀念)을 깨라

이 세상의 모든 사람들은 고정 관념에 종이 되어 있다고 하여도 과한 말은 아닐 것이다. 그렇지만 신앙(信仰)의 개혁자(改革者)들은 중요한 고비마다에서 고정 관념을 깼다. 이 고정 관념을 깨는 것은 개혁자들의 하나같은 공통점(共通點)이다.

믿음의 조상인 아브라함은 대표적(代表的)인 개혁자(改革者)이다. 그는 하나님의 지시로 골육(骨肉)의 형제(兄弟)를 떠나게 되는데(창12:1), 오로지 하나님 말씀만을 믿고 고향을 떠난 일이 고정 관념을 깨는 일이었다. 왜 하나님이 아브라함에게 "**골육의 형제를 떠나 내가 네게 지시하는 땅으로 가라**"고 하였을까? 그것은, 떠나지 않으면 우상(偶像) 밖에 모르는 골육(骨肉)의 형제(兄弟)들의 고정(固定) 관념(觀念)에 '유일신(唯一神) 신앙(信仰)'이 압사(壓死)되고 말 것이라는 깊은 뜻이 있었던 것이다.

바울은 '나는 유대인 중에 유대인이요, 바리새인 중에 바리새인'이라고 하면서 자기(自己)의 관념(觀念)을 수호(守護)하려고 스데반을 죽이기까지 하였다(사도행전 7장 참조). 그런 그가 예수 그리스도를 만난 후에는 '내가 자랑한 유대인과 바리새인의 권위(權威)를 배설물(排泄物)로 여기노라(빌3:8)'고 하면서 고정 관념을 깼다.

마틴 루터 역시 중세기의 암흑 같은 로마 카톨릭의 신앙에서 어느 날 성령님이 보여 주심으로, 죄(罪)를 면(免)해준다는 '면죄부(免罪符)를 사고 파는 시각의 고정 관념'에서 벗어나 '예수 그리스도의 대속으로 인류가 구원 받았다'는 생각에 이르게 된다. 이때 루터가 고정 관념을 깨지 않았다면 종교 개혁은 없거나 훨씬 늦어졌을지도 모르다.

일본의 선각자 우찌무라 선생도 제도와 의식적인 종래의 교회에서 '제도와 의식의 타파'라는 무교회를 들고 나와 '제도(制度) 의식(儀式)의 고정 관념에서 탈피하여 가정으로 돌아가는 교회'를 역설하였다.

그러나 개혁자들이 고정 관념에서 벗어나는 데에는 하나 같이 핍박(逼迫)의 고통(苦痛)이 따랐다. 바울 선생의 "내가 율법(律法)을 말하면 왜 핍박(逼迫)을 받겠느냐? 오직 새로운 예수 그리스도의 복음을 이야기함에 따르는 필연(必然)으로 받았다."고 한 것을 보아도 알 수 있겠다.

마틴 루터가 1523년에 종교개혁을 하고, '존 밀턴'이 태어난 1608년 사이에는 80여 년이란 시간적 공간이 있었다. 그 때에 잉글랜드의 프로테스탄트 사이에는 정신(精神) 강령(綱領)이 있었는데 그것은 "진보적(進步的) 진리(眞理) 추구(推究)와, 진보적 진리가 발견(發見)되면 듣고 토론(討論) 한다"고 되어있다. 그런데 한국 교회, 특히 한국 무교회와 일본 무교회가 「대속(代贖)의 신앙(信仰)」에 대하여 예수 당시(當時)의 바리새인들보다 더욱 지독한 바리새인이 되어있다. 한국교회에서는 이미 정해져 있는 틀에서 벗어나는 새로운 말은 못하게 한다. 그러나 영국(英國)의 존 밀턴은 벌써 17세기에 "종교 문제에서의 미심쩍은 사안이 있을 경우 무제한적인 토론이 필요하다"고 강조하였다〈밀턴 평전-박상익 著. 푸른역사-184쪽 참고〉.

「우주적 최대문제」

이 제목의 글은 〈성서 연구〉 1911년 10월호에 실린 우찌무라(内村鑑三) 선생의 논문(論文)이다. 이 논문에서 선생은 "*일본에서만은 우리로 그저 웨슬리나 칼빈, 루터에게 돌아가는 것으로 만족하지 말고, 생명의 근원이신 예수 그리스도에게 가자. 이 나라 '일본'에 있어서 구미(歐美) 여러 나라에 존재하는 이교화(異教化)된 기독교(基督教)를 그대로 옮겨올 필요란 조금도 없다*"고 했다.

이 말은 지금의 한국과 일본 교회가 변할 수 없는 신앙으로 믿고 있는 '대속의 신앙'을 이야기한 루터에게 가는 것으로 만족하지 말고, 예수 그리스도에게로 직행(直行)하자는 것이다.

함석헌 선생은 *"들어맞는 진리를 들어맞는 때에 전하는 것은 당연한 일이다. 말하는 자는 그저 하고 싶은 대로 하는 것이 아니다. 그의 뒤에 역사적 필연이 서서 떠밀므로 거기에 밀려서 하는 것이다. 그러므로 열(熱)이 있고 권위가 있고 생명력(生命力)이 있다. 역사적(歷史的) 필연(必然)이란 다른 것이 아니다. 하나님의 명령(命令)이다"* 라고 하였다〈위의 두 예문은 필자의 책 『우리가 먹어야 할 생명의 떡』에서 발췌, 인용〉.

그렇다. 500년 전 마틴 루터의 '대속의 진리'는 〈무한한 성서〉라는 진리항아리에서 발견한 진리인데, 넓은 바다에서 '조개 하나' 발견한 것에 지나지 않는 것이다. 필자가 주창하는 '접붙임의 만남'도 '조개 하나' 찾아낸 것과 같다.

인류역사상 최고의 시인이라 할 수 있는 밀턴[1)]은 재림관(再臨觀)에서 "진리의 진보는 재림과 더불어 마침내 신의 섭리가 인간에게 완전히 알려질 때 비로소 끝나게 될 것"이라고 정의하고 있다. 이 말은 "진리 발견이 되고, 또 되어서 어느 누구도 부정 할 수 없는 진리가 발견될 때—즉, 누구나 다 예수 그리스도를 생명의 주님으로 믿게 될 때에 진보는 끝나고, 예수께서 재림하실 것"이란 것이 밀턴의 재림관이다. 밀턴은 또 "제2, 제3의 끝없는 종교개혁이 필요하다"고 역설하였다〈밀턴 평전 186쪽, 206쪽 참조〉.

---

1) 존 밀턴 John Milton(1608~1674) : 영문학 사상 최고의 서사시인으로 손꼽힘. 정치가, 종교가로도 활동함. 밀턴은 "일인교회"를 추구했으며, 당시 막대한 권한을 행사하던 츠빙글리와 칼빙의 종교개혁을 경계함. 그의 작품으로는 《실낙원》, 《복낙원》, 《투사 삼손》 등이 있음.

24,5절 "저희는 바리새인(人)들에게서 보낸 자(者)라 ◇또 물어 가로되 네가 만일 그리스도도 아니요, 엘리야도 아니요, 그 선지자도 아닐진대 어찌하여 세례를 주느냐?"

앞의 19~23절까지에서 질문은 유대인들이 보낸 사람들의 것이지만, 24~28절까지는 바리새인들이 따로 보낸 사람들의 것이다.

바울은 바리새인의 고정 관념에서 벗어나 예수 그리스도의 종이 되었으나, 고정 관념에서 벗어나지 못한 바리새인들은 세례자 요한에게 사람을 보낸 것이다.

그들은 요한을 향하여 '그리스도도, 엘리야도, 그 선지자도 아니라면서 어찌하여 세례를 주느냐?'고 묻고 있다. 세례는 그리스도 곧, 메시야 하나님이 주는 것인데 당신은 그리스도도 엘리야도 아니면서 왜 세례를 주느냐는 것이다. 당연한 질책이다. 이 항의성 고성(高聲)에 세례자 요한은 이렇게 답한다.

26절 "요한이 대답하되 '나는 물로 세례를 주거니와 너희 가운데 너희가 알지 못하는 한 사람이 섰으니'"

세례자 요한이 참으로 명쾌한 대답을 한다. '나는 이렇게 물로 세례를 주지만 너희 가운데 서 있는 너희가 알지 못하는 이 사람은 장차 성령으로 세례를 줄 것이다. 이 사람은 바로 하나님이 보낸 메시야다.' 하면서 예수 그리스도를 처음으로 여러 사람들에게 소개한다. 그런데 이 소개는 예수 그리스도가 그 곳에 나타나기 전에 하는 것이었다. 다시 말하여 '메시야를 소개 할 것이니, 내 말을 잘 듣고 있다가 그 사람을 주목하여 보라'는 것이다. 이때까지 세례자 요한도 예수 그리스도가 누구인지 알지 못 할 때였다.

27,8절 "곧 내 뒤에 오시는 그이라. 나는 그의 신들메 풀기도 감당(堪當)치 못하겠노라 하더라. ◇이 일은 요한이 세례 주던 곳 요단강 건너편 베다니에서 된 일이니라."

'곧 내 뒤에 오시는 그이라' 그 분은 아직 이곳에 오지는 않았으나, 곧 오실 것이다. '나는 그분의 신들메 풀기도 감당치 못하겠노라.' 이처럼 세례자 요한은 자신을 한껏 낮추고, 그분—예수 그리스도의 '신발끈'을 푸는 일도 자신은 감당치 못할 일이라고 한다. 요한 자신보다 더욱 높은 신분의 사람이 그분의 '신발끈'을 푸는 것이 맞다는 것이다. 참으로 놀라운 세례자 요한의 겸손을 본다.

유대인의 대리인과 세례요한 사이의 질의 답변은 요한이 물로 세례를 주던 곳—요단강 건너편 베다니에서 이루어졌다.

2009년 9월 10일 발표

〈제6과〉

세상 죄(罪)를 제거하는 하나님

본문 말씀 1:29~34

"29이튿날 요한이 예수께서 자기에게 나아오심을 보고 가로되, 보라!
세상 죄(罪)를 지고 가는 하나님의 어린 양(羊)이로다. 30내가 전에 말
하기를 '내 뒤에 오는 사람이 있는데, 나보다 앞선 것은 그가 나보다
먼저 계심이라' 한 것이 이 사람을 가리킴이라. 31나도 그를 알지 못하
였으나 내가 와서 물로 세례(洗禮)를 주는 것은 그를 이스라엘에게 나
타내려 함이라 하니라. 32요한이 또 증거(證據)하여 가로되, 내가 보매
성령(聖靈)이 비둘기 같이 하늘로서 내려와서 그의 위에 머물렀더라. 33
나도 그를 알지 못하였으나 나를 보내어 물로 세례를 주라 하신 그이
가 나에게 말씀하시되 '성령이 내려서 누구 위에든지 머무는 것을 보거
든 그가 곧 성령(聖靈)으로 세례를 주는 이인 줄 알라' 하셨기에 34내
가 보고 그가 하나님의 아들이심을 증거 하였노라 하니라."

본문 말씀 공부

세상 죄(罪)를 제거하는 하나님

29절 "이튿날 요한이 예수께서 자기에게 나아오심을 보고 가로되, '보라! 세상 죄를 지고 가는 하나님의 어린 양(羊)' 이로다."

'세상 죄를 지고 가는 하나님의 어린 양' **'예수께서 세상 죄를 지고 가는 하나님의 어린양'**이라고 하였으니 마틴 루터가 주창한 대속의 신앙을 뒷받침하는 말씀으로 볼 수 있다.

그런데 일본의 신(新) 공동번역 성서에는 아래와 같이 되어 있다.

"その翌日 ヨハネは 自分の方へイエスが来られるの見て言った 見よ世の罪を取り除く神の小羊だ."

여기에서 罪を取り除く 이 부분의 우리말 성서는 '죄를 지고 가는' 으로 되어 있으나, '取り' 〈도리〉는 한국어로는 얻다, 받다, 잡다 등의 뜻이다. 한마디로 이야기 하면 '손으로 잡다' 즉, '죄를 잡아'로 번역하면 될 것이다.

'除く' 〈노죠꾸〉는 '없애다, 치우다, 제거하다, 죽이다'로 번역할 수 있으며, 전체를 번역하면 "죄를 잡아 제거하는 하나님의 어린 양!"으로 본다. 죄를 잡아 없애는 일을 농부인 하나님이 하신다는 것이다. 그런데 두 강도와 예수가 십자가상에서 로마 군병에 의하여 못 박혀 죽임을 당하는데, 강도와 예수의 죽음의 의미가 각각 다르다는 것이다.

인류의 대표인 강도는 강도의 죄 된 몸을 제거하기 위하여 본문 말씀과 같이 "죄를 잡아 제거하는" 의미의 죽음을 당하는 것이고, 예수는 하나님의 아들 어린양으로서 희생양의 피—곧, 참포도나무의 가지를 하나님이 취(取)하기 위하여 죽이는 것이다.

하나님의 어린 양!

'神の小羊だ 하나님의 어린 양' 여기에서 하나님은 성부(聖父)요, 어린 양은 예수 그리스도 즉, 성자(聖子)이다. 하나님은 어린 양을 어디에 쓰시는가? 들포도나무의 접붙임에 쓰시게 된다. 십자가라는 형틀에 매달려 죽은 어린 희생양은 참포도나무로서, 진액을 들포도나무에게 줌으로써 접붙임 하시는 것이다. 이처럼 하나님은 어린 양의 피 한 방울, 물 한 방울까지도 남김없이 모든 인류에게 주신다.

죄인이요, 강도인 우리 인류는 들포도나무로서 밑동이 절단 되어 죽는다. 그러나 예수 그리스도는 십자가 위에서 죽을 때에 그의 뼈가 하나도 상함이 없었다. 비유적인 접붙임에 원목은 필요하지 않다. 오직 참포도나무 가지에서 나오는 진액(피)만 필요할 뿐이다. 그래서 하나님은 예언자들을 통해 그의 뼈가 하나도 상하지 않을 것임을 예언하셨다(시편 34:20).

예언의 참뜻은 들포도나무인 **인류가 접붙임을 받는 것**이다. 이를 신앙으로 말하면 우리의 생명으로의 영접이다. 예수 그리스도의 생명을 자신의 생명으로 모시는 것이다. 오병이어(五餠二魚)의 기적에서 예수 그리스도가 자신의 손으로 떡을 떼어 준 것같이 농부인 하나님이 죄를 잡아 없애고, 그 자리에 농부이신 하나님이 당신 아들의 피로써 접붙임 하는 것이다.

접붙임은 비유이다. 접붙임을 받는다는 것은 신앙적으로는 '예수 그리스도를 영접함'이다. 하나님의 아들 예수 그리스도를 자신의 생명으로 영접하는 것이다. "영접하는 자에게는 하나님의 자녀가 되는 권세를 주신다"(요한복음 1:12)는 말씀은 예수 그리스도를 영접하면 혈통의 관계 즉, 생명 관계가 성립된다는 말이다. 예수님의 피를 이어받으면 예수 그리스도와는 혈연의 관계가 되는 것이다. '접붙임의 만남'은 비유적 논리이다. 진리는 논리가 뒷받침 되어야 한다. 신앙으로는 예수 그리스도를 나의 생명! 우리들의 생명으로 영접하는 것이 진리이다.

로마서 6장 4절에는 우리를 더욱 놀라게 하는 말씀이 있다. **"그러므로 우리가 그의 죽으심과 합(合)하여 세례를 받음으로 그와 함께 장사(葬事)되었나니 이는 아버지의 영광(榮光)으로 말미암아 그리스도를 죽은 자 가운데서 살리심과 같이 우리로 또한 새 생명 가운데서 행하게 하려 함이니라"**고 한 것이다. 하반절의 "우리로 새 생명 가운데서 행하게 하려 함"이라고 한 부분은 "우리가 그리스도 예수의 생명을 접붙임 받았으니 새 생명으로 행하게(살게) 하려 함"이라는 말씀이다.

이 부분의 일본어 공동번역 성경에는 "私たちも新しい命に生きるためなのです"라고 되어 있다. 우리말로 번역하면, "우리들도 새 생명으로 살기위함"이다. 여기서 새 생명은 피로 접붙임 받은 새로운 생명을 말한다.

증언자 바울은 로마서 11장 20절에서 "옳도다. 저희는 믿지 아니하므로 꺾이우고, 너는 믿으므로 섰느니라." 이 말씀은 곧 이렇다. 두강도가 다 같이 하나님께 접붙임을 받았지만, 한 강도는 예수 그리스도를 비방하며 믿지 아니하므로 꺾이우고, 다른 강도는 "예수여 당신의 나라에 임하실 때에 나를 생각 하소서"(눅23: 39-42) 하였으니 후자의 강도는 믿음으로 산다는 것이다. 우리의 영혼이 예수를 믿지 않으면 죽고, 예수 그리스도를 우리의 생명으로 믿으면 산다는 말이다.

이런 믿음을 일찍이 체험한 베드로는 자신의 편지(벧전1:2)에서 "곧 하나님 아버지의 미리 아심을 따라 성령의 거룩하게 하심으로 순종함과 '예수 그리스도의 피 뿌림을 얻기 위하여 택(擇)하심을 입은 자들에게' 편지한다"고 하였다. 여기서 '피 뿌림을 얻기 위하여'는 접붙임을 말한다.

위 구절의 일본 성경을 살펴보자. "その血をそそきかけていたたくために選ばれたのです(벧전1:2 하반절)" 우리말로 번역하면, "예수 그리스도의 피가 흘러듦을 받을 수 있다. 그러므로 택함을 받은 것이다." 라고 번역할 수 있다. 베드로 선생은 예수 그리스도의 피를 받기 위하여 택함을 받은 사람들에게 편지한다고 편지 첫머리 인사말에 적고 있다.

로마서 6장은 십자가 사건을 증언하는 증언서인데, 바울은 아래와 같이 증언하고 있다.

5절 "만일 우리가 그의 죽으심을 본받아 연합한 자가 되었으면 또한 그의 부활을 본받아 연합한 자가 되리라." 여기서 '그의' '그'는, 예수 그리스도를 가리킨다.

6절 "우리가 알거니와 우리 옛 사람이 예수와 함께 십자가에 못 박힌 것은 죄의 몸을 멸(滅)하여 다시는 우리가 죄에게 종노릇하지 아니하려 함이니" 여기서 '죄의 몸을 멸하여'는 죄로 물들은 강도, 우리 인류가 십자가의 강도의 모습으로 죽는다는 뜻이다. 십자가의 사건은 '죄의 몸을 멸(滅)하기 위하여' 강도인 나도 죽었고, 예수 그리스도도 죽었다. 십자가의 사건을 대속으로 본다면 십자가에서 예수만 죽어야 대속이 될 수 있다. 그런데 실제로 십자가에서 강도와 예수가 함께 죽었다. 여기에서 강도는 죽지 않아야 대속의 이론이 되지 않을까? 증언자 바울은 "우리는 그리스도 예수와 함께 죽었다"고 수 없이 많은 곳에서 증언하고 있다.

7절 "이는 죽은 자가 죄(罪)에서 벗어나 의롭다 하심을 얻었음이니라." 우리들 죄인이 죽은 것은 죄의 몸에서 벗어나기 위하여 죽고, 산 것은 예수 그리스도의 생명을 받았기 때문이다.

8절 "만일 우리가 그리스도와 함께 죽었으면 또한 그와 함께 살줄을 믿노니" 우리가 예수를 영접하면 육은 죄의 값으로 죽더라도 영은 예수 그리스도의 생명을 받아 산다고 바울은 말하고 있다. 우리는 예수 그리스도의 생명을 받았으므로 가지(枝體)의 생명으로 사는 것이다. 가지는 그리스도의 생명이다. 예수 그리스도는 참포도나무요, 우리는 가지이다.

다시 요한복음으로 돌아가자.

30절 "내가 전에 말하기를 내 뒤에 오는 사람이 있는데, 나보다 앞선 것은 그가 나보다 먼저 계심이라 한 것이 이 사람을 가리킴이라."

세례 요한이 지난날에 했던 말들을 상기하며 증거하고 있다. "내 뒤에 오는 사람이~나보다 먼저 계시다"는 말씀은 태초부터 계셔서 우주 만물을 창조하신 분이라는 뜻이다. 요한은 "그 사람이 바로 이 사람, 예수 그리스도"라고 분명히 밝히고 있다.

31절 "나도 그를 알지 못하였으나, 내가 와서 물로 세례(洗禮)를 주는 것은 그를 이스라엘에게 나타내려 함이라"

앞 절에 이어서 말하고 있다. "나는 그를 알지 못하였다. 그러나 내가 이곳에 와서 물로 세례를 주는 것은 오직 태초부터 계시다가 오신 예수 그리스도를 이스라엘에게 소개하기 위함"이라고 요한 자신의 사명(使命)을 말한다.

32절 "요한이 또 증거(證據)하여 가로되 내가 보매 성령(聖靈)이 비둘기 같이 하늘로서 내려와서 그의 위에 머물렀더라."

또 다른 증거(證據)

앞 절의 소개에 이어 또다른 증거 즉, '하늘의 징조(徵兆)'를 소개하므로 예수가 하나님의 뜻으로 오신 분임을 말한다.

"또 증거(證據)하여 가로되"는 또 다른 증거를 내놓는다는 것이다. 이제까지와는 다른 증거 곧, 하늘의 징조(徵兆)이다.

"내가 보매 성령(聖靈)이 비둘기같이 하늘로서 내려와서 그의 위에 머물렀더라." 세례자 요한이 예수 그리스도를 처음으로 본 모습이다. 요한 자신도 물로 세례를 주는 이유가 '예수 그리스도를 이스라엘에 소개하기 위해서지만, 예수 그리스도에게 "성령이 비둘기같이 하늘에서 내려와 머문" 하늘의 징조(徵兆)도 소개하고 있다. 참으로 귀중한 증거이다. 하늘의 징조(徵兆)는 예수가 그리스도임을 증거하고, 이 모습을 하나님이 보낸 증언자가 증거하고 있다.

33,4절 "나도 그를 알지 못하였으나 나를 물로 세례를 주라 하신 그이가 나에게 말씀하시되 '성령이 내려서 누구 위에든지 머무는 것을 보거든 그가 곧 성령(聖靈)으로 세례를 주는 이 인줄 알라' 하셨기에 ◇내가 보고 그가 하나님의 아들이심을 증거 하였노라 하니라."

33절은 앞 절의 보강설명이다. 나는 그를 알지 못하였다. 그러나 나에게 물로 세례를 주라 하신 하나님이 이렇게 말씀하셨다. "누구 위에든지 성령이 내려서 머무는 것을 보거든 그가 곧 성령으로 세례 주는 이인 줄 알라"고 말이다. 그래서 세례자 요한은 멀리서 오는 어떤 사람의 머리 위에 성령이 내려 머무는 것을 보고 그가 곧, 성령으로 세례를 줄 그리스도인줄 알았다는 것이다. 바로 저 분이 장차 세상 죄를 제거할 하나님의 아들 어린 양이란 것을 말한다.

2009년 10월 10일 발표

〈제7과〉
두 번의 위대한 직접증거

본문 말씀 1:35~42

"35또 이튿날 요한이 자기(自己) 제자 중 두 사람과 함께 섰다가 36
예수의 다니심을 보고 말하되 보라! 하나님의 어린 양이로다. 37두 제
자가 그의 말을 듣고 예수를 좇거늘 38예수께서 돌이켜 그 좇는 것을
보시고 물어 가라사대 무엇을 구하느냐? 가로되 '랍비여 어디 계시오
니까? 하니 (랍비는 번역하면 선생이라) 39예수께서 가라사대 '와 보
라.' 그러므로 저희가 가서 계신 데를 보고 그날 함께 거(居)하니 (때
가 제십시(第十時)쯤 되었더라. 40요한의 말을 듣고 예수를 좇는 두 사
람 중에 하나는 시몬 베드로의 형제 안드레라. 41그가 먼저 자기 형제
시몬을 찾아 말하되 우리가 '메시아를 만났다!' 하고 ('메시아'는 번역
하면 그리스도라). 42데리고 예수께로 오니 예수께서 보시고 가라사대
'네가 요한의 아들 시몬이니 앞으로 게바라 하리라 하시니 (게바는 번
역하면 베드로라)"

직접증거와 간접증거

세례자 요한은 예수 그리스도를 증거함에 있어 간접증거(間接證據)와 직접증거(直接證據)를 하고 있다. 간접증거는 아무 것도 보이지 않는 상태에서 하나님의 계시(啓示) 또는 영감(靈感)으로만 그려 보이는 것이요, 직접증거는 사실적 현상을 내세워 직접 보이는 것이다.

세례자 요한은 1장 29절에서 "세상 죄(罪)를 잡아 제거하는 하나님"을 증거하고, 그 이튿날도 직접(直接) 예수 그리스도를 증거(證據)하는데, 35절에서는 "하나님의 어린 양(羊)"이란 말로 예수 그리스도가 성자(聖子)임을 증거하고 있다.

다시 말하여 29절은 하나님이 세상 죄를 잡아 제거하는 성부(聖父)임을 증거하고, 35절에는 세상 죄인에게 피를 주어 새 생명을 얻게 하실 "어린 양(羊)"임을 증거하고 있다. 세례요한은 이틀 사이에 직접증거를 두 번 하고 있는 것이다.

이 두 번의 직접증거로 세례요한의 예수에 대한 증거는 끝났다고 할 것이다. 그러나 요한은 이보다 앞서 요한복음 1장 15~18절 이하에서 간접증거를 하고 있다.

한 번의 간접 증거 1장 16,17절

"우리가 다 그의 충만(充滿)한 데서 받으니 은혜위에 은혜더라. 율법(律法)은 모세로 말미암아 주신 것이요, 은혜(恩惠)와 진리(眞理)는 예수 그리스도에게서 나타나셨느니라."

두 번의 직접증거

첫 번째 증거

1:29 "보라, 세상 죄(罪)를 잡아 제거하는 하나님의 어린 양이로다."

두 번째 직접 증거

1:35,6 "또 이튿날 요한이 자기 제자 중 두 사람과 함께 섰다가 ◇예수의 다니심을 보고 말하되 '보라! 하나님의 어린 양'이로다."

세례자 요한의 예수 그리스도에 대한 직접(直接) 증거는 요한복음 1장 29절과 36절의 두 번으로 끝이 난다.

본문 공부

35.6절 "또 이튿날, 요한이 자기(自己) 제자 중 두 사람과 함께 섰다가 ◇예수의 다니심을 보고 말하되 보라! 하나님의 어린 양이로다."

"이튿날"은 첫 번째 직접 증거 **"보라, 세상 죄(罪)를 잡아 제거하는 하나님의 어린 양"**이라고 증거하였던 그 다음 날이다. 두 번째 나온 직접 증거도 참으로 위대한 직접증거이다. "하나님의 어린 양"은 새로운 생명의 유전자로 인류를 새롭게 하시려고 오신 하나님의 독생자(獨生子)요, 곧 참포도나무라고 한 것이다. 앞의 1:13절 말씀과 같이 "오직 하나님께로서 난 자(者)! 아담의 유전자를 갖지 않은 새 생명—하나님의 품속에 계시던 그 분이 바로 '어린 양!' 참포도나무라는 것이다.

37,8절 "두 제자가 그의 말을 듣고 예수를 좇거늘 ◇예수께서 돌이켜 그 좇는 것을 보시고 물어 가라사대 무엇을 구하느냐? 가로되, 랍비여 어디 계시오니까? 하니 (랍비는 번역(飜譯)하면 선생이라)"

세례자 요한의 두 제자가 앞절의 말씀 곧 "보라! 하나님의 어린 양이로다" 하는 스승의 말을 듣고, 곧 바로 예수를 좇아가는 장면이다. 진리의 근원이신 메시야를 보았고, 그 분이 인류에게 새 하늘의 생명을 주시는 하나님의 어린 양이란 말을 들은 후 곧 바로 예수를 따라간 것이다. 이처럼 우리도 진리 앞에서는 단 한 순간도 지체 없이 따라가야 할 것이다.

'무엇을 구하느냐?' 예수께서 좇아오는 세례 요한의 두 제자에게 묻는 말씀이다. 이 물음에 두 제자가 말한다. "랍비여 어디 계시오니까?" 선생님이 계시는 곳을 알면 찾아 가겠다는 마음속의 각오를 보이고 있는 말이다.

39절 "예수께서 가라사대 '와 보라.' 그러므로 저희가 가서 계신 데를 보고 그날 함께 거(居)하니 때가 제십시(第十時)쯤 되었더라."

'와 보라' 세례요한 제자 두 사람의 각오를 확인한 예수께서 이들에게 '와서 보라'고 하신 것이다. 이에 그들이 예수 계신 곳까지 따라가서 함께 묵으니 '때가 제십시(第十時)쯤 되었더라'고 하였다. 여기서 '제 십(十)시'는 지금 우리의 시각으로는 오후 4시쯤 된다고 하겠다. 참고한다면 유태인들은 우리 시각으로 아침 6시에 하루가 시작되며, 기도시각인 '제3시'는 우리의 오전 9시이다. 그래서 앞의 시각을 직접 '오후 4시경'으로 기록한 신번역성서도 있다.

40절 "요한의 말을 듣고 예수를 좇는 두 사람 중에 하나는 시몬 베드로의 형제(兄弟) 안드레라."

예수를 따라간 사람 중 한 사람의 이름이 '안드레'라고 적고 있다. 요한복음을 공부하는 우리는 이 '안드레'를 참으로 눈여겨 볼 필요가 있다. 안드레는 예수의 열두 제자 중 한 사람이며, 그의 형제 '시몬'을 예수님의 수제자가 되게 하는 데에 큰 역할을 하였다.

41절 "그가 먼저 자기 형제(兄弟)시몬을 찾아 말하되 '우리가 메시야를 만났다!' 하고 ('메시야'는 번역(飜譯)하면 그리스도라)"

'안드레'는 그의 형제 시몬을 찾아가 "메시야를 만났다!"고 외치고 있다. 참으로 인류 역사상 처음으로 사람의 입에서 "메시야를 만났다!"고 하는 외침이 나오는 순간이다. 안드레는 스승인 세례자 요한의 말을 듣는 순간부터 '예수가 메시야'임을 직감하고,

급하게 형제 시몬을 찾아가서 '메시야를 만났다!' 고 외친 것이다.
'메시야는 그리스도'라고 하였으니 '안드레'는 예수를 '메시야 즉, 하나님'으로 보았던 것이다. 다른 사람이 보지 못한, 창조주 하나님의 품속에 계셨던 **'독생자(獨生子) 그분!'**으로 본 것이다.

42절 "데리고 예수께로 오니 예수께서 보시고 가라사대 네가 요한의 아들 시몬이니 장차(將次) '게바'라 하리라 하시니 (게바는 번역(飜譯)하면 베드로라.)"

'안드레'의 외침을 들은 어부 '시몬'은 그물을 던져버리고 예수께로 왔다. 예수께서는 시몬을 단박 알아보시고 말씀하신다. "네가 요한의 아들 시몬이니 장차(將次) '게바'라 하리라." '게바'를 번역(飜譯)하면 '베드로'라는 뜻으로, '베드로'는 바위란 뜻이 있다. 흔들리지 않는 바위이다.

신앙인은 믿음에 흔들림이 없어야 한다. 세상의 어떠한 유혹에도 흔들리지 않고, 바위처럼 단단한 믿음으로 굳건히 서서 주 하나님의 은혜를 우러러 앙망하는 것이 반석처럼 단단한 믿음이어야 한다. 그러한 뜻으로 베드로란 이름을 예수께서 시몬에게 내리신 것이다(마태16:18).

2009년 11월 10일 발표

〈제8과〉
하늘에 속한 예수와 땅에 속한 나다나엘의 만남

본문 말씀 1장 43~51절

"43이튿날 예수께서 갈릴리로 나가려 하시다가 빌립을 만나 이르시
되 '나를 좇으라' 하시니 44빌립은 안드레와 한 동네 벳새다 사람이라.
45빌립이 나다나엘을 찾아 이르되 '모세가 율법에 기록(記錄)하였고, 여
러 선지자가 기록한 그이를 우리가 만났으니 요셉의 아들 나사렛 예수
니라' 46나다나엘이 가로되 '나사렛에서 무슨 선(善)한 것이 날 수 있
느냐?' 빌립이 가로되 '와 보라' 하니라. 47예수께서 나다나엘이 자기
(自己)에게 오는 것을 보시고 그를 가리켜 가라사대 '보라, 이는 참 이
스라엘 사람이라. 그 속에 간사(奸詐)한 것이 없도다.' 48나다나엘이 가
로되 '어떻게 나를 아시나이까?' 예수께서 대답(對答)하여 가라사대
'빌립이 너를 부르기 전에 네가 무화과나무 아래 있을 때에 보았노라.'
49나다나엘이 대답하되 '랍비여! 당신(當身)은 하나님의 아들이시오, 당
신은 이스라엘의 임금(王)이로소이다.' 50예수께서 대답하여 가라사대
'내가 너를 무화과나무 아래서 보았다 하므로 믿느냐? 이보다 더 큰
일을 보리라.' 51또 가라사대 '진실로, 진실로 너희에게 이르노니 하늘
이 열리고 하나님의 사자(使者)들이 인자(人子) 위에 오르락내리락 하는
것을 보리라' 하시니라."

만남!

예수 그리스도께서 세례요한의 직접증거(直接證據)를 듣고, 공생애(公生涯)로 나아가는 길목에서의 나다나엘과의 만남은 뜻 깊은 순간이 아닐 수 없다. "당신은 하나님의 아들이시오, 당신은 이스라엘의 임금이로소이다." 나다나엘의 이 말은 땅에 속한 사람에게서 나온 예수에 대한 첫 평가이기 때문이다. 그래서 이 만남을 '하늘에 속한 예수와 땅에 속한 나다나엘의 만남'이라고 하였다.

'만남'은 '창조'이다.

하나님의 생기와 흙의 만남으로 아담이 지음을 받았고, 하와도 만남으로 지음을 받았다. 하나님과 아담의 갈빗대가 만나 이브가 된 것이다.

마찬가지로 모든 동 · 식물의 생육 번성은 만남에서 이루어지고, 인류 구원도 예수 그리스도와의 만남인 접붙임으로 예수 그리스도의 생명을 받게 되었다.

그렇다면 '만남'이란 말은 어떤 뜻을 담고 있을까? 우리말 사전에는 '만남'은 '만나는 일'이라고 참으로 단순하게 되어 있지만, 일본어(日本語) 사전에는 여러 가지로 해설이 되어 있다. 그 가운데에서 중요한 의미(意味)가 있는 두 가지를 들어 생각해보기로 하자.

일본어에서 '만남'은 であい(데아이)로, 하나는 '강(江)의 합류점(合流點)'이요,

다른 하나는 '채색(彩色)의 배합(配合)'이다. 이 중에서 '채색의 배합'은 수준이 높고 무한한 상상력(想像力)을 발휘(發揮)하게 한다. 사실, 채색의 배합이나 남한강과 북한강이 한 곳에서 만나 큰 강을 이루는 것을 생각하면 '만남'이란 말에서 무한한 상상력을 발휘할 수 있다. 이 만남의 상상력이 문학(文學)이요, 철학(哲學)으로써 무한한 의미가 담겨있다고 하겠다.

예수와 나다나엘의 만남을 살펴보면 나다나엘의 "당신은 하나님의 아들이시오. 당신은 이스라엘의 임금이로소이다." 라는 말과 예수님의 "그의 마음 속에는 간사(奸詐)가 없다"는 말처럼 하늘에 속한 예수와 땅에 속한 나다나엘의 만남은 우리에게 무한한 신앙심(信仰心)을 발휘(發揮)하게 한다.

본문 공부

43절 "이튿날 예수께서 갈릴리로 나가려 하시다가 빌립을 만나 이르시되 '나를 좇으라' 하시니"

이튿날이 되었다. 여기서의 이튿날은 세례자 요한의 제자 안드레가 자신의 형제 시몬을 예수께 데리고 나온 다음날을 말하는데, 갈릴로 나가시던 예수님이 빌립을 만나서 자신을 따라오라고 하신다.

44,5절 "빌립은 안드레와 한 동네 벳새다 사람이라. ◇빌립이 나다나엘을 찾아 이르되 모세가 율법에 기록하였고, 여러 선지자가 기록한 그이를 우리가 만났으니 요셉의 아들 나사렛 예수니라."

우리는 여기서 '메시야' 곧 하나님의 아들 예수 그리스도의 복음이 전파되는 과정을 생동감 있게 보고 있다. 앞의 공부에서도 시몬 베드로의 형제 '안드레'가 먼저 예수 그리스도를 만났으며, 예수께서 **"나를 좇으라"**는 승낙을 받은 뒤 곧바로 자기 형제 시몬을 찾아가 **"우리가 '메시야'를 만났다"**고 하며 예수께 데리고 나오는 장면을 보았다.

앞 절에서 갈릴리로 나가시던 예수께서 빌립을 보시고는 '나를 좇으라' 고 하신다. 여기에서도 빌립은 예수의 선택을 받은 것이다. 빌립은 인드레와 한 동네인 벳새다 사람인데, 빌립은 새로이 '나다나엘'을 찾아가서 예수를 증거한다.

"모세가 율법에 기록(記錄)하였고, 여러 선지자(先知者)가 기록한 그이를 우리가 만났으니 요셉의 아들 나사렛 예수니라."

위의 복음 전파 과정을 보면, '안드레는 자기 형제인 시몬에게 먼저 전파하고, 빌립은 동리(洞里)사람인 나다나엘에게 전파하는 과정을 본다. 다시 말하면, 복음을 들은 사람이 자기와 가까운 사람에게 전파하는 과정이 그려져 있는 것이다.

증언자 바울은 "주 예수를 믿으라. 그리하면 너와 네 집이 구원을 얻으리라."(16:31)고 하였다. 한 가정에서 주 예수를 믿는 사람이 있다면, 결국 그 가정은 구원을 받게 되는 것이다. 나아가서는 주 예수를 믿는 민족은 구원을 받는다는 말도 된다. 정신을 가다듬고 유일신 주 예수 그리스도를 참으로 믿는다면 진실로 바른 가정을 이루게 되고, 그 나라는 의를 이룰 것이다.

여기서 우리가 간과(看過)해서는 안될 말이 있다. 그것은 빌립이 외친 "모세가 율법에 기록(記錄)하였고, 여러 선지자(先知者)가 기록한 그이를 우리가 만났으니 요셉의 아들 나사렛 예수니라."고 한 말이다. 빌립은 예수를 만나기 오래 전부터 메시야 도래를 끝없이 앙망하였음을 본다.

46,7절 "나다나엘이 가로되 '나사렛에서 무슨 선(善)한 것이 날 수 있느냐?' 빌립이 가로되 '와 보라' 하니라. ◇예수께서 나다나엘이 자기(自己)에게 오는 것을 보시고 그를 가리켜 가라사대 '보라, 이는 참 이스라엘 사람이라. 그 속에 간사(奸詐)한 것이 없도다."

빌립의 말에 나다나엘은 회의적으로 묻는다. '유대 땅 베들레헴이라면 그럴 수 있겠지만(눅2:4~6), 나사렛 같은 곳에서 어찌 선한 메시야가 나온단 말이냐?'고 하는 통렬한 공박이다.

"빌립이 가로되 '와 보라' 하니라." 통박을 받은 빌립은 그래도 간절하게 말한다. 일단 '와보라'고. 이 말에 나다나엘은 빌립을 따라 예수에게 나왔다.

예수께서 나다나엘을 보신 순간 간파하신다. '참으로 진실(眞

實)한 이스라엘 사람이요, 그 속에 간사(奸詐)함이 없는 순진무구한 사람'이라고.

48,9절 "나다나엘이 가로되 '어떻게 나를 아시나이까?' 예수께서 대답(對答)하여 가라사대 '빌립이 너를 부르기 전(前)에 네가 무화과나무 아래 있을 때에 보았노라.' ◇나다나엘이 대답하되 '랍비여, 당신(當身)은 하나님의 아들이시오, 당신은 이스라엘의 임금(王)이로소이다.'"

예수는 나다나엘의 인간됨을 한눈에 알아보셨던 것이다. 그러자 나다나엘은 '빌립이 너를 부르기 전(前)에 네가 무화과나무 아래 있을 때에 보았노라.'며 자신을 알아보는 예수를 향하여 "당신은 하나님의 아들이시오, 당신은 이스라엘의 임금이로소이다!" 하며 외친다. 참된 만남이 이루어지는 의미 깊은 순간이다. 예수께서는 처음으로 자신을 "하나님의 아들, 이스라엘의 왕"으로 바로 알아본 사람을 만나셨으며, 나다나엘은 예수 그리스도께 참 기쁨을 드린 땅의 사람이다.

50,1절 "예수께서 대답하여 가라사대 내가 너를 무화과나무 아래서 보았다 하므로 믿느냐? 이보다 더 큰 일을 보리라. ◇또 가라사대 '진실(眞實)로, 진실로 너희에게 이르노니 하늘이 열리고 하나님의 사자(使者)들이 인자(人子) 위에 오르락내리락 하는 것을 보리라' 하시니라."

앞절의 나다나엘의 찬양을 들으신 예수께서는 "내가 너를 무화과나무 아래서 보았다고 하니 나를 믿느냐?" 하시면서 "앞으로는 더 큰 일을 보리라"고 장차 일어나게 될 일에 대하여 말씀을 하신다.

예수께서 중요한 말씀을 하실 때마다 사용하신 "진실로, 진실로"라는 반복어가 요한복음에서만 23회에 이르고 있는데, 요한복음에서 처음으로 나오는 곳이 이번 구절에서다. 이 "진실로, 진실로"는 중요한 가르침마다 말씀 머리에서 하셨음을 보게 된다.

이번 절에서 예수께서는 "하늘의 징조"가 자신을 증거 한다고 하셨다. 즉, "내가 너희에게 '하늘의 징조'를 보이겠다"는 말씀이다. 하나님의 아들 메시야—예수 그리스도가 아니고서는 흉내낼 수 없는 말씀이다. 그 징조는 "하늘이 열리고 하나님의 사자(使者)들이 인자(人子) 위에 오르락내리락 하는 것"을 보게 된다는 것이다. 하나님의 아들! 창조자가 아니고서는 할 수 없는 말씀이요, 결코 이루어질 수 없는 모습이다. 메시야가 아니라면 어떻게 '하늘이 열리'고 "하나님의 사자(使者)가" 인자 위에 오르락내리락 하겠는가? 오직 하나님의 아들! 메시야! 예수 그리스도! 그 분만이 가능한 일이다.

요한복음 1장 정리

요한복음 1장은 크게 다음과 같이 나눌 수 있다.

1-5절 "우주 만물과 인류 창조의 기록"

6-9절 "인류 최고의 사람인 세례요한의 예수 그리스도에 대한 증거"

10-14절 "요한복음의 저자 사도요한의 독생자 예수 그리스도관(觀)"

15-18절 "세례요한의 예수 그리스도관(觀)"

19-28절 "유대인 대리인들을 향한 세례요한의 메시야에 대한 증거"

29-34절 "예수의 공생애 시작과 세례요한의 증거"
35절 "예수에 대한 세례요한의 마지막 증거"
36-42절 "예수와 베드로와 만남"
43-51절 "나다나엘과의 만남과 이 땅에서의 첫 찬양"

요한복음의 첫째 장을 간추리면 예수님이 공생애로 나아가는 길목에서 두 번에 걸친 세례요한의 직접증거를 받고 베드로와 빌립을 만났으며, 나다나엘을 만나 그로부터 **"당신은 이스라엘의 임금이로소이다!"** 라고 하는 이 땅에서의 첫 찬양을 받는 것으로 귀결지을 수 있겠다.

요한복음 1장 공부를 마치며 느끼는 것은 필자 자신으로는 단 하나의 단어도 공부할 수 없는 존재인데, 그 분께서 가르쳐 주심으로 1장 공부를 마칠 수 있었다는 것이다. 하나에서 열까지 은혜로 하나님께 배웠다고 하겠다. 깊은 마음으로 우리 생명의 근원(根源)이신 주 하나님과 예수 그리스도께 영원히 찬송과 영광을 돌립니다.

로마서와 요한복음서

예수 그리스도의 십자가의 사건을 대속, 속죄의 신앙으로 보면 로마서가 중요한 성서로 서게 된다.

그러나 예수 그리스도의 십자가의 사건을 접붙임으로, 예수 그리스도의 생명을 받는 접목으로 보면 요한복음서가 최고의 복음서로 우뚝 서게 된다.

십자가 사건을 "접붙임의 만남"으로 본다는 것이 얼마나 중요한 일인지 모르겠다.

2009년 12월10일 발표

〈제9과〉

마리아, 예수께 기적 보이기를 청하다

본문 말씀 (2장 1~12절)

"1사흘 되던 날에 갈릴리 가나에 혼인(婚姻)이 있어 예수의 어머니도 거기 계시고 2예수와 그 제자(弟子)들도 혼인에 청함을 받았더니 3포도주가 모자란지라 예수의 어머니가 예수에게 이르되 '저희에게 포도주가 없다' 하니 4예수께서 가라사대 '여자(女子)여, 나와 무슨 상관(相關)이 있나이까? 내 때가 아직 이르지 못하였나이다.' 5그 어머니가 하인(下人)들에게 이르되 '너희에게 무슨 말씀을 하시든지 그대로 하라' 하니라 6거기 유대인의 결례(潔禮)를 따라 두세 통(桶) 드는 돌 항아리 여섯이 놓였는지라 7예수께서 저희에게 이르시되 '항아리에 물을 채우라' 하신 즉 아귀까지 채우니 8'이제는 떠서 연회장(宴會長)에게 갖다 주어라' 하시매 갖다 주었더니 9연회장은 물로 된 포도주를 맛보고 어디서 났는지 알지 못하되, 물 떠온 하인들은 알더라. 연회장이 신랑(新郎)을 불러 10말하되 '사람마다 먼저 좋은 포도주를 내고 취(醉)한 후에 낮은 것을 내거늘 그대는 지금까지 좋은 포도주를 두었도다' 하니라. 11예수께서 이 처음 표적(表蹟)을 갈릴리 가나에서 행(行)하여 그 영광(榮光)을 나타내시매 제자들이 그를 믿으니라. 12그 후에 예수께서 그 어머니와 형제들과 제자들과 함께 가버나움으로 내려가 거기 여러 날 계시지 아니하시니라."

마리아, 예수께 기적 보이기를 청함

우리는 요한복음의 서문이라고 할 수 있는 1장 공부를 마치고 2장 공부에 접어들었다.

1장을 간단히 요약한다면 예수에 대한 세례요한의 증거와 시몬 베드로와의 만남, 그리고 나다나엘의 '당신은 하나님의 아들이시오'라고 한 인류 최초의 예수님에 대한 고백일 것이다.

요한복음을 기록한 사도 요한은 복음서를 기록하면서 정말 깊은 의미가 담긴 편집을 하고 있는 것을 볼 수 있다. 기록자 요한은 세례자 요한의 두 번의 직접 증거를 차례대로 편집하고, 그 증거에 대한 답으로 나다나엘에게 고백하게 하므로 예수 그리스도가 하나님 아들—곧, 그리스도란 것을 분명히 하고 있다.

다시 말하면 예수가 공생애에 나가기 전에 세례자 요한의 두 번의 직접증거로 성자인 예수 그리스도는 성부인 하나님이 **'세상 죄(罪)를 제거'**하기 위하여 인류에게 보낸 **'하나님의 어린 양'**임을 분명히 하고, 여기에 대하여 나다나엘이 **'당신은 하나님의 아들이시오'**라고 결론을 지었다.

이제 2장에서는 공생애를 시작하는 예수 그리스도를 보게 된다.

통상 그리스도인들은 마리아와 예수를 육친에서의 모자(母子) 관계로 생각하게 된다. 그러나 마리아는 누구보다도 예수 그리스도에 대하여 잘 알고 믿는 믿음의 용장(勇壯)이다. 마리아의 믿음을 이야기하면 '믿음의 조상'이라고 하는 아브라함 보다 더욱 높은 믿음의 용장으로 보아 손색이 없을 것이다. 아브라함은 하나님으로부터 아들을 주시겠다는 약속을 받고도 기다리지 못하고 하녀를 통하여 아들을 얻음으로 분쟁을 자초하였다. 그러나 마리아는 처녀가 아들을 낳는다는 말(눅1:31절)을 듣고도 놀라지 않고 순응하였다. 또한 태어날 아기에 대하여

"저가 큰 자(者)가 되고 지극히 높으신 이의 아들이라 일컬을 것이요, 주 하나님께서 그 조상 다윗의 위(位)를 저에게 주시리니 영원(永遠)히 야곱의 집에 왕(王)노릇 하실 것이며 그 나라가 무궁하리라"(눅1:32,33)는 천사(天使) 가브리엘의 말을 듣고

도 마리아는 "주(主)의 계집종이오니 말씀대로 내게 이루어지이다."(눅1:37)고 하며 하나님의 뜻을 받아들인다. 참으로 놀라운 순종이다. 과연 믿음의 용장이라 아니할 수 없다. 마리아는 곧 이어 세례요한을 잉태한 늙은 친척 엘리사벳을 방문해서 하나님을 찬양하는 장엄한 노래(눅1:46~55)가 마리아의 마음속 깊은 곳으로부터 솟아난다.

46내 영혼(靈魂)이 주(主)를 찬양하며
47내 마음이 하나님 내 구주(救主)를 기뻐하였음은
48그 계집종의 비천(卑賤)함을 돌아보셨음이라. 보라, 이제 후로는 만세(萬世)에 나를 복(福)이 있다 일컬으리로다.
49능(能)하신 이가 큰일을 내게 행하셨으니 그 이름이 거룩하시며,
50긍휼(矜恤)하심이 두려워하는 자에게 대대(代代)로 이르는도다.
51그의 팔과 힘을 보이사 마음의 생각이 교만(驕慢)한 자들을 흩으셨고,
52권세(權勢) 있는 자를 그 위(位)에서 내리치셨으며 비천한 자(者)를 높이셨고,
53주리는 자를 좋은 것으로 배불리셨으며, 부자(富者)를 공수(空手)로 보내셨도다.
54그 종 이스라엘을 도우사 긍휼(矜恤)히 여기시고 기억(記憶)하시되
55우리 조상(祖上)에게 말씀하신 것과 같이 아브라함과 및 그 자손(子孫)에게 영원(永遠)히 하시리로다.

마리아는 위에서 보는 대로 비록 처녀의 몸이었지만 "**주(主)의 계집종이오니 말씀대로 내게 이루어지이다**" 라고 하면서 처녀로서의 잉태를 감사로 받았다. 참으로 놀라운 믿음의 용장이라 하지 않을 수 없다.

마리아는 예수가 성령으로 잉태되는 날로부터 "지극(至極)히 높으신 하나님의 아들"이란 것을 알았다. 마리아는 또 누가복음 2장 5~19절까지의 일들—곧, 천군 천사가 함께 하나님의 아들 탄생을 찬미(讚美)한 사실들을 마음속 깊은 곳에 간직하고 살았다. "**지극히 높은 곳에서는 하나님께 영광(榮光)이요, 땅에서는 기뻐하심을 입은 사람들 중에 평화(平和)로다**" 라고 한 천군 천사의 노래 소리와 양치는 목동들의 경배(敬拜), 멀리서 별을 보고 찾아온 동방박사들의 경배를 마리아는 잊지 않고 "**이 모든 말과 행해지는 일들을 마음에 지키어 생각**"하였다.

마리아는 또 누가복음 2장 41절부터 48절까지의 일들도 기억하며 살았다. 12세 소년 예수는 예루살렘 성전으로 자기를 찾아온 부모에게 "**어찌하여 나를 찾으셨나이까? 내가 내 아버지 집에 있어야 될 줄을 알지 못하셨나이까?**"(눅2:49) 하고 물었다. 이렇듯 예수는 성전(聖殿)을 "자신의 아버지 집"이라고 분명히 말씀하며 살았고, 마리아는 육의 아들 예수의 이 모든 것들을 마음속 깊이 간직하며 살았다.

마리아는 예수가 30세가 되는 무렵 어느 날 광야에서 외치는 소리를 들었다.

"**말씀이 육신(肉身)이 되어 우리 가운데 거(居)하시매 우리가 그 영광을 보니 아버지의 독생자(獨生子)의 영광이요, 은혜(恩惠)와 진리(眞理)가 충만(充滿)하더라.**"

마리아는 광야에서 들려오는 세례 요한의 외치는 소리가 예수를 가리킨다는 것을 알았다. 세례요한의 증거(證據)가 예수를 세상에 소개하고, 나타나게 한다는 것을 알았던 마리아!

세례 요한의 두 번의 직접증거처럼 **"예수는 세상 죄를 제거할 하나님의 어린양"**임을 알고 있던 마리아였다.

예수가 공생애(共生厓)에 나아가는 길목에서 청년 나다나엘은 **"랍비여, 당신은 하나님의 아들이시오, 당신은 이스라엘의 임금이로소이다!"**(요1:49) 라고 간파하였는데, 이 말은 지난날 천사 '가브리엘'이 마리아에게 하던 말과 같은 뜻의 말이다.

"'보라, 네가 수태(受胎)하여 아들을 낳으리니 그 이름을 예수라 하라.' '저가 큰 자(者)가 되고 지극히 높으신 이의 아들이라 일컬을 것이요, 주(主) 하나님께서 그 조상(祖上) 다윗의 위(位)를 저에게 주시리니' '영원(永遠)히 야곱의 집에 왕(王)노릇 하실 것이요'"(눅1:31~33)

이 말을 오래 전부터 가슴 속에 간직하고 있던 마리아! 그래서 그녀는 일찍부터 예수 그리스도는 창조주요, 자신은 피조물의 관계로 선다는 것을 알고 있었을 것이다.

그래서 마리아는 육의 아들 예수에게 청원을 한다. 이제 당신의 증거를 보일 때가 되었다. 나다나엘의 입을 통해 나온 '당신은 하나님의 아들이시오!'라는 증언에 대한 대답을 증거로 보일 때가 되었다고 하는 마음으로 마리아가 예수께 청을 하였을 것이다.

본문 공부(2장)

1,2절 "사흘 되던 날에 갈릴리 가나에 혼인(婚姻)이 있어 예수의

어머니도 거기 계시고, ◇예수와 그 제자(弟子)들도 혼인에 청함을 받았더니"

"사흘 되던 날에" 이는 앞에 공부했던 1장 49절에서 나다나엘로부터 **"당신은 하나님의 아들이시오"** 하는 대답을 들은 후 사흘 되던 날로 생각하면 좋을 것이다.

"갈릴리 가나에 혼인(婚姻)이 있어" '갈릴리'란 지방의 '가나'라고 하는 동네에 혼인 잔치가 있었다고 한다. 우리의 풍습도 혼인잔치에는 친지와 이웃들을 초대하듯이 유대인들도 많은 사람들을 초대하여 여러 날을 즐겼고, 지금도 그 풍습이 유지된다고 한다.

"예수의 어머니도 거기 계시고, 예수와 그 제자(弟子)들도 혼인에 청함을 받았더니" 어머니 마리아와 예수, 그리고 그의 제자들도 청함을 받았다. 여기에 나오는 기사와 앞으로 공부할 12절의 기사내용을 참작하면 혼인잔치에는 예수와 관계가 있는 사람들 모두가 참석하고 있음을 주목해야 한다. 즉 예수와 그의 어머니 마리아와 제자들까지 초대받은 것이다. 물론, 이야기 구성원으로 연회장과 하인이 등장한다.

3절 "포도주가 모자란지라 예수의 어머니가 예수에게 이르되 저희에게 포도주가 없다 하니"

잔칫집에 포도주가 모자란 것을 예수의 어머니 마리아가 알게 되었다. 아직 계속되는 잔치에 포도주가 부족하다면 잔칫집으로서는 여간 곤란한 일이 아닐 것이다. 마리아는 이 사실을 예수에게 말한다. 예수라면 능히 부족한 포도주를 해결하리라 믿었기 때문이다.

4절 "예수께서 가라사대 여자(女子)여, 나와 무슨 상관(相關)이 있나이까? 내 때가 아직 이르지 못하였나이다."

'여자여' 우리는 여기서 예수가 자신을 낳아준 어머니 마리아를 어머니라 부르지 않고 '여자'라고 부른 대목을 눈여겨 볼 필요가 있다. 유대인들의 관습으로는 자기의 어머니도 높여 부를 때에는 "여자"라고 한다지만, 보통사람이라면 누가 자신의 모친(母親)을 '여자여'라고 하겠는가? 여기에는 창조자! 우주만물의 주인만이 할 수 있는 말로 보아야 할 것이다. 그래서 예수 그리스도 자신이 우주 만물의 주인임을 분명히 하시고 계신다.

'그 일이 나와 무슨 상관이 있나이까?' 여인이여, 잔칫집에 포도주 떨어져 가는 것이 나하고 무슨 상관이 있습니까?

'내가 나설 때가 아직 이르지 못하였나이다.' 내가 여러 사람 앞에서 능력을 보일 수는 있지만, 아직은 그 때가 오지 않았다는 대답이다. 나에게는 나의 때가 따로 있다는 말도 되겠다.

5절 "그 어머니가 하인(下人)들에게 이르되 '너희에게 무슨 말씀을 하시든지 그대로 하라' 하니라."

예수로부터 '자신의 때가 아직 이르지 못했다'는 말씀을 들을 때 마리아는 이런 생각을 했을 것이다. "나는 알고 있다오. '당신은 하나님의 아들'이란 것을."

이런 생각도 했을 것이다. "세례자 요한의 증거와 나다나엘의 찬양을 들은 주인님! 이제 밖으로 나가 능력을 보일 때가 되었다고 봅니다. 창조주 하나님의 아들로서 기적을 보여 주시리라 믿습니다."

그러면서 하인들에게 지시를 한다. 그것이 바로 5절이다. "(저

분이) 너희에게 무슨 말씀을 하시든지 그대로 하라." (괄호 안은 필자 삽입)

인류에게 하늘의 새 생명을 주시기 위하여 오신 예수님이 몸을 의탁했던 육신의 어머니 마리아가 얼마나 위대한가를 여기에서도 보여주고 있다.

요한복음을 공부하면서 예수 그리스도를 세상에 소개하는 세례요한을 **"여자가 낳은 자 중에서 최고의 사람"**으로 이야기 하였다. 예수님의 말씀이지만, 예수 그리스도가 몸을 의탁하신 마리아 또한 **인류 역사상 최고의 여성이요, 최고의 믿음의 용장**이 아닐 수 없다.

6~8절 "거기 유대인의 결례(潔禮)를 따라 두세 통(桶) 드는 돌 항아리 여섯이 놓였는지라. ◇예수께서 저희에게 이르시되 '항아리에 물을 채우라' ◇이제는 떠서 연회(宴會)장에게 '갖다 주어라' 하시매 갖다 주었더니"

아직은 자신이 나설 때가 아니지만, 자신을 믿어주는 어머니의 청에 순종하여 예수께서는 표적을 보이시게 된다. 우리는 이 대목에서 예수님의 어머니에 대한 효성이 얼마나 지극한가를 보게 되는 것이다.

예수님의 첫 번째 표적은 참으로 간단하였다. '항아리를 깨끗하게 씻었으면 물을 채우라.' '채웠으면 떠서 연회(宴會)장에게 갖다 주어라' 얼마나 간단한 방법인가? 물을 채우고 나니 바로 갖다 주라는 지시이다. '물을 채우라'는 말 한 마디에 물이 포도주로 변한 것이다. 이 세상 언제 어디에서 이런 일이 일어날 수 있으며, 어느 누가 이런 능력을 행할 수 있겠는가? 오직 예수님이 창조주 하나님의 아들 그리스도이심을 나타내는 표적이요, 그것을 증명하고 계신다.

"여기서 우리 그리스도인은 깊이 생각 할 점이 있다. 그 점은 예수가 첫 번째 표적을 보인 곳이 혼인 잔칫집이라는 것이다. 혼인은 성인으로서의 인생의 출발점이다. 예수 그리스도께서 혼인이라는 인생의 새로운 출발점에서 기적을 보이신 데에는 깊은 뜻이 담겨 있다. 예수 그리스도가 세례요한의 증거를 받고, 그 증거의 답을 청년 나다나엘로 하게 하신 후 제자들이 보는 앞에서 인류를 구원하려는 공생애의 출발점에서 행하신 기적의 **포도주는 예수 그리스도의 생명의 피를 의미**한다는 점이다. 이 포도주는 예수 자신이 인류에게 주는 공생애 출발점에서 어머니와 제자들이 보는 앞에서 자신의 능력으로 물을 포도주로 만듦으로 이는 자신에게서 나온 피의 의미가 있다는 것이다. 이렇게 하여 인류 구원의 복음을 전하기 전에 출정식과 같은 혼인잔치에서 예수의 피를 마시고 새 생명의 영으로 거듭난 제자들이 하늘의 복음을 전하게 되었다는 것이다.

예수께서 물로 만든 '포도주'를 예수님의 피로 이야기 한 것은, 너무 비약적인 논리라고 비판할 수 있을지 모른다. 그러나 예수께서는 자신을 요한복음 6장 35절에서 **"하늘에서 내려온 생명의 떡"**이라 하시고, 더 나아가 53절에서는 **"자신의 살과 피를 먹어야 생명이 있다"**고 하신다. 또한 최후 만찬에서는 잔을 제자들에게 돌리시며 **'이 잔은 나의 피'**라고 하신다. 이 모든 말씀이 십자가상에서 이루어지고, 이것이 예수 그리스도와의 **"접붙임의 만남"**이다. 자신의 살과 피를 인류에게 접붙임의 참포도나무가지로 들포도나무에게 주시게 되는 십자가의 사건이다.

9절에서 물로 만든 포도주를 맛본 연회장(宴會長)은 '좋은 포도주'라고 감탄하게 되는데, 좋은 포도주란 하늘에 속한 새 생명의 피를 의미하는 말이다. 바꾸어 말하면 '하나님의 품속에 있던 생명'을 이야기하는 것이다. 이제까지 먹었던 포도주가 육을 취하게 하는 것이라면, 예수 그리스도가 만든 포도주는 영혼을 거듭나게 하는 생명의 피라고 하겠다.

더욱이 요한복음의 저자는 가나 혼인 잔치에 예수 그리스도를 중심으로 마리아와 제자들 외에는 다른 어떤 이름도 등장시키지 않고 있다. 다만, 연회장과 하인은 조연으로 세웠을 뿐이다.

9,10절 "연회장은 물로 된 포도주를 맛보고 어디서 났는지 알지 못하되 물 떠온 하인들은 알더라. 연회장이 신랑(新郎)을 불러 ◇말하되 '사람마다 먼저 좋은 포도주를 내고 취(醉)한 후에 낮은 것을 내거늘 그대는 지금까지 좋은 포도주를 두었도다' 하니라."

연회장은 물로 된 포도주를 맛보고 그 맛에 감탄을 하면서도 그 포도주가 언제 어디서 어떻게 만들어졌는지 알지 못하고 신랑을 불러 칭찬을 하고 있다. 나중에라도 하인들을 통해서 포도주가 어떻게 만들어졌는지를 알았다면 아마도 연회장은 놀라움을 금치 못 했을 것이다.

11절 "예수께서 이 처음 표적(表蹟)을 갈릴리 가나에서 행(行)하여 그 영광(榮光)을 나타내시매 제자들이 그를 믿으니라."

예수님의 처음 표적을 보고, 또 물로 된 포도주를 마신 제자들이 스승에 대한 믿음이 생겼고, 스승을 믿었다는 것이다. 예수 그리스도의 피를 의미(意味)하는 포도주를 먹게 하여 벌써 그리스도인! 거듭난! 곧 하늘 백성이 된 상태의 제자들이 전도에 임하였다는 말씀이다.

다음 공부 13~25절에서는 **예루살렘 성전 확청(廓淸)**을 하시게 된다. **예루살렘 성전 확청(廓淸)**은 하늘에서 오신, 하나님 품속에 계시던 예수 그리스도와 그의 피를 먹고 하늘 백성으로 거듭난 사람들이 하게 된다. 하늘의 새 생명으로 거듭난 사람이 새로운 성전을 건설하기 위하여 예루살렘 성전을 철거하는 것이다.

12절 "그 후에 예수께서 그 어머니와 형제들과 제자들과 함께 가버나움으로 내려가 거기 여러 날 계시지 아니하시니라."

앞에서 예수께서는 '아직 나의 때가 이르지 못하였다' 고 하신 바 있다. 그래서 그 때를 기다리기 위하여 혼인 잔칫집에서 나와 어머니와 형제들, 그리고 제자들과 함께 '가버나움'이란 곳에 가서 때가 되기까지 기다리게 된다. 여기서 그 때란 앞으로 공부할 예루살렘에서의 **성전 철거의 때**를 가리킨다고 할 것이다.

"거기 여러 날 계시지 아니하시니라." '거기'는 혼인 잔칫집을 말하며, '여러 날 계시지 않았다'는 말은 포도주 표적을 보인 후 얼마 안 있어 잔칫집을 나왔다는 말이다. 당시 유대인들 풍습대로 잔치는 앞으로도 더 열릴 터이지만, 포도주 표적이 소문나기 전에 서둘러 잔칫집을 나와서 가버나움으로 가신 것으로 보인다.

2010년 1월 10일 발표

〈제10과〉
예루살렘 성전(聖殿)을 완전(完全)히 치우다

본문 말씀 2장 13~25절

"[13]유대인의 유월절이 가까운지라 예수께서 예루살렘으로 올라가셨더니 [14]성전(聖殿) 안에서 소와 양과 비둘기 파는 사람들과 돈 바꾸는 사람들의 앉은 것을 보시고 [15]노끈으로 채찍을 만드사 양이나 소를 다 성전에서 내어 쫓으시고, 돈 바꾸는 사람들의 돈을 쏟으시며 상을 엎으시고 [16]비둘기 파는 사람들에게 이르시되 '이것을 여기서 가져가라! 내 아버지의 집으로 장사하는 집을 만들지 말라!' 하시니 [17]제자들이 성경 말씀에 '주(主)의 전(殿)을 사모(思慕)하는 열심이 나를 삼키리라' 한 것을 기억하더라. [18]이에 유대인들이 대답하여 예수께 말하기를 '네가 이런 일을 행하니 무슨 표적을 우리에게 보이겠느뇨?'"

"[19]예수께서 대답하여 가라사대 '너희가 이 성전을 헐라. 내가 사흘 동안에 일으키리라.' [20]유대인들이 가로되 '이 성전은 사십육 년 동안에 지었거늘 네가 삼일 동안에 일으키겠느뇨?' 하더라. [21]그러나 예수는 성전 된 자기 육체를 가리켜 말씀하신 것이라. [22]죽은 자(者) 가운데서 살아나신 후에야 제자들이 이 말씀하신 것을 기억하고 성경과 및 예수의 하신 말씀을 믿었더라. [23]유월절에 예수께서 예루살렘에 계시니 많은 사람이 그 행하시는 표적을 보고 그 이름을 믿었으나 [24]예수는 그 몸을 저희에게 의탁지 아니하셨으니 이는 친히 모든 사람을 아심이요, [25]또 친히 사람의 속에 있는 것을 아시므로 사람에 대하여 아무의 증거도 받으실 필요가 없음이니라."

개혁자들이 성서를 잘못 읽었다

우리 그리스도인은 우주 만물을 하나님이 창조하셨다고 믿는다. 따라서 사람도 하나님이 창조하셨다고 믿고 있다. 그런데 우리가 다시 한번 생각할 점은 지구상의 동식물들이 신비할 정도로 정밀하게 지음을 받았다는 것이다. 그 중에서도 인간의 면면을 뜯어보면 참으로 감탄하지 않을 수가 없다. 하나님은 모든 동식물을 만드신 후에 인간을 만드시면서 다른 동물들과는 달리 영적 세계를 생각할 수 있는 정신을 주셨다. 즉, 인간을 만물의 영장으로 창조하신 것이다.

이처럼 하나님의 만물 창조는 완벽하게 이루어졌는데, 인간이 만들거나 내세우는 주장들은 완벽하지가 못하고, 허점이 많다. 대속(代贖)이란 논리도 그 중의 하나이다. 예수님의 십자가의 사건을 설명함에 있어 마틴 루터는 '대속'이라는 논리를 펴고 있다. '대속'으로 인류가 구원이 된다는 것이다. 그러나 세상사에서 과학은 말할 것도 없고, 철학도 상식적인 논리의 뒤받침이 있어야 학문이 될 수 있을진대 하물며 하늘의 진리요, 인류 구원이란 중차대한 진리가 철학이나 과학에서 요구하는 최소한의 논리에도 답하지 못한다면 과연 진리라고 할 수 있을까.

하늘의 진리! 인류 구원의 진리는 상식적인 논리가 뒤받침 되어야 하고, 또한 예수 그리스도의 말씀이 뒤받침 되어야 한다.

예를 들면 **"접붙임의 만남"**이 있어야 예수 그리스도의 **"나는 참포도나무요, 너희는 가지, 내 아버지는 농부"** 라고 하신 말씀이 성립될 수 있다. '거듭남'이 있어야 하늘나라를 볼 수 있다고 하였는데, **"접붙임의 만남"**이 있어야 **'거듭남'**이라는 말이 생성(生成)! 즉, 만들어질 수 있다.

예수께서는 "내 살과 내 피를 먹어야 너희가 생명이 있다"고 하셨는데, "접붙임"을 받는다는 것은 곧 '예수 그리스도의 살과 피를 먹는' 것이다.

마틴 루터가 성서를 크게 잘 못 읽은 곳이 바로 요한복음이다. 요한복음 중에서도 오늘 공부하는 2장 13~25절까지가 대표적인 곳이라 하겠다.

예수께서는 '성전을 헐라' 고 하셨다. "예수께서 대답하여 가라사대 '너희가 이 성전을 헐라. 내가 사흘 동안에 일으키리라'"(19절) 이 말씀은 너희가 성전 안에 있는 모든 것을 치우고 성전을 헐면 "나는 새로운 성전을 세워 인류의 구원의 길을 열 것"이라고 하신 것이다. 즉, 낡은 유물적 성전은 철거하여 완전히 없애고 새로운 성전을 일으키겠다는 말씀이다.

예수께서는 예루살렘 성전의 장래에 대해서도 예언하셨다.

"돌 하나도 돌 위에 남지 않고 다 무너뜨려지리라."(마24:2)

"네가 이 큰 건물들을 보느냐? 돌 하나도 돌 위에 남지 않고 무너뜨려지리라."(막13:2)

"너희 보는 이것들이 날이 이르면 돌 하나도 돌 위에 남지 않고 다 무너뜨려지리라."(눅21:6)

이처럼 예수께서는 장차 예루살렘 성전이 돌 하나도 남지 않고 무너뜨려질 것이라 하였고, 실제로도 무너뜨려졌다. 완전히 철거가 된 것이다. 그러나 루터는 이 부분을 완전철거로 보지 않았다. 그래서 성서를 잘 못 읽었다는 것이다. 더욱이 성전의 완전철거가 사복음서에 기록되어 있음을 내세웠다.

마틴 루터를 비롯한 많은 성서 연구자들이 이 성전의 완전철거를 성전의 형식적인 '정화'나 '개혁' 정도로 보았을 것이다. 그러나 성전의 바로세우기보다는 성전의 용도 폐기—즉, 완전철거로 보아야 새로운 성전이 건립될 수 있는 것이다.

새로운 성전은 예루살렘 성전을 폐기하고 예수 그리스도가 십자가상에서 흘린 피를 인류가, 우리가, 내가 믿음으로 받으므로 우리 안에 그리스도의 생명이 살아 그 생명으로 거듭난 그리스도인 한 사람, 한 사람이 바로 성전인 것이다(고전3:16).

그렇다. 예수 그리스도의 십자가에서의 죽음이 희생양으로서의 죽음인 것은 맞다. 그러나 구약에서처럼 속죄의 제물로서의 희생이 아니라 십자가상에서 강도인 들포도나무가 죽어 없는 자리에 예수 그리스도의 생명을 접목시키는 희생이다. 예수 자신의 몸, 참포도나무 가지를 갈기갈기 찢어 인류에게 접목시키는 희생이다.

예수께서는 3장 1절부터 이어지는 말씀에서 "거듭남"에 대하여 말씀하신다. 이보다 앞서 2장 14~19절까지의 말씀에서 성전을 완전히 헐어버리시고, 3장 3절부터는 '니고데모와의 대화'에서 「인류 구원의 주추」를 놓는 말씀을 하신다.

"사람이 거듭나지 아니하면 하나님 나라를 볼 수 없느니라." 새로운 그리스도교의 주추가 되는 말씀이다. 이 말씀에서 비로소 인류 구원의 길이 열리는 것이다.

여기서 깊이 생각해보자. 아담의 아들 아벨의 제사방법! 그리고 이스라엘 민족의 출애굽 후 광야에서의 40년 동안의 제사방법! 그 후 사사의 시대 및 선지자 시대와 왕정 시대를 거쳐 포수(捕囚) 시대까지의 제사방법! 이런 제사방법들은 예수 그리스도가 이 땅에 오실 때까지의 제사방법이다. 그러나 이런 제사방법으로는 결코 '인류 구원'이 이루어질 수 없다. 예수 그리스도가 인류를 하늘의 새 생명처럼 새롭게 하시려고 오셨는데 구약에서의 소와 양, 비둘기를 잡아 제사하는 "희생양의 의미"를 이어 받아 예수 그리스도의 십자가의 죽음을 대속으로 본 것이 성서를 잘 못 읽었다는 것이다.

여기서 신앙을 떠나 세상적인 예를 들어보자. 건축가가 집을 지으려고 하는데 기존의 건축공법보다 여러 면에서 편리해진 공법이 나왔다면 기존의 공법을 다시 사용하는 사람이 있을까? 그렇지 않을 것이다. 이렇게 세상적인 일들도 한번 실패하거나 새로운 기술이 나오면 다시는 그 공법을 버리게 되는데 하물며, 영생과 관련해서야 더 말해 무엇 하리. 속죄의 제사 방법으로는 인류 구원이 안 되는 줄을 아시는 하나님이 구약시대와 같은 방법으로 인류를 구원할 수 있겠는가? 그렇게 본 것이 잘못이었다.

양이나 송아지, 비둘기를 희생시키는 구약에서의 제사로는 인류를 구원 할 수 없어 예수께서 오셨다는 것은 어느 누구도 부인하지 못 할 것이다. 그런데 아벨의 시대로부터 예수께서 오시기 직전까지 행하여 오던 희생이라는 제사의 의미를 그대로 이어받는다는 것은 세상적인 예로도 아닌 것이다.

예수께서는 신 인류구원(新人類救援)의 진리(眞理)를 니고데모에게 말씀하시고 계신다. **"사람이 거듭나지 아니하면 하나님 나라를 볼 수 없느니라"**(요3:3)고.

"거듭남"이란 말은 당시로는 전혀 새로운 말로, 예수 그리스도가 처음으로 쓰기 시작했다고 보아야 한다. 이 말을 알아듣지 못하는 니고데모를 보면 알 수 있다. 예수께서는 **"너는 이스라엘 선생으로서 이러한 일을 알지 못하느냐?"**(요3:10) 라고 묻고 있다. 그 당시 내노라고 하는 학자인 니고데모가 "거듭나지 않으면 하늘나라를 볼 수 없다"는 말을 알아듣지 못했던 것이다. 그 시대 엘리트 학자가 알아듣지 못했다는 것은 그 말을 처음으로 들었기 때문일 것이다.

이 새로운 말은 새로운(新) 진리(眞理)가 세상에 전파(傳播)되기 시작(始作)했다는 의미(意味)가 있다.

시각(視覺)의 차이(差異)

앞에서 언급한 대로 예수 그리스도의 십자가의 사건을 마틴 루터는 "대속"으로 보았고, 필자는 "접붙임의 만남"으로 보았다. 그런데 "대속"은 천년을 연구하여도 예수 그리스도께서 말씀하신 "거듭남"이란 말이 성립될 수 없다.

그러나 필자가 말하는 "접붙임의 만남"은 들포도나무인 인류—즉, 여러분과 내가 강도의 모습으로 예수와 함께 죽고, 그 죽은 몸에 예수 그리스도가 흘린 피를 접붙임 받아 예수 그리스도의 생명으로 거듭나는 것이 '거듭남'이다. 그래서 접붙임은 '거듭남'이란 말이 자연스럽게 생성(生成)되어 받아들여지게 된다.

요한복음 저자의 치밀한 편집을 본다.

1장 29~42절 : 두 번의 직접 증거로 "세상 죄를 제거하는 하나님!" 또는 "어린양"이라고 하였다.

1장 43~51절 : 직접 증거의 답으로 나다나엘이 증거한다. "당신은 하나님의 아들이시오" 라고.

2장 1~11절 : 혼인 잔치 집에서 마리아는 아들 예수에게 간절히 청한다.

"세례자 요한과 나다나엘의 증거에 대한 대답을 보이라"고. 이에 대해 예수는 첫 표적으로 포도주를 만드신다.

2장 12절 : 물로 포도주를 만드신 후 가버나움에서 때를 기다리신다.

2장 13~22절 : 예수께서 독생자로서의 첫 행보로 성전을 쓸어내신다.

예수께서는 자신의 성전을 세우시기 전에 장삿집으로 변한 성전을 먼저 쓸어내신 후 장사꾼들에게는 이렇게 말씀하신다.

"너희가 이 성전을 헐라, 내가 사흘 동안에 세우리라."

"너희가 이 성전을 헐라" 이 말씀은 유대교의 끝이요,

"내가 사흘 동안에 세우리라"는 그리스도교의 시작이다.

3장 1~15절 : 새 성전의 주추가 되는 말씀인 "거듭남"을 말씀하신다.

본문 공부

13절 "유대인의 유월절이 가까운지라 예수께서 예루살렘으로 올라가셨더니"

예수께서 어머니와 제자들이 보는 앞에서 물로 포도주를 만들어 혼인 잔치에 참석한 사람들에게 마시게 함으로써 자신이 하나님께로서 오셨음을 증거로 보이신 후, 가버나움에서 며칠을 묵다가 예루살렘으로 올라가게 된다.

14,5절 "성전(聖殿) 안에서 소와 양, 비둘기 파는 사람들과 돈 바꾸는 사람들의 앉은 것을 보시고 ◇노끈으로 채찍을 만드사 양이나 소를 다 성전에서 내어 쫓으시고, 돈 바꾸는 사람들의 돈을 쏟으시며, 상을 엎으시고"

예루살렘에서 제일 먼저 하실 일은 성전의 확청(廓淸)이었다. 새로운 시대를 열기 위한 완전 철거에 앞서 장사꾼 세상이 되어버린 기존의 성전을 바로잡는 일이기 때문이다.

성전은 신성한 곳이어야 한다. 그런 성전 마당에 형식적인 번제로 쓰일 소와 양과 비둘기를 파는 사람들과 환전상들의 좌판이 늘어앉아 있고, 그것들을 사려는 사람들로 득실대고 있었으니

시끌벅적한 장바닥과 다를 바 없지 않는가. 이 모습을 본 하나님의 아들이 주인으로서 깨끗하게 바로잡는 것은 당연하다.

16절 "비둘기파는 사람들에게 이르시되 '이것을 여기서 가져가라. 내 아버지의 집으로 장사하는 집을 만들지 말라' 하시니"

예수께서 성전 안에서 양과 소를 다 쫓으신 후 비둘기 파는 사람들에게 호통을 치신다. "이것을 여기서 가져가거라!" 그리고 "신성한 내 아버지의 집을 장사하는 집으로 만들지 말라!"

그러면 왜 예수 그리스도가 성전을 깨뜨리기 전에 먼저 확청(廓淸)을 하셨을까? 그것은 이사야가 잘 말하고 있다.

이사야서 1장 11절 이하의 말씀을 보자.

"[11]여호와께서 말씀하시되 너희의 무수한 제물(祭物)이 내게 무엇이 유익하뇨? 나는 숫양(羊)의 번제(燔祭)와 살진 짐승의 기름에 배불렀고, 나는 숫송아지와 어린 양이나 숫염소의 피를 기뻐하지 아니하노라. [12]너희가 내 앞에 보이러 오니 그것을 누가 너희에게 요구하였느뇨? 내 마당만 밟을 뿐이니라. [13]헛된 제물을 다시 가져오지 말라. 분향(焚香)은 나의 가증(可憎)히 여기는 바요, 월삭(月朔)과 안식일(安息日)과 대회(大會)로 모이는 것도 그러하니 성회(聖會)로 아울러 악을 행하는 것을 내가 견디지 못하겠노라."

이렇게 성회(聖會)를 빙자하여 악을 행하는 것을 하나님이 못 봐 주겠다는 것이다. 인간의 죄를 속하게 하려고 속죄의 제사를 지내게 하였는데, 그 제사로 더불어 더욱 악을 행한다는 것이다. 특히 장사꾼들은 제사보다 양이나 송아지를 팔아 이익을 내는 데에만 급급해 한다. 그래서 이것을 바로잡기 위하여 예수께서 독생자로 오신 것이다.

특히 이사야가 지적한대로 성전을 그저 왔다 갔다 하면서 성전 마당만 밟을 뿐이라는 것이다. 이런 외식(外飾)을 이제는 하나님이 보시기 힘들어 **"내가 견디지 못하겠노라"**고 하소연하시는 것이다.

17절 "제자들이 '성경 말씀에 주(主)의 전(殿)을 사모(思慕)하는 열심이 나를 삼키리라' 한 것을 기억하더라."

위의 말씀은 시편 69편 9절에 있는 말씀인데, 이사야가 본 것처럼 헛되이 성전만 왔다 갔다 하는 곳에는 하나님은 없이 그들만의 대회로 하나님이 떠난 곳을 삼키리라는 말씀을 제자들이 떠올린 것이다.

18절 "이에 유대인들이 대답하여 예수께 말하기를 '네가 이런 일을 행하니 무슨 표적을 우리에게 보이겠느뇨?'"

채찍을 휘두르며 쓸어내는 예수께 유대인들이 묻는다. '네가 이런 일을 행하니 무슨 표적을 우리에게 보이겠느냐'고. 다시 말하면 양과 송아지, 비둘기는 번제로 드릴 제물로, 우리는 오래 전부터 성전 안에서 팔아 왔는데, 네가 무슨 권한으로 막느냐? 그런 권세가 있으면 표적을 보이라고 한 것이다. 권능을 보이면 인정을 하겠다는 말이다.

19절 "예수께서 대답하여 가라사대 '너희가 이 성전을 헐라 내가 사흘 동안에 일으키리라.'"

예수께서 앞절의 물음에 대한 답을 하신다. **'나는 새로운 성전**

을 건설하려고 왔다. 그러니 너희가 이 성전을 헐어라. 그러면 내가 사흘 동안에 일으켜 세우겠다.' 이 말씀은 미구에 닥칠 십자가 위에서 흘릴 피로 사흘 동안에 성전을 건설 할 것이라는 암시인 것이다.

이에 대하여 증언자 바울은 "너희가 하나님의 성전인 것과 하나님의 성령이 너희 안에 거(居)하시는 것을 알지 못하느뇨?" (고전3:16) 라고 묻는다. 바울은 우리 믿는 사람 안에 하나님의 영이 거하시는 성전을 말하고 있다. 이 성전을 새롭게 세우기 위해서는 낡은 성전을 완전히 헐어버려야 한다. 낡은 성전은 예루살렘에 있었지만, 새로운 성전은 우리들 각자 안에 있다. 이 성전을 건설하기 위해서는 옛것을 완전히 헐어내야 할 것이다.

20~22절 "유대인들이 가로되 '이 성전은 사십육 년 동안에 지었거늘 네가 삼일 동안에 일으키겠느뇨?' 하더라. ◇그러나 예수는 성전 된 자기 육체를 가리켜 말씀하신 것이라. ◇죽은 자(者) 가운데서 살아나신 후에야 제자들이 이 말씀하신 것을 기억하고 성경과 및 예수의 하신 말씀을 믿었더라."

'네가 삼일 동안에 일으키겠느뇨?' 유대인들은 코웃음을 치며 묻는다. "이 성전은 46년이나 걸려서 지었는데 어떻게 네가 사흘 동안에 일으킬 수 있다는 것이냐?" 그러나 유대인들은 눈에 보이는 예루살렘의 성전만을 생각하며 물었고, 예수께서는 장차 사흘만에 세울 보이지 않는 성전을 말씀하셨던 것이다.

19절에서 예수가 "사흘 만에 성전을 일으키겠다"고 하셨던 이 말씀은 예수 자신이 성전의 주인임을 가리키는 말이지만, 제자들이 이 말씀을 깨달은 것은 예수 그리스도가 십자가에 못 박혀 돌아가신 후 사흘만에 살아나신 뒤였음을 설명하고 있다.

23~25절 "유월절에 예수께서 예루살렘에 계시니 많은 사람이 그 행하시는 표적을 보고 그 이름을 믿었으나 ◇예수는 그 몸을 저희에게 의탁지 아니하셨으니 이는 친히 모든 사람을 아심이요, ◇또 친히 사람의 속에 있는 것을 아시므로 사람에 대하여 아무의 증거도 받으실 필요가 없음이니라."

성전을 쓸어내신 후 예수께서는 예루살렘에 더 계시면서 많은 표적을 행하시고, 이제까지 예수를 알지 못하던 사람들이 그 표적을 보고 믿게 되었다고 하였다.

예루살렘에서 예수를 알게 된 사람들이 많아졌지만, 예수께서는 사람을 의탁하지 않으셨다. 그들은 보통사람들이 할 수 없는 기사(奇事)와 이적(異蹟)만을 좇을 뿐, 진실된 믿음이 없다는 것을 아셨기 때문일 것이다. 오직 주 하나님 아버지의 은총을 우러렀다는 말씀이다.

2010년 2월 10일 발표

〈제11과〉
인류가 구원 받는 진리는 "거듭남"

본문 말씀 3:1~6

"1바리세인 중에 니고데모라 하는 사람이 있으니 유대인의 관원(官
員)이라. 2그가 밤에 예수께 와서 가로되 '랍비여 우리가 당신은 하나
님께로서 오신 선생인줄 아나이다. 하나님이 함께 하시지 아니하시면
당신의 행하시는 이 표적(表蹟)을 아무라도 할 수 없음이니이다.' 3예수
께서 대답하여 가라사대 '진실로, 진실로 네게 이르노니 사람이 거듭나
지 아니하면 하나님 나라를 볼 수 없느니라.' 4니고데모가 가로되 '사
람이 늙으면 어떻게 날 수 있삽나이까? 두 번째 모태(母胎)에 들어갔다
가 날 수 있삽나이까?' 5예수께서 대답하시되 '진실로, 진실로 네게 이
르노니 사람이 물과 성령(聖靈)으로 나지 아니하면 하나님 나라에 들어
갈 수 없느니라. 6육(肉)으로 난 것은 육이요, 성령으로 난 것은 령(靈)
이니'"

인류 구원의 사업이 순서 있게 이루어지다

세례자 요한의 증거에 대한 답변으로 나다나엘은 앞장 49절에서 **"당신은 하나님의 아들이시오, 당신은 이스라엘의 임금이로소이다."** 라고 예수께 말씀한다.

요한복음 2장 1~11절에서 예수는 육의 모친인 마리아로부터 '나다나엘이 고백한 하나님의 아들이란 것을 실증(實證)해 보이라'고 간절한 청함을 받는다. 이에 예수께서는 '물로 포도주를 만드는 기적'으로 하나님의 아들임을 증명한다.

"예수 그리스도의 보이는 능력(能力)"은 바로 예수에게서 나오는 기적이다. 예수 그리스도께서 물로 만든 기적의 포도주를 여러 제자들이 함께 마시며 인류 구원의 길을 향한 출정식(出定式)을 열었던 것이다. 예수께서 만든 포도주는 예수 그리스도의

생명의 피를 의미한다.

생명의 피의 포도주를 마신 제자들이 출정식을 끝내고 예수님과 함께 예루살렘 성전으로 갔다. 예루살렘에 도착한 예수께서는 첫 번째 일로 요한복음 2장 13~25절에서처럼 제자들과 함께 성전 확청에 들어가신다. 장차 성전에서 행해지는 제사의 의미까지 없애는 성전의 완전 철거를 대비한 확청이다.

그리고 이번에 공부할 3장 1~6절에서는 인류(人類) 구원(救援)을 위한 새로운 진리(新眞理)의 기초(基礎)를 놓는 대목이다.

인류 구원을 위해서는 형식에 치우친 예루살렘의 성전을 철거하고 새 성전을 건립하여야 하는데, 예수께서는 새로운 성전의 주춧돌이 될 '거듭남'에 대해 말씀하신다. 이 '거듭남'이 오늘의 공부다.

본문 말씀 공부

1절 "바리세인 중에 니고데모라 하는 사람이 있으니 유대인의 관원(官員)이라."

바리새인 니고데모는 '선생'이라 칭함을 받는 유대의 관원으로, 성전 안에서 장사꾼들을 내쫓고 이적을 행하며, 하나님의 말씀을 전하는 예수를 유대인들이 이해하지 못하고 시기하며 미워할 때에(요2:14~20) 예수를 이해하는 오직 한 사람이었다.

2절 "그가 밤에 예수께 와서 가로되 랍비여 우리가 당신(當身)은 하나님께로서 오신 선생인줄 아나이다. 하나님이 함께 하시지 아니하시면 당신의 행하시는 이 표적(表蹟)을 아무라도 할 수 없음이니이다"

"그가 밤에 예수께 와서" 니고데모가 왜 밤에 왔을까? 그것은 다른 사람이 예수를 선생 또는 메시아로 인정하지 않을 때이므로 예수와의 만남이 알려지면 비난이 있을 수 있기 때문이었다. 니고데모는 유대인으로, 대 학자이며 그해의 의회(議會) 의원(議員)이었다. 그래서 사회적 체면 때문에 밤에 왔던 것이다.

니고데모는 예수께 말한다.

"당신은 하나님께로서 오신 선생인줄 아나이다." 다른 사람들은 예수가 하나님으로부터 온 아들임을 알아보지 못 할 때에 니고데모는 알아보았다.

"하나님이 함께 하시지 아니하시면" 니고데모는 예수에게서 하나님이 함께 하심을 보았다.

"당신의 행하시는 이 표적을 아무라도 할 수 없음이니이다." 니고데모는 자신이 느낀 점을 말한다. '당신이 행하시는 이 표적은 아무라도 할 수 있는 것이 아니요, 오로지 하나님이 함께 하시므로 행할 수 있는 표적'이라고 한다.

3절 "예수께서 대답하여 가라사대 진실(眞實)로, 진실로 네게 이르노니 사람이 거듭나지 아니하면 하나님 나라를 볼 수 없느니라."

세상 이치를 다 아는 사람처럼 말하였던 니고데모에게 예수님은 "진실로, 진실로 너에게 이른다"고 하시며 또 "사람이 거듭나지 아니하면 하나님 나라를 볼 수 없다"고 니고데모를 깨우쳐 주신다. 참으로 놀라운 말씀이다. 거듭남! 이 '거듭남'이 있는 사람만 하늘나라를 볼 수 있다는 것이다. 거듭남이 없으면 하늘나라를 볼 수 없다는 말씀이기도 하다.

'사람이 거듭나지 아니하면' 하나님 나라를 들어가기는 고사하고 볼 수도 없다고 하신다. 한마디로 이야기하면 거듭나지 아니하면 하나님의 나라를 볼 수도 없다는 말이다.

'거듭남'이란 말은 예수께서 처음으로 사용하신 말이다.

이때까지 인류에게는 '거듭남'이란 말이 없었다. 그런데 예수께서 처음으로 사용하기 시작한 것이다. 이는 당시 유대인들 가운데서 최고의 지식층이라고 할 수 있는 니고데모가 알아듣지 못한 것을 보아 알 수 있다.

"거듭난" 사람이 새로운 성전(聖殿)이다. 이는 장차 이루어지게 될 "접붙임의 만남"을 말씀하고 계신다. 그것은 "접붙임의 만남" 자체가 예수 그리스도의 피가 강도의 다리 꺾어진 곳에 흘러들어가서(요19:32) 접붙임 되면 새생명으로 거듭날 것이기 때문이다. 예수 그리스도의 생명이 거듭난 사람 안에 있는 것이다. 거듭남은 인류 구원의 조건이라고 말할 수 있다. 그래서 십자가의 사건을 "접붙임의 만남"으로 보는 이유이다.

4절 "니고데모가 가로되 사람이 늙으면 어떻게 날 수 있삽나이까? 두 번째 모태(母胎)에 들어갔다가 날 수 있삽나이까?"

유대인 중의 최고 학자요, 의회(議會) 의원(議員)인 그가 예수님의 '거듭난다'는 말을 알아듣지 못했다. 그래서 두 번째 모태에 들어갔다가 다시 태어날 수 있느냐고 물은 것이다.

5절 "예수께서 대답하시되 진실로, 진실로 네게 이르노니 사람이 물과 성령(聖靈)으로 나지 아니하면 하나님 나라에 들어갈 수 없느니라."

"진실로, 진실로 네게 이르노니" 예수께서는 중요한 대목마다 쓰시는 말로, 니고데모의 "모태에 들어갔다가 다시 태어날 수가 있느냐"는 물음의 답변에도 쓰고 있다.

"사람이 물과 성령으로 거듭나지 아니하면" 물은 무엇인가? 물은 곧 말씀이다. 말씀은 무엇인가? 말씀은 곧 생명이다. "말씀이 육신 되어 오신 분이 예수 그리스도"(요1:1,2)이다. 때문에 그분의 생명을 접붙임 받아야 거듭남이 있다. 예수 그리스도의 생명의 떡—즉, 그 분의 살과 피를 받아먹어야 거듭날 수 있는 것이다. 십자가(十字架)상에서 흘린 피를 받아 그리스도의 생명으로 다시 사는 "거듭남"을 말씀하고 계신다.

성령은 무엇인가? 하나님은 아담을 창조하실 때에 흙으로 당신의 형상(形象)을 만드시고, 그 형상(形象)에 당신의 생기(生氣)를 불어넣으셨는데 그 생기가 하나님의 기운인 성령이다.

"하나님 나라에 들어갈 수 없느니라." 물과 성령으로 거듭나지 아니하면 결코 하나님 나라에 들어갈 수 없다고 예수께서는 말씀하고 계신다.

6절 "육(肉)으로 난 것은 육이요, 성령으로 난 것은 령(靈)이니"

"육(肉)으로 난 것은 육이요" 아담의 자손은 모두 육에 속한 죄인이요, 그래서 인류는 모두가 죄인이란 말이다.

"성령(聖靈)으로 난 것은 령(靈)이니" 비록 죄인이라고 할지라도 하나님의 기운인 성령으로 거듭난 사람은 하나님의 자녀가 될 권세를 받은 하늘나라의 백성, 곧 령이란 말씀이다.

바꾸어 말하면 아담의 자손은 모두가 죄의 자손인 육에 속한 사람이라는 것이다. 그러나 죄(罪)의 자손도 예수 그리스도께서 십자가에서 죽을 때에 육의 죄를 없애는 죽음에 동참함으로 죄에 대하여 죽고, 죄가 죽어 없는 곳에 예수 그리스도가 흘린 피로 접붙임 되어 새로운 생명으로 다시 사는 것이 성령으로 태어나는 것이다. 성령은 하나님의 창조의 생명이다.

대속과 접붙임의 비교

인류 구원의 주춧돌과 같은 **"거듭남"**은 어디에서 온 말일까? 그것은 **"접붙임의 만남"**에서 온 말이다. 그래서 십자가의 사건을 대속이나 속죄의 사건이 아닌 접붙임의 사건으로 보는 이유가 거기에 있다.

'대속'은 천년을 연구하여도 '거듭남'이란 말이 나올 수가 없다. 그러나 '접붙임'은 '거듭남'이란 말이 자연스럽게 만들어진다.

'대속'은 예수 그리스도를 영접하는 데에 관계가 깊지 않은 말이다. 그러나 '접붙임'은 예수 그리스도를 영접한다는 의미의 말이다.

'접붙임'은 '거듭남'과 관계가 밀접한 말로, 접붙임이 있어야 거듭날 수가 있다.

'대속'이란 말로는 예수 그리스도가 말씀하신 **"나는 참포도나무, 너희는 가지, 내 아버지는 농부"**란 말씀이 성립할 수가 없다. 그러나 십자가의 사건을 접붙임으로 볼 때에 위의 말씀이 논리가 성립됨을 보게 된다.

예수 그리스도의 생명을 '접붙임 받아야' 하나님 자녀로서의 권세가 주어진다.(요1:12)

로마서 6장 11절에서 증언자 바울은 **"이와 같이 너희도 너희 자신(自身)을 죄(罪)에 대하여는 죽은 자(者)요, 그리스도 예수 안에서 하나님을 대하여는 산 자로 생각하라"**고 하였다. 바울은 우리가 우리 자신의 죄에 대하여 강도의 모습으로 죽었다고 보았다. 예수가 십자가상에서 죽을 때에 우리도 죽었다고 믿으라는 것이다. 예수의 좌우편 강도가 같이 죽었는데, 너희도(여러분도, 나도) 강도 한 사람, 한사람으로 죽었다고 믿으라는 것이다. 죄로 죽고, 의로 예수 그리스도의 생명을 접붙임 받아 살았다고 믿으라는 것이다.

그런데 "그리스도 예수 안에서"의 '안에서'가 일본 성경에는 우리 성경과는 사뭇 다른 뜻이 있다. 이 **'안에서'**라는 대목을 일본어 성서에서는 '結ばれて'(무스바레데)로 쓰고 있는데, 그 뜻을 잠깐 살펴보자.

일본어 성서 신 공동 번역에는 아래와 같이 되어있다.

"このようにあなたがたも　自分は罪に対して死んでいるが　キリストイエスに結ばれて　神に対して生きているのだと考えなさい" 여기서 중요한 것은 '結ばれて' '무스바레데'인데 그 뜻을 살펴보면 다음과 같다.

◯ 어떤 관계가 맺어지다

◯ (남녀가) 육체(肉體) 관계를 갖다

◯ 결혼(結婚)하다

위의 의미들을 묶어보면 '예수 그리스도와 우리가 결혼해서 산다'는 내용이다. 다시 말하면 이 '무스바레데'는 '접붙임의 만남'이 되는 것이다. 위에서 본 것처럼 대속이 아니라 예수 그리스도의 생명이 나의 마음속 깊이 들어와 계심을 뜻한다. 곧, 예수 그리스도와 우리, 나와의 결혼이다. 달리 표현한다면 생명과 생명이 맺어지는 만남—곧, 접붙임의 만남으로 본 것이다.

예수께서 십자가상에서 죽게 되었을 때 하나님은 로마 병정으로 하여금 "강도의 다리는 꺾고, 예수의 다리는 꺾지 않게"(요 19:32~37) 하셨다. 왜? 접붙임에는 원목은 필요하지 않고 가지만 필요하기 때문이다. **'접붙임'** 이것이 예수 그리스도의 생명을 접붙임 받아 다시 사는 거듭남이다.

유희세 교수는 『구약 연구 〈상권〉』(2009년 11월 17일 발간) 35쪽에서 "우리는 아담의 타락으로 상실한 하나님의 형상을 예수 그리스도에 의하여 도로 찾는 것"이라고 하였다. 상실한 하나님을 도로 찾을 수 있는 길은 예수님에 의지한 '접붙임의 만남' 뿐이다. 유희세 교수는 구약 연구를 하면서 이렇게 도로 찾음을 보았다. 참으로 놀라움을 금할 수 없다.

하나님의 인류 창조

하나님은 인류 창조를 두 번 하셨다.

처음 창조는 하나님의 몸에서 나온 생기(生氣)로 인류의 조상 아담을 창조하셨고, 두 번째의 창조 또한 처음 창조처럼 하나님의 생기—곧 예수 그리스도의 생명의 피를 우리 죄인들과 접붙임 시킴으로써 하늘 백성이 된다고 했다. 그래서 십자가의 사건을 접붙임으로 보는 것이다.

인류는 모두 죄인(罪人)이요, 모두가 들포도나무인데 오직 예수 그리스도만 하나님의 생기를 가진 참포도나무로 인류 한가운데에 심어졌다. 십자가상에 예수 그리스도를 달아 놓고, 농부인 하나님이 예수 그리스도의 살과 피를 갈기갈기 찢어 들포도나무인 강도가 죽어 없는 자리에 접붙임 하는 사건이라고 본 것이다.

성서에는 [다 이루었다가] 두 번 나온다.

1. 창세기 2:1에 "다 이루었다" "천지(天地) 만물(萬物) 인류(人類)의 창조(創造)를 다 이루었다." 즉 천지와 인류 창조를 완성하셨다는 뜻이다.

2. 요한복음 19장 30절의 "다 이루었다"는 하늘 백성으로의 개

량(改良)사업을 완성! 성취! 달성! 이룩하였다는 뜻이다.

사도요한은 계시록 21장에서 '새 하늘과 새 땅의 도래'를 기록하고 있다. 인류가 거듭남이 없으면 '새 하늘과 새 땅'은 필요하지 않는다. 오직 인류가 거듭남으로 하늘 백성이 될 때에 '새 하늘과 새 땅'이 필요한 것이다. 계시록 21장 27절은 **"오직 어린 양의 생명책에 기록된 자들만 하늘 도성에 들어간다"**는 기록이다. "어린 양의 생명"이란 그리스도의 생명인 것이다.

하늘나라 백성은 하나님의 유전자로 지음을 받는다. 접붙임은 바로 예수 그리스도의 생명을 받는 것이다. 예수 그리스도의 생명을 받아야 하늘백성이 된다.

◇ 솔로몬의 옛 성전은 아담의 자손 인류의 죄를 짐승의 죽음으로 대속 받는 제도이다.

◇ 새로운 성전은 하나님의 아들 예수 그리스도의 생명을 접붙임 받아 하나님의 자녀가 되는 영접으로, 내 마음 속에 이루어진다.

증언자 바울은 고린도전서 3장 16절에서 **"너희가 하나님의 성전(聖殿)인 것과 하나님의 성령(聖靈)이 너희 안에 거(居)하시는 것을 알지 못하느뇨?"** 라고 물었다. 우리들 마음 안에 성령님이 계시는—즉, 우리 몸이 성령의 전이다.

예수 그리스도는 십자가상에서 죽고, 농부인 하나님이 인류에게 접붙임의 일을 사흘 동안에 완성하시면서 새로운 성전 또한 사흘만에 건립하셨다.

"접붙임의 만남"은 십자가 구원의 논리를 뒷받침하는 비유이다.

"신앙"으로는 예수 그리스도를 나의 생명으로 하는 영접이요, 예수 그리스도를 나의 왕으로 하는 영접이다.

2010년 3월 10일 발표

〈제12과〉
성령의 역사와 바람의 역할

본문 말씀 3:7~15

"7내가 네게 '거듭나야 하겠다' 하는 말을 기이(奇異)히 여기지 말
라.8바람이 임의(任意)로 불매 네가 그 소리를 들어도 어디서 오며 어
디로 가는지 알지 못하나니 성령(聖靈)으로 난 사람은 다 이러하니라.9
니고데모가 대답(對答)하여 가로되 '어찌 이러한 일이 있을 수 있나이
까?' 10예수께서 가라사대 너는 이스라엘의 선생으로서 이러한 일을
알지 못하느냐? 11진실로, 진실로 네게 이르노니 우리 아는 것을 말하
고 본 것을 증거(證據)하노라. 그러나 너희가 우리 증거를 받지 아니하
는도다. 12내가 땅의 일을 말하여도 너희가 믿지 아니하거든 하물며 하
늘 일을 말하면 어떻게 믿겠느냐. 13하늘에서 내려온 자 곧 인자(人子)
외에는 하늘에 올라간 자가 없느니라. 14모세가 광야(曠野)에서 뱀을 든
것같이 인자도 들려야 하리니 15이는 저를 믿는 자(者)마다 영생(永生)
을 얻게 하려 하심이니라."

바람의 역할

바람(風)의 사전적 의미는 '공기의 흐름'으로, 사람들은 바람이 그저 불어왔다가 가는 것으로 알고 있다. 그러나 바람은 하나님의 뜻에 따라 참으로 질서정연하게 장소와 때에 맞추어 불게 된다. 한 마디로, 하나님이 우주 만물 운행의 일환으로 꼭 불어야 할 때에 불게 하시는 것이다.

바람은 대자연(大自然)을 정화하는 큰일을 한다. 만일 바람이 없다면 공해로 찌든 도시 상공의 대기를 무슨 방법으로 누가 정화할 수 있겠는가? 바람의 역할이 실로 크다고 하지 않을 수 없다.

겨우내 깊은 잠에 빠졌던 대지(大地) 위에 봄이 오면 따스한 봄바람이 살랑살랑 불어와 잠자고 있는 풀이나 나무 가지를 흔들어 깨운다. 그러면 풀과 나뭇가지들에서는 새싹이 돋고, 꽃이 피어나는 것이다.

성령 역사

성령도 바람과 같다고 할 것이다. 겨울잠을 자는 식물처럼 육신의 정욕과 쾌락 속에 깊이 잠든 우리의 영혼을 바람같이 불어오는 성령의 역사로 때리고 흔들어(계3:20) 깨운다. 성령의 역사로 양심이 살아나게 되면 사람들은 진리를 갈구하게 되고, 성령의 주(主)를 알게 되어 예수 그리스도를 자신의 생명의 근원으로 모시게 된다. 이처럼 성령의 바람! '역사'로 거듭나는 변화의 삶이 바로 그리스도인의 삶이다.

성령과 바람의 닮은 점

○ 눈에 보이지 않는다.
○ 느낌으로만 알 수 있다.
○ 성령은 인간의 영혼을 깨우고, 바람은 대자연의 겨울잠을 깨운다.
○ 성령은 인간의 마음을 새롭게 하고, 바람은 자연을 정화한다.
○ 성령은 인간의 영혼에 역사하고, 바람은 대자연에 역사한다.

예수 그리스도는 성령의 거듭남을 말씀하시며 바람을 비유로 들고 계신다. 참으로 놀라운 비유가 아닐 수 없다.

본문 공부

7,8절 "내가 네게 '거듭나야 하겠다' 하는 말을 기이(奇異)히 여기지 말라. ◇바람이 임의(任意)로 불매 네가 그 소리를 들어도 어디서 오며 어디로 가는지 알지 못하나니 성령(聖靈)으로 난 사람은 다 이러 하니라."

예수께서는 니고데모에게 '거듭나야 하겠다'는 말을 기이하게 생각하지 말라고 말씀하신다.

"바람이 임의(任意)로 불매" 바람은 정해진 방향 없이 바람 자신의 뜻대로 분다.

"네가 그 소리를 들어도 어디서 오며 어디로 가는지 알지 못하나니" 너희는 '바람소리'를 들을 수는 있으되 어디에서 불어와 어디로 가는지를 알지 못한다는 말씀이다. 사실, 우리는 바람이 어디에서 불어와 어디로 가는지를 알지 못한다. 그러나 '바람'은 질서 있게 불고 있다. 곧 "하나님의 우주 만물 운행의 일환"으로 불고 있는 것이다.

"성령으로 난 사람은 다 이러 하니라." 성령이 바람처럼 어디에서 오는지 알 수 없지만, 우리 마음 안에 오신다는 말씀이다. 이렇게 오신 성령님은 우리 마음 문을 두드리시며 끊임없는 속삭임으로 나의 영혼과 늘 대화를 하신다. 그리하여 참(眞)을 참으로 알게, 진실을 진실로 알게, 진리를 진리로 알게, 그래서 거듭나게 하신다. 인류 구원의 일환으로 성령의 역사가 있다는 것이다.

9,10절 "니고데모가 대답(對答)하여 가로되 어찌 이러한 일이 있을 수 있나이까? ◇예수께서 가라사대 '너는 이스라엘의 선생으로서 이러한 일을 알지 못하느냐?'"

니고데모의 질문성 대답이다.

'어찌 이러한 일이 있을 수 있나이까?' 이스라엘 최고 학자의 대답이지만, '거듭난다'라는 말을 알아듣지 못한 그의 계속되는 물음이다.

'너는 이스라엘의 선생' 니고데모의 당시 유대 사회에서의 위치를 가리키는 말이다. 니고데모는 최고의 학자이자 지도자 신분인 의회 의원이었다.

"이러한 일을 알지 못하느냐?" 예수님은 말씀하신다. "이스라엘의 선생으로서 이 말을 알지 못하느냐? 너는 '거듭남'이란 말을 알아듣지 못하고 있지만 식물의 세계에서는 이미 보편적인 일들이다."

'식물의 거듭남'의 의미는 예수님의 "이러한 일을 알지 못하느냐?"는 말씀에 함축되어 있으며, 접붙임을 뜻한다.

11절 "진실(眞實)로, 진실로 네게 이르노니 우리 아는 것을 말하고, 본 것을 증거(證據)하노라. 그러나 너희가 우리 증거를 받지 아니하는도다."

예수께서 말씀하신다. "우리 아는 것을 말하고, 본 것을 증거(證據)하노라." 세상만사 특히 식물세계에서의 '거듭남'은 일반적인 일들이다. 그래서 나 예수는 우리가 서로 아는 것을 말하고 본 것을 말하고 있으니 '니고데모' 당신도 알 수 있는 일이다. 돌감나무가 접붙임을 받기 위해서는 돌감나무농장 주인이신 하나님이 돌감나무 몸통을 베어내 죽이고, 그 자리에 참 감나무 가지로 접붙임하여야 '참'감나무로 사는 것이다. 그것이 거듭나는 것이다.

"그러나 너희가 우리 증거를 받지 아니하는도다." 접붙임 받아 다시 사는 '참'감나무처럼 사람도 장차 그렇게 될 것인데 내가 증거를 대어도 너희는 나의 증거를 받아들이질 않고 있다고 안타까워 하신다.

12절 "내가 땅의 일을 말하여도 너희가 믿지 아니하거든 하물며 하늘 일을 말하면 어떻게 믿겠느냐"

예수께서 니고데모에게 계속 말씀하신다.

"내가 땅의 일을 말하여도 너희가 믿지 아니하거든" '땅의 일'을 말하여도 너희가 믿질 않는다. 여기에서 땅에 일이란 식물의 세계에서의 '거듭남'을 말하지만, 예수님 당시에도 식물의 거듭남(접붙임)은 보편화된 일일 것이다. 그러나 접붙임의 일이 '새 생명!으로 거듭남, 또는 그리스도 예수의 생명으로의 부활의 삶'이라는 것은 미쳐 생각지 못했을 것이다.

"하물며 하늘 일을 말하면 어떻게 믿겠느냐" 이 땅에서 행해지는 '거듭남'도 깨닫지 못하는 너희에게 하늘의 일을 말한다면 너희가 어떻게 알아듣겠느냐고 예수님은 말씀하신다.

13절 "하늘에서 내려온 자 곧 인자(人子) 외에는 하늘에 올라간 자가 없느니라."

하늘에서 내려온 인자(人子) 외(外)에는 하늘에 올라간 자가 없다고 하신다. 하늘로 올라갈 자는 오직 하나님의 유전자를 가진 예수 그리스도 자신 뿐이라는 말씀이다.

놀라운 말씀

예수 그리스도께서는 13절에서 참으로 놀라운 말씀을 하신다. 인자(人子) 곧 '자신'이 하늘에서 내려온 자(者)라고 상기(想起)시켜(요1:1-2) 자신을 하늘의 사람으로 말씀하신다. 예수께서는 앞에서 인류의 구원의 길이 '거듭남'이란 말씀을 하시고, 이번에는 인자(人子)는 하늘에서부터 온 하나님의 아들이요, 하나님의 본체(本體)임을 말씀하신다.

14절 "모세가 광야(廣野)에서 뱀을 든 것 같이 인자도 들려야 하리니"

"모세가 광야(廣野)에서 뱀을 든 것 같이" 자신이 하늘에서 내려온 하나님의 아들이란 것을 보이시기 위하여 물로 포도주를 만드셨고, 하나님의 아들로서 장차 이루어질 성전 철거를 말씀하셨으며, 하나님의 아들이란 것을 상기(想起)시켜(요1:1,2) 자신이 하늘에 속한 사람이란 것을 확증(確證)하시고, 곧바로 방향을 바꾸어 옛 출애굽 후 광야에서의 구리뱀 사건을 비유로 말씀하신다.

민수기 21장 6~9절 "6여호와께서 불뱀들을 백성 중에 보내어 백성을 물게 하시므로 이스라엘 백성 중에 죽은 자가 많은지라.
7백성이 모세에게 이르러 가로되 '우리가 여호와와 당신을 향하여 원망(怨望)하므로 범죄(犯罪)하였사오니 여호와께 기도(祈禱)하여 이 뱀들을 우리에게서 떠나게 하소서.' 모세가 백성을 위하여 기도하매,
8여호와께서 모세에게 이르시되 '불뱀을 만들어 장대 위에 달라. 물린 자(者)마다 그것을 보면 살리라.'
9모세가 놋뱀을 만들어 장대위에 다니 뱀에게 물린 자마다 놋뱀을 쳐

다본 즉 살더라."

"인자도 들려야 하리니" 예수께서는 장대 위에 달린 놋뱀처럼 자신이 "십자가 위에 달리게 된다"는—즉, 십자가 위에서의 죽음을 예고하시는 말씀이다.

15절 "이는 저를 믿는 자(者)마다 영생(永生)을 얻게 하려 하심이니라."

예수께서는 앞에서 공부한 7절에서 '거듭나야 하겠다는 말을 기이(奇異)히 여기지 말라' 하시고, '성령의 역사로 거듭나게 되면 새 하늘의 생명으로 거듭난다'고 말씀하신다. 하늘의 새 생명의 진액! 피를 이 땅에 뿌리기 위하여. 예수 자신이 뱀에 물린 사람을 살리는 놋뱀처럼 십자가상에 높이 매달리리라는 것을 예언하고 계신다.

성부인 하나님이 독생자 예수 그리스도를 십자가 위에 높이 달아 놓고 하나님이 그 예수 그리스도의 살과 피를 갈기갈기 찢어서 인류(人類)라고 하는 들포도나무에게 접붙이는 일을 농부이신 하나님이 직접 하신다는 예언인 것이다.

그런데 15절에서도 우리말 성경과 일본어 성경의 번역에 차이가 있음을 보게 된다.

우리말 성경 : "이는 저를 믿는 자마다 영생을 얻게 하려 하심이니라"

일본어 성경 : "それは信じる者が皆 人の子によって永遠の命を得るためである"

우리말로 번역하면 "그것은 그를 믿는 자마다 인자(人子)에게서 영원한 생명을 얻게 하려는 것이다." 여기에서 인자는 '하나님의 아들 예수'를 가리키는 말이다.

예수 그리스도는 하나님의 생명인 참포도나무이다. 그러므로 "저(예수)를 믿는 자(者)마다 영원한 생명을 얻어 영원히 산다"는 사실이다.

바꾸어 말하면 예수 그리스도의 생명을 접붙임 받는 사람마다 영생을 얻게 하신다는 말씀이다.

신앙으로는 예수 그리스도를 자신의 생명으로 영접하여 자신의 생명의 근원으로 믿는 것이다. 이런 사람이 영원한 예수 그리스도의 생명을 얻어 하늘에 살게 되는 것이다.

2010년 4월 10일 발표

〈제13과〉
우주 만물의 창조자(創造者)가 놋뱀이 되다

참고 말씀 3:13~15

"[13]하늘에서 내려온 자 곧 인자 외에는 하늘에 올라간 자(者)가 없느니라. [14]모세가 광야(廣野)에서 뱀을 든 것 같이 인자도 들려야 하리니 [15]이는 저를 믿는 자마다 영생(永生)을 얻게 하려 하심이니라."

본문 말씀 3:16~21

"[16]하나님이 세상을 이처럼 사랑하사 독생자를 주셨으니 이는 저를 믿는 자마다 멸망치 않고 영생을 얻게 하려 하심이니라. [17]하나님이 그 아들을 세상에 보내신 것은 세상을 심판하려 하심이 아니요, 저로 말미암아 세상이 구원을 받게 하려 하심이라. [18]저를 믿는 자는 심판을 받지 아니하는 것이요, 믿지 아니하는 자는 하나님의 독생자의 이름을 믿지 아니하므로 벌써 심판을 받은 것이니라. [19]그 정죄는 이것이니 곧 빛이 세상에 왔으되 사람들이 자기 행위가 악하므로 빛보다 어두움을 더 사랑한 것이니라. [20]악을 행하는 자마다 빛을 미워하여 빛으로 오지 아니하나니 이는 그 행위가 드러날까 함이라 하시니라. [21]진리를 좇는 자는 빛으로 오나니 이는 그 행위가 하나님 안에서 행한 것임을 나타내려 함이라 하시니라."

'이처럼'은 무슨 말인가?

그리스도인이라면 **"하나님이 세상을 이처럼 사랑하사 독생자를 주셨으니 이는 저를 믿는 자마다 멸망치 않고 영생(永生)을 얻게 하려 하심이니라"**는 이 말씀을 누구나 듣고 외워서 알고 있을 것이다. 그런데 사람들이 믿는다 하면서도 '이처럼'이란 말의 뜻을 잘 알지 못한 채 그저 듣고만 살아왔다. 이 말을 정확히 이해하기 위해서는 예수를 잘 알아야 가능하다.

예수께서는 3장 13절에서 "하늘에서 내려온 자 곧 인자 외에는 하늘에 올라간 자가 없다"고 하셨다. 이 말씀에서 "하늘에서 내려온 자"는 "하나님의 아들" 또는 "하나님의 품속에 계신 분"을 나타내는 말이다. 1장 2절에서는 "그(예수)가 태초에 하나님과 함께" 계셨고, 3절에서는 "만물이 그(예수)로 말미암아 지은 바 되었으니" 예수 그리스도가 곧 창조주라는 말씀이다. 즉, 우주 만물의 창조자요, 주인인 예수께서 "놋뱀처럼 장대 위에 높이 달리기 위하여 스스로 오셨다"는 말씀이기도 하다.

14절에서는 "모세가 광야에서 뱀을 든 것 같이 인자도 들리게 되리라"고 하셨다. 예수님 자신이 장차 놋뱀의 신세(身世)가 되어 십자가 위에 높이 달리게 된다는 예고(豫告)의 말씀이다. 높고 높은 우주만물의 주인이 인류를 자신의 나라, 곧 하늘나라 백성으로 거듭나게 하시려고 예수님 자신이 직접 놋뱀의 처지가 되어 달리게 된다고 하신 것이다. 장대에 높이 달린 놋뱀의 모습—바로 이 모습이 '**이처럼**'의 모습이다.

예수님의 십자가 죽음의 모습

머리에는 가시면류관.
두 어깨는 채찍에 맞아 상처투성이,
두 손과 두 발은 못에 박혔고,
엉덩이는 골고다 언덕에서 채찍에 맞아 터졌으며,
옆구리는 창에 찔림을 당하였다.

이렇게 예수는 머리에서부터 발끝까지 어디 하나 성한 곳 없이 몸 전체가 상처투성이로 죽임을 당하셨다. 그런데도 예수의 뼈는 하나도 상함이 없으셨다.

예수님은 왜 이렇게 갈기갈기 찢긴 상처투성이로 죽어야 했는가? 그 이유는 예언자들이 말하고 있다. **"그(예수)의 뼈가 단 하나도 상함이 없을 것"**(시34:20 민9:12 출12:46)이라고 말이다. 그것은 접붙임에는 원목보다는 진액과 가지가 필요하기 때문이다. 그런데 민9:12 출12:46 기사에 나오는 예언의 말씀은 **"어린 양(羊)을 잡아먹되 그 뼈를 상하지 않게 살만 발라 먹어라"** 하고 있다. 즉, 양을 잡아먹듯 예수 그리스도의 **"살과 피를 먹어야 너희에게 생명 있다"**(요6:53이하)는 것을 상징으로 보여주고 있는 것이다.

다음은 찬송가 204장(작사자 '크로스비)의 가사다.

예수로 나의 구주삼고 성령과 피로써 거듭나니
이 세상에서 내 영혼이 하늘의 영광 누리도다.
후렴
이것이 나의 간증이요 이것이 나의 찬송일세
나 사는 동안 끊임없이 구주를 찬송하리로다.

"성령과 피로써 거듭나니"는 피를 받아!! 성령의 가르치심으로 알게 된다는 말이다.

이것은 창조(創造)의 원리(原理)이다. 흙에 하나님의 생기(生氣)를 불어넣어 아담을 창소하신 것이나, 예수의 살과 피를 먹고 접붙임을 받는 것은 같은 원리이다. "예수의 생명의 진액"이 우리 영혼(靈魂)안에 들어와야 그 생명의 힘으로 거듭나는 것이다.

'예수의 생명의 살과 피'는 성령, 또는 생기라고 말할 수 있다.

예수의 생명의 살과 피—곧 생기가 우리 믿는 자(者) 안에 들어오심은 곧 "창조의 원리"요, '만남'이라고 하겠다.

인류 구원도 예수 그리스도의 생명을 우리 인류가 먹음으로써 곧, "접붙임과의 만남"으로써 하늘나라 백성이 되는 것이다. 그러면 접붙임의 일은 누가 하는가? 그 일은 농부인 하나님이 하신다. 하나님이 다 이루어 놓은 것을 우리는 그저 받거나 믿기만 하면 된다.

처음 창조도 만남이요, 인류 구원의 진리도 만남이다.

만남의 진리는 하나님 자신(自身)이 전지전능함을 스스로 증명하시는 것이다.

하나님의 전지전능—만남의 원리 하나로 인류 창조와 모든 동식물의 생육 번성을 이루어 주시고, 타락하여 죄인이 된 인류를 하늘나라 백성으로 개량(改良)하는 일도 '만남'의 원리로 이루시니 전지전능하신 하나님이라 아니할 수 없다.

증언자 바울 선생은 이것을 새로운 창조(新創造)로 보았다. 고린도후서 5장 17절에서 **"누구든지 그리스도 안에 있으면 새로운 피조물(被造物)이라. 이전 것은 지나갔으니 보라, 새것이 되었다"**고 말하고 있다.

즉, 인류에게! 여러분과 나에게 하늘의 생명을 주시려고 머리에서부터 발끝까지 살과 피를 다 흘려 우리에게 주신 것이다. 이 모습이 바로 "하나님이 세상을 이처럼 사랑하사"에서의 '이처럼'이다. '이처럼'은 예고(豫告)의 말씀이다.

본문 공부

16절 "하나님이 세상을 이처럼 사랑하사 독생자를 주셨으니 이는 저를 믿는 자마다 멸망치 않고 영생을 얻게 하려 하심이니라."

앞에서 본 대로 '하나님이 세상을 이처럼 사랑하사'가 제일 중요한 부분이 다. 그런데 예수께서는 지난 과에서 공부했던 3:13에서 자신이 "하늘에서 내려온 자(者)"라고 말씀하시고, 곧 바로 시간을 거슬러 올라가 이스라엘 민족이 광야에서 겪었던 「놋뱀 사건」을 예로 들고 계신다. **"모세가 광야(廣野)에서 뱀을 든 것 같이 인자도 들려야 하리니"**(요3:14) 광야에서 모세가 놋뱀을 만들어 든 것 같이 "인자도 들려야" 한다는 말씀을 하셨다. 이 말씀은 예수님 자신이 장차 십자가 위에 높이 달린다는 예고(豫告)의 말씀이다. 앞으로 일어날 일까지를 아울러 '이처럼' 으로 말씀하신 것이다. 한 마디로, 높고 높은 하늘 보좌에 계실 분이 이 땅에 와서 장차 십자가 위에 높이 달릴 모습의 '이처럼'이다.

17,8절 "하나님이 그 아들을 세상에 보내신 것은 세상을 심판하려 하심이 아니요, 저로 말미암아 세상이 구원을 받게 하려 하심이라. ◇ 저를 믿는 자는 심판을 받지 아니하는 것이요, 믿지 아니하는 자는 하나님의 독생자의 이름을 믿지 아니하므로 벌써 심판을 받은 것이니라."

예수께서 이 땅에 오신 것은 '세상 사람들을 심판하려는 것이 아니요' 예수 그리스도의 생명을 받게 함으로써 영생을 얻게 하려 하심이라는 말씀이다.

'저(예수)를 믿는 자는 심판을 받지 않는다'고 하였다. 왜 심판을 받지 않을까? 그것은 예수 그리스도의 살과 피를 먹었기 때문이다. 그리스도의 생명의 진액이 그 믿는 자에게 있기 때문에 그는 이미 하늘 백성이 되어 심판의 대상이 아니기 때문이다.

증언자 바울 선생은 이것을 새로운 창조로 보고 "누구든지 그리스도 안에 있으면 새로운 피조물"(고후5:17)이라고 외치고 있다. 즉, 예수의 생명으로 거듭난 사람은 누구나 새로운 창조물이라는 것이다.

"믿지 아니하는 자는 하나님의 독생자의 이름을 믿지 아니하므로 벌써 심판을 받은 것이니라." 달리 말하면 "믿지 아니하는 자'는 예수 그리스도의 생명이 우리 안에 들어와 계심을 믿지 아니하므로 땅의 사람(죄인)으로 그대로 있게 된다는 말씀이다. 이것을 증언자 바울 선생은 로마서 11장 20절에서 "**옳도다. 저희는 믿지 아니하므로 꺾이우고, 너희는 믿으므로 섰느니라.**"고 하였다. 즉, 하나님이 접붙임으로 다 이루어 놓은 일들을 믿느냐, 믿지 아니하느냐의 문제이다. 이 때문에 그리스도교에서의 믿음은 매우 중요하다. 송두용 선생은 이 믿음을 '**믿음만으로**' 말씀하고 있다.

19,20절 "그 정죄는 이것이니 곧 빛이 세상에 왔으되 사람들이 자기 행위가 악하므로 빛보다 어두움을 더 사랑한 것이니라. ◇악을 행하는 자마다 빛을 미워하여 빛으로 오지 아니하나니 이는 그 행위가 드러날까 함이라 하시니라."

"그 정죄는 이것이니" 하나님의 독생자를 믿지 않는 사람들을 심판해야 하는 이유이다.

"곧 빛이 세상에 왔으되" 죄악에 빠진 사람들을 구원하기 위하여 큰빛—곧 예수께서 이 땅에 오셨지만, 사람들은 빛을 피하거나 알아보질 못했다.

"사람들이 자기 행위가 악하므로 빛보다 어두움을 더 사랑한 것이니라." 세상 사람들이 참빛을 보았어도 그 참빛으로 인하여 자신들의 죄악상이 세상에 드러날까 보아 '빛'을 택하지 않고, 어두움을 사랑하며 좇았다.

20절은 19절과 같은 의미로, 빛을 싫어하는 사람들은 자기들의 죄가 드러나는 것이 싫어함을 설명하고 있다.

21절 "진리를 좇는 자는 빛으로 오나니 이는 그 행위가 하나님 안에서 행한 것임을 나타내려 함이라 하시니라."

"진리를 좇는 자는 빛으로 오나니" 예수께서는 산상 수훈에서 "마음이 청결한 사람이 하나님을 볼 것"이라고 하신 말씀과 같이 진리를 좇는 사람은 빛으로 나온다고 하신다. 마음이 깨끗한 사람은 밝은 빛으로 나오고, 진리를 좇는 사람도 빛으로 나온다는 말씀이다.

은혜를 입은 사람

예수를 자신의 생명으로 영접하는 사람!

예수 그리스도의 생명을 접붙임 받아 거듭난 사람!

이런 사람이 마음이 청결한 사람이요, 빛으로 나오는 사람이다.

"그 행위가 하나님 안에서 행한 것임을 나타내려 함이라 하시니라." 빛으로 나오는 사람들은 자기가 거쳐 온 길이 하나님의 은혜의 길이었으므로 자신을 나타내려고 노래를 부르며 빛으로 나오게 된다.

주인이시어!

당신의 은혜로

당신의 생명으로 거듭남으로 다시 살게 되었습니다.

저를 보아주십시오, 주인님!

주인님께 보이려고 나왔습니다. 2010년 5월 10일 발표

〈제14과〉

세례는 예수와 인류의 만남의 상징

본문 말씀 요한복음 3:22~30

"22이 후에 예수께서 제자들과 유대 땅으로 가서 거기 함께 유하시
며 세례를 주시더라. 23요한도 살렘 가까운 애논에서 세례를 주니 거기
물들이 많음이라 사람들이 와서 세례를 받더라. 24요한이 아직 옥에 갇
히지 아니하였더라. 25이에 요한의 제자 중에서 한 유대인으로 더불어
결례에 대하여 변론이 되었더니 26저희가 요한에게 와서 가로되 '랍비
여 선생님과 함께 요단강 저편에 있던 자 곧, 선생님이 증거 하시던 자
가 세례를 주매 사람이 다 그에게로 가더이다.' 27요한이 대답하여 가
로되 '만일 하늘에서 주신 바 아니면 사람이 아무 것도 받을 수 없느니
라. 28나의 말한바, 나는 그리스도가 아니요 그의 앞에 보내심을 받은
자라고 한 것을 증거 할 자는 너희니라. 29신부를 취하는 자는 신랑이
나 서서 신랑의 음성을 듣는 친구가 크게 기뻐하나니 나는 이러한 기쁨
이 충만하였노라. 30그는 흥하여야 하겠고, 나는 쇠하여야 하리라 하니
라."

세례의 의미

기독교인들 대부분은 세례(洗禮)의 본질을 잘못 이해하고 있다. 물로 죄를 씻는 의식쯤으로, 인간의 죄를 없애기 위하여 머리에서부터 발끝까지 씻어 내리는 것으로 쉽게 생각하고 있다. 하지만, 결코 그것은 아니다.

그렇다면 세례는 무슨 의미가 있을까? 그것은 증언자 바울 선생이 로마서 6장에서 참으로 명쾌하게 설명하고 있다.

"무릇 그리스도 예수와 합하여 세례를 받은 우리는 그의 죽으심과 합하여 세례 받은 줄을 알지 못하느냐? 그러므로 우리가 그의 죽으심과 합하여 세례를 받음으로 그와 함께 장사되었나니

이는 아버지의 영광으로 말미암아 그리스도를 죽은 자 가운데서 살리심과 같이 우리로 또한 새 생명 가운데서 행하게 하려 함이니라."(3~7)

바울은 십자가 사건 자체를 '세례'로 보고 있다. 즉, 예수가 십자가상에서 흘린 피와 인류의 만남 자체를 '세례'로 본 것이다. 그래서 예수를 믿는 사람은 예수 그리스도의 부활과 함께 영원한 생명으로 살게 된다는 말이다. 우리 그리스도인이 예수와 함께 십자가에 매달려 죄에 대하여 죽고, 예수가 부활할 때에 우리도 하나님의 의로 부활하는 것이다. 나도, 여러분도 예수 그리스도의 생명을 받아 부활을 믿는 것이 세례요, 신앙이다.

증언자 바울은 직접적으로 십자가를 예로 들고 있다. **"우리가 알거니와 우리 옛 사람이 예수와 함께 십자가에 못 박힌 것은 죄의 몸이 멸하여 다시는 우리가 죄에게 종노릇 하지 아니하려 함이니"**(롬6:6)

바울은 우리가 십자가에 못 박혀서 예수와 같이 죽었다고 역설하는 것이다. 우리—아담의 자손이 죄로 죽고, 물속에 들어갈 때는 나 자신이 들어가 죽고, 물에서 나올 때는 하늘의 생명인 예수 그리스도의 생명을 "접붙임" 받아 부활하여 산다는 것이 세례의 의미이다. 즉, 세례는 예수의 생명과 인류가 만나는 상징인 것이다.

세례자 요한 역시 자신이 주는 세례의 의미를 높이 평가하지 않고 있다. **"내가 와서 물로 세례를 주는 것은 그(예수)를 이스라엘에게 나타내려 함이라."**(요한1:31) **"나는 물로 세례를 주지만, 내 뒤에 오시는 이는 성령과 불로 너희에게 세례를 주실 것이요"**(마태3:11) 라고 한 것이다.

바울의 회심이 세례

세례는 바울의 회심의 과정에서 잘 보여주고 있다. 사도행전 9장 5~18 기사에서 "바울과 예수의 만남"을 기록하고 있는데, 이 만남이 바로 세례요, 회심이다.

"5대답하되 주여 누구시나이까? 가라사대 나는 네가 핍박하는 예수라. 6네가 일어나 성으로 들어가라. 행할 것을 네게 이를 자가 있느니라 하시니 7같이 가던 사람들은 소리만 듣고 아무도 보지 못하여 말을 못하고 섰더라. 8사울이 땅에서 일어나 눈은 떴으나 아무 것도 보지 못하고 사람의 손에 끌려 다메섹으로 들어가서 9사흘 동안을 보지 못하고 식음을 전폐 하니라."

이 기사에서 바울은 "주여 누구시나이까?" 하며 물은 후로는 말이 없다. 예수의 말씀 또한 6절에서 "네가 일어나 성으로 들어가라"는 말씀 외에는 모두가 바울의 행보에 관한 기사이다. 여기서 "사흘 동안 식음을 전폐하였다"는 기사를 주목하면 이는 곧 '예수의 령'이 '바울의 마음속' 즉, 바울의 영혼 안에 들어가 싹이 트는 시간적 공간이 바로 사흘이다. 싹이 트고, 그 싹이 새 생명으로 부활하는 시간적 공간이 사흘이었음을 알 수 있다. 이 공간에서 성령의 감동 감화로 예수를 자신의 생명으로 영접이 이루어진 것이다. 이 후로 바울은 '아나니아'라는 예수의 제자의 말씀을 듣고 확고히 신앙인으로 서게 된다. 이러한 바울의 회심의 과정이 바로 세례의 과정이다.

이리하여 회심 전의 「사울」에서 회심 후에는 「바울」이 되었던 것이다. 즉, 물에 들어갈 때(세례)는 아담의 후손 사울이었고, 물에서 나올 때는 새로운 피조물(被造物)인 그리스도의 생명을 접붙임 받은 것(고후5:17)이다. 즉, 새로운 피조물이 되었다는 말이다.

그런데도 소위 성직자라고 하는 사람들이 십자가 사건의 그림자에 불과한 세례를 전매특허를 낸 것처럼 행사한다면 결국 그들에게 화가 있을 것이다. 세례는 특정 종교 지도자—곧, 목사나 신부가 허식으로 행하는 것이 아니라는 것이다.

참다운 세례는 신앙적으로 "나" 안에서 나와 예수 그리스도가 1대1의 관계에서 회심의 과정으로 이루어져야 한다.

그리스도인 자신이 마음으로

"주여! 당신을 나의 생명으로 영접하나이다. 이제 저의 생명의 근원이 되십니다. 지금부터 당신은 나의 왕이 되시나이다."

하는 진정한 고백으로 이루어지는 것이 세례이다. 한마디로 '신앙 고백'이다. 신앙 고백은 많은 청중 앞에서 "사도신경"을 읽는 것이 아니라, 마음으로 하나님께 하는 고백이다.

본문 공부

요한복음을 기록한 사도요한은 복음서 기록을 순서가 정연하게 기록하였다

11과에서 "거듭남"을

12과에서는 "성령의 역사"를

13과에서는 "우주 만물 장조자(創造者)가 놋뱀처럼" 매날리고,

이번 14과 공부에서는 세례를 중심으로 인류 구원의 상징인 "십자가상에서의「예수와 인류의 만남」"을 공부하게 되었다.

22,3절 "이 후에 예수께서 제자들과 유대 땅으로 가서 거기 함께

유하시며 세례를 주시더라. ◇요한도 살렘 가까운 애논에서 세례를 주니 거기 물들이 많음이라. 사람들이 와서 세례를 받더라."

22절은 **"악을 행하는 자는 빛을 미워하고, 진리를 좇는 자는 빛으로 온다"**(요3:20,1)는 가르침 후 예수께서는 제자들과 유대 땅으로 가 유하시며 세례를 주시는 모습이다.

23절은 유대 땅에서 예수가 세례를 주시는 그 시기에 요한도 물이 많은 애논이란 곳에서 세례를 주었다는 기록이다.

24,5절 "요한이 아직 옥에 갇히지 아니하였더라. ◇이에 요한의 제자 중에서 한 유대인으로 더불어 결례에 대하여 변론이 되었더니"

이때는 요한이 아직 옥에 갇히기 전이다. 요한이 옥에 갇히고 나면 요한의 시대가 끝나게 됨을 암시하고 있다.

요한의 제자들과 한 유대교인이 결례(潔禮)에 대하여 토론이 있었다고 한다. 여기서 결례는 몸을 깨끗케 하는 의식, 즉 세례를 말하고 있다. 기사에 나오는 유대인들은 이런 말을 했을지도 모른다.

"너희 스승에게서 '하나님의 아들로, 메시야로 증거를' 받은 사람이 저쪽 유대 지방에서 세례를 주고 있는데, 도대체 그 사람은 무슨 자격으로 세례를 준다고 보느냐?"

26,7절 "저희가 요한에게 와서 가로되 '랍비여, 선생님과 함께 요단강 저편에 있던 자 곧 선생님이 증거 하시던 자가 세례를 주매 사람이 다 그에게로 가더이다.' ◇요한이 대답하여 가로되 만일 하늘에서 주신바 아니면 사람이 아무 것도 받을 수 없느니라."

유대교 사람들과 세례요한의 제자가 요한에게 와서 예수가 베

푸는 세례의 현장(現場)을 설명한다. "선생님(랍비)! 선생님께 증거를 받고 선생님과 함께 요단강 저편에 있던 자(者), 곧 선생님이 증거 하시던 자가 선생님처럼 세례를 주는데 사람들이 다 그에게로 가고 있습니다."

예수께서 많은 사람들에게 세례를 주고 있다는 소식을 전해들은 요한이 대답한다. '하나님의 은혜가 아니면 아무 것도 받을 수 없다'고. 사람의 노력으로가 아니라 "하나님이 다 이루어 놓은 것을 믿는 믿음"이라야 받을 수 있다는 말이다.

28절 "나의 말한 바, '나는 그리스도가 아니요 그의 앞에 보내심을 받은 자'라고 한 것을 증거 할 자는 너희니라."

"나의 말한 바" 세례자 요한은 자신이 했던 말을 다시 한번 강조한다.

"나는 그리스도가 아니요 그의 앞에 보내심을 받은 자" 그리스도는 나에게 증거를 받은 분이지만, 나는 다만 그의 앞을 예비하기 위하여 온 사람에 지나지 않는다.

"증거 할 자는 너희니라" 그러니 위의 사실 즉, 요한 자신은 예수 앞에 보내심을 받은 사람임을 증거하라고 제자들에게 당부하고 있다. 참으로 세례자 요한의 증거자로서의 위대를 본다. '증거하라'는 말 속에는 '그리스도는 오직 예수'뿐임을 증거 하라는 말이기도 하다.

29절 "신부를 취하는 자는 신랑이나, 서서 신랑의 음성을 듣는 친구가 크게 기뻐하나니 나는 이러한 기쁨이 충만하였노라."

혼인식장에서 신부를 취하는 사람은 신랑이지만, 신랑 옆에 서서 신랑의 음성을 듣는 친구가 신랑보다 더 기뻐하기 마련이다. 마찬가지로 요한 자신도 예수의 친구로서 그리스도 오시는 소리를 듣고 기쁨이 충만하다는 것이다.

여기서 '신부를 취하는 자'란 혼인을 말하는 것이지만, 만남을 상징하는 말이기도 하다. 혼인은 신랑과 신부가 만남으로써 부부와 가정이 이루어지는 것이기 때문이다. 십자가 사건은 원초적 죄인인 우리 인간과 하늘에 속한 예수와의 만남을 상징하는 사건이다. 이 만남에서 예수가 십자가에서 죽을 때에 우리들 한 사람, 한 사람도 같이 죽음으로써 개개인의 죄된 몸은 죽고, 예수의 새생명을 받아 산다는 것이다. 즉, 십자가의 사건이 접붙임의 사건이다. 접붙임은 사흘이라는 무덤 안에서의 시간적 공간이 필요하다. **"너희가 이 성전을 헐라 내가 사흘 동안에 일으키리라"**(요2:19)는 말씀에서의 사흘이라는 시간적 공간도 같은 맥락의 말이다.

사람의 눈에 보이는 이 '聖殿을 헐라.' 그리하면 "죄를 잡아 제거하는 하나님의 어린 양"(요1:29)으로서 내가 장차 십자가상에서 나(예수)의 좌 · 우에 있는 죄인된 사람의 죄가 제거된 돌감나무의 그 자리에 참감나무 가지를 접목하여 하나님의 아들인 참감나무가 사는 聖殿을 건설 할 것이라는 말씀이다. 예수께서 이런 뜻으로 말씀 하신 것은 장차 일어나게 될 사건에 대한 예언이었다. 이것을 우리들보다 前에 본 증언자 바울 선생은 **"우리가 알거니와 우리 옛 사람이 예수와 함께 십자가에 못 박힌 것은 죄의 몸이 멸하여 다시는 우리가 죄에게 종노릇 하지 아니하려 함"**(롬6:6)이라고 하였다. 바울은 자신도 예수와 같이 예수의 좌 · 우에 있는 한 사람으로 죽었다고 증언하고 있다. 나와 여러분과 바울은 예수 그리스도와 같이 십자가상에서 죽어 없어지고, 그 자리에 예수 그리스도를 영접하여 사는 것을 新 創造로 보고 "**그런즉 누구든지 그리스도 안에 있으면 새로운 피조물이라 이전 것은 지나갔으니 보라! 새것이 되었도다.**"(고후5:17) 즉, 예수 그리스도의 생명으로 다시 산다고 외친다.

또 고리도전서 15장 47,49절에서 "**첫 사람은 땅에서 났으니 흙에 속한 자이거니와 둘째 사람은 하늘에서 나셨느니라. ◇우리가 흙에 속한 자의 형상(形象)을 입은 것 같이, 또한 하늘에 속한 자의 형상을 입으리라**"고도 하였다. 우리가 하늘에 속한 형상을 입지 못하면 하늘나라에는 절대 갈수 없을 것이다. 접붙임이란 방법으로 예수의 생명을 받아 예수와 하나 되고서야 하늘나라엘 갈 수 있을 것이다. 예수님은 "**내가 너희와 하나 되기 위하여 왔다**"(요17:21-23)고 하셨다. 한 마디로, 세례는 십자가사건의 象徵으로 보여주시는 것이다.

30절 "그는 흥하여야 하겠고, 나는 쇠하여야 하리라 하니라."

세례 요한의 말이 계속된다. '그는 흥하여야 하겠고' '그는—즉, 예수는 흥(興)하여야 하겠다'는 말이다. 인류의 구원의 사업을 이루시려면 흥하여야 하겠고, '나는 쇠하여야 하리라' 세례요한 자신은 예수를 인류에게 메시아 즉, 구세주 하나님으로 증거하였음으로 쇠하여야 하겠다는 말이다. 이는, 자신의 일이 끝났음으로 죽음이 임박해 온다는 말이다.

2010년 6월 10일 발표

〈제15과〉

인류와 하나 되기 위하여 하늘로부터 오신 예수

본문 말씀 3:31~36

"31위로부터 오시는 이는 만물 위에 계시고 땅에서 난 이는 땅에 속
하여 땅에 속한 것을 말하느니라. 하늘로서 오시는 이는 만물 위에 계
시나니 32그가 그 보고 들은 것을 증거 하되 그의 증거를 받는 이가
없도다. 33그의 증거를 받는 이는 하나님을 '참되시다' 하여 인 쳤느니
라. 34하나님의 보내신 이는 하나님의 말씀을 하나니 이는 하나님이 성
령을 한량없이 주심이니라. 35아버지께서 아들을 사랑하사 만물을 다
그 손에 주셨으니 36아들을 믿는 자는 영생이 있고 아들을 순종치 아
니하는 자는 영생을 보지 못하고 도리어 하나님의 진노가 그 위에 머물
러 있느니라."

하늘로부터 오시는 이는 우주 만물 창조자

요한은 복음서 머릿글에서 "**태초에 말씀이 계시니라. 이 말씀이 하나님과 함께 계셨으니 이 말씀은 곧 하나님이시니라. 그가 태초에 하나님과 함께 계셨고, 만물이 그로 말미암아 지은 바 되었으니 지은 것이 하나도 그가 없이는 된 것이 없느니라.**"(1:1-3)고 하였다. 요한은 태초 즉, 천지창조(天地創造) 때부터 계셨던 예수를 이야기하고, 오늘 공부하는 〈하늘로부터 오시는 이〉는 '만물(萬物) 위에 계신다'고 하였다. 여기서 "그"는 예수를 가리킨다.

예수 그리스도를 증언한 바울은 "**만물이 주에게서 나오고, 주로 말미암고, 주에게로 돌아감이라. 영광이 그에게 세세에 있으리로다. 아멘.**"(롬 11:36) 이라고 하였다.

예수 그리스도와 인류가 다른 점

○ 예수는 하늘에 속해 있고, 인류는 땅에 속해 있다.

○ 예수는 우주 만물의 창조자이며, 인류는 피조물이다.

○ 예수는 거룩하고, 인류는 죄로 물들어 있다.

본문 말씀대로 처음부터 하늘로부터 오신 예수 그리스도는 인류(나, 우리)와는 다른 이원적인 관계였다. 이 이원적 관계에서 예수 그리스도가 인류인 나와 우리를 하늘 백성으로 바꾸기 위하여 오셨다. 그러면 예수께서는 우리를 어떻게 바꾸셨을까? 십자가 사건으로 예수 당신의 생명을 우리에게 접붙임으로 나누어 주심으로써 우리는 예수님과 함께 부활하여 하늘백성이 될 수가 있는 것이다.

증언자 바울 선생은 골로새서에서 요한복음과 같은 증언을 하고 있다.

"이제는 그(예수)의 육체(肉體)의 죽음으로 말미암아 화목(和睦)케 하사 너희를 거룩하고 흠 없고 책망할 것이 없는 자로 그(하나님) 앞에 세우고자 하셨으니 만일 너희가 믿음에 거하고 터 위에 굳게 서서 너희 들은 바 복음의 소망에서 흔들리지 아니하면 그리하리라. 이 복음은 천하 만민에게 전파된 바요, 나 바울은 이 복음의 일꾼이 되었노라."(골1:22,23)

또, 바울 선생은 갈라디아서 3장 27절에서 **"누구든지 그리스도와 합하여 세례(洗禮)를 받은 자는 그리스도로 옷 입었느니라"**고 말하고 있다. 여기서 '세례'는 '십자가상에서 예수와 함께 죽는 것'을 뜻하는 말이다.

그런데 '그리스도와 합하여 세례를 받은 자(者)' 이 부분을 일본의 신(新) 공동번역 성서(이하 일본어 성서)에서는

"コリストに結ばれたあなたがたは皆キリストを着ているからです"(갈3:27)라고 하였는바, '結ばれた'(무스바레다)는 11과에서 공부한 대로 '맺어지다' '육체적(肉體的) 교제(交際)를 하다' '결혼(結婚)' '만남' 등의 뜻이 있는데, 여기서는 "예수"라는 전제가 주어지므로 '하나님의 자녀(子女)'가 되었다는 말이다.

그런데 우리가 일본어 성경을 눈여겨 볼 점이 있다. 증언자 바울의 "세례"라는 말에도 (結ばれた)'무스바레다'를 쓰고, "새로운 피조물"이 되기 위하여 예수의 생명을 받는 데에도 같은 말을 쓴 다는 것이다.

"누구든지 그리스도 안에 있으면 새로운 피조물(新 被造物)이라. 이전 것은 지나갔으니 보라 새것이 되었도다."(고후5:17)

"たからキリストと結ばれる人はだれでも新しく創造された者なのです

"キリストと結ばれる人は"(고후5:17)

그런데 "누구든지 그리스도 안에 있으면"에서 '안에'의 번역(飜譯)을 주목할 필요가 있다. "안에"와 관련한 일본어 성서에는 아래와 같이 되어있다. "キリストと結ばれる人は"(그리스도와 맺어지다)인데, 17절 전체는 "그리스도와 맺어진 사람은 누구든지 새로운 피조물"이라는 것이다.

이로 미루어 보면 십자가의 사건이 대속(代贖)을 위한 사건이라기보다는, 예수 그리스도의 생명(生命)을 받아 새롭게 태어나는 '접목(椄木)으로의 만남'을 위한 사건이라고 하는 것이 타당하다고 생각된다.

따라서 십자가 사건은 예수 그리스도의 생명이 우리에게 들어와 '접목(接木)의 만남' 또는 '생명(生命)의 근원(根源)으로서의

예수 영접'(요1:12)으로 보는 것이다.

예수님은 로마 병정에게 잡히시기 직전에 하나님께 드린 기도에서 **"내게 주신 영광을 내가 저희에게 주었사오니 이는 우리(하나님과 예수)가 하나가 된 것 같이 저희(인간)도 하나가 되게 하려 함이니이다. 곧 내가 저희 안에, 아버지께서 내 안에 계셔 저희로 온전함을 이루어 하나가 되게 함은 아버지께서 나를 보내신 것과 또 나를 사랑하심 같이 저희도 사랑하신 것을 세상으로 알게 하려 함"**(요17:22,3)이라고 하셨다.

마찬가지로 우리 '그리스도인'은 추상(抽象)적인 믿음이 아니라. 접붙임에 의한 영접으로 하나님의 아들이 되었다고 실질적(實質的)으로 믿어야 하겠다.

오늘 공부(3:31~36)의 결론을 먼저 말하면, "위로부터 오시는 이는 만물 위에 계신 분인데, 땅에서 난 이는 땅에 속하여 땅에 속한 사람에게 십자가상에서 하늘에 속한 예수 그리스도의 피를 주어 하나가 되게 하시려고 오신 것이다. 결국 예수는 땅에 속한 우리를 하늘에 속한 당신과 하나 되게 하기 위하여 십자가상에서 죽으신 것"이다.

본문 공부

31,2절 "위로부터 오시는 이는 만물위에 계시고 땅에서 난 이는 땅에 속하여 땅에 속한 것을 말하느니라. 하늘로서 오시는 이는 만물 위에 계시나니 ◇그가 그 보고 들은 것을 증거 하되 그의 증거를 받는 이가 없도다."

'위로부터 오시는 이는' **하늘로부터 오신 예수는 만물 위에서 만물을 운행하시고 주관하시는 주인이며,** 땅에서 난 사람은 오로지 땅에만 속하며, 이들은 아담의 죄로 말미암아 하늘나라를 가기는 커녕 볼 수도 없는 죄인들이다. 만물의 주인이신 예수는 만물 위에 계시는 분이다.

'그가' 하늘로부터 오신 예수께서 당신이 하늘에서 보고 들은 것을 땅의 사람들에게 증거를 하여도 그분의 증거를 받는 이가 없다고 한탄하신다.

33,4절 "그의 증거를 받는 이는 하나님이 참되시다 하여 인 쳤느니라. ◇하나님의 보내신 이는 하나님의 말씀을 하나니 이는 하나님이 성령을 한량없이 주심이니라."

그분의 증거를 받고 믿는 사람은 하나님의 참되심을 믿고 자신의 마음속으로 "인"을 쳤다고 하였다. "인 쳤다"는 무슨 말인가? 마음속으로 확정(確定)하였다는 말이다. 굳게 믿는 믿음의 사람이 되었다는 것이다. '마음으로 믿어 입으로 시인하며 구원을 이룬다'는 말이다.

"하나님의 보내신 이는 하나님의 말씀을 하나니" 하나님이 보내신 분(또는 하나님의 품속에 계셨던 분)은 하나님의 말씀을 하신다. 그러므로 이 분이 하시는 말씀은 곧 하나님이 하신 말씀으로 믿어도 된다는 의미이다.

우리 그리스도인이 하나님을 칭하여 부를 때에 성부, 성자, 성령이라고 하는데, 그리스도인이 믿음에 대한 표현의 일환으로도 성부 성자 성령으로 하는 것이다. 성부 성자 성령은 같은 한분으로 일인칭이다.

"하나님이 성령을 한량없이 주심이니라." 성령(聖靈)은 성스러운 하나님의 영(靈)이다. 하나님은 당신이 보내신 예수에게 한량없는 성령을 주고 계신다.

35절 "아버지께서 아들을 사랑하사 만물을 다 그 손에 주셨으니"

앞 절에서 예수님은 "성령이 한량없도록 충만하신 분"이라고 하였지만, 이 절에서는 '아버지가 아들을 사랑하여 만물을 다스리는 전권을 아들 손에 주셨다'는 말씀이다.

우리 그리스도인이 생각 할 수 있는 '예수 그리스도의 권한'은 크게 두 가지일 것이다.

◯ 십자가상에서 죽지 않을 권한

◯ 인류를 판단하실 심판의 권한

즉, 죽지 않아도 되는 분이 십자가상에서 죽었고, 인류에게 하늘의 생명—즉 참포도나무 가지를 주셨는데도, 이 귀중한 일들을 무시하고 믿지 않는 인간들을 심판할 권한이 예수께 있다는 것이다.

36절 "아들을 믿는 자는 영생이 있고, 아들을 순종치 아니하는 자는 영생을 보지 못하고 도리어 하나님의 진노가 그 위에 머물러 있느니라."

'아들을 믿는 자에게 영생이 있다'는 말씀에는 어떤 의미가 들어있을까? 있다! 없다! 의 문제이다. 여기서 십자가에서 죽은 강도를 예로 든다면 인류 모두의 죽음을 나타내는 말이다. 2000년 전에 십자가상에서 강도가 죽을 때에 인류 모두가 함께 죽은 것으로 믿어야 된다는 것이다. 강도와 같은 아담 후손의 죄 된 몸이 죽고, 그곳에 예수의 하늘의 생명을 접붙임 받아 다시 살 때는 예수의 생명으로 하늘 백성이 되어 사는 것이다. 있다!와 없다!의 문제는 믿음으로 같이 죽어 자신(自身)의 죄 된 몸은 죽어 없어지고, 하늘의 생명을 접붙임 받아 '예수 그리스도의 생명이' 자신에게 있다는 것이다. 이것을 증언자 바울은 **'너희 안에 그리스도 예수의 영이 없으면 너희는 버려진 자들이다'** 또 **'너희 몸이 성령의 전(殿)인 줄 알지 못하느냐'**라고 하였다.

계시록 3장 20절에서 요한은 **"볼지어다. 내가 문 밖에 서서 두드리노니 누구든지 내 음성(音聲)을 듣고 문을 열면 내가 그에게로 들어가 그로 더불어 먹고, 그는 나로 더불어 먹으리라(더불어 살리라)."**고 하였다.

"아들을 순종치 아니하는 자" 이 말은 무슨 말인가? '하나님의 아들인 예수 그리스도의 뜻을 순종치 아니하는 자(者)'란 뜻으로, 예수가 십자가상에서 흘린 피의 생명을 인류에게 주신 사실을 믿지 않는 사람들을 일컫는 말이다.

우주 만물을 창조하시고, 만물 위에 계신 분이 이 땅에 오셔서 자신의 생명을 십자가상에서 인류에게 주셨는데, 이것을 순종으로 믿지 않는 자는 십자가상에서의 희생을 헛되이 하는 자(者)로 당연히 심판의 대상이 된다는 것이다.

"영생을 보지 못하고 도리어 하나님의 진노가 그 위에 머물러 있느니라."

십자가상에서 피를 흘려 '영생의 생명을 주셨는데' 이 사실을 믿지 못하므로 '도리어 하나님의 진노가 그 위에 머물러 있다'는 말씀이다. 결론으로 말하면 '하나님의 은혜를 믿지 못하면 진노가 그 위에 머물러 있으리라'는 말씀이다.

2010년 7월 10일 발표

〈제16과〉
사마리아 여인과 대화하는 예수님(1)

본문 말씀 4:1~15

"1예수의 제자를 삼고 세례를 주는 것이 요한보다 많다 하는 말을
바리새인들이 들은 줄을 주께서 아신지라. 2(예수께서 친히 세례를 주
신 것이 아니요 제자들이 준 것이라.) 3유대를 떠나사 다시 갈릴리로
가실 새 4사마리아로 통행하여야 하겠는지라. 5사마리아에 있는 수가
라 하는 동네에 이르시니 야곱이 그 아들 요셉에게 준 땅이 가깝고 6
거기 또 야곱의 우물이 있더라. 예수께서 행로에 곤하여 우물곁에 그대
로 앉으시니 때가 제 육시쯤 되었더라. 7사마리아 여자 하나가 물을 길
러 왔으매 예수께서 '물을 좀 달라' 하시니 8이는 제자들이 먹을 것을
사러 동네에 들어갔음이러라. 9사마리아 여자가 가로되 '당신은 유대인
으로서 어찌하여 사마리아 여자 나에게 물을 달라 하나이까?' 하니 이
는 유대인이 사마리아인과 상종치 아니함이러라. 10예수께서 대답하여
가라사대 '네가 만일 하나님의 선물과 또 네게 물 좀 달라 하는 이가
누구인줄 알았다면 네가 그에게 구하였을 것이요. 그가 생수를 네게 주
었으리라.' 11여자가 가로되 '주여 물길을 그릇도 없고 이 우물은 깊은
데 어디서 이 생수를 얻겠삽나이까? 12우리 조상 야곱이 이 우물을 우
리에게 주었고, 또 여기서 자기와 자기 아들들과 짐승이 다 먹었으니
당신이 야곱보다 더 크나이까?' 13예수께서 대답하여 가라사대 '이 물
을 먹는 자마다 다시 목마르려니와 14내가 주는 물을 먹는 자는 영원
히 목마르지 아니하리니 나의 주는 물은 그 속에서 영생하도록 솟아나
는 샘물이 되리라.' 15여자가 가로되 '주여, 이런 물을 내게 주사 목마
르지도 않고 또 여기 물 길러 오지도 않게 하옵소서.'"

복음 전파 시작되다

앞의 공부들을 간추리면 1장에서는 **"예수는 창조자요, 메시야"**, 2장에서는 가나의 혼인잔칫집에서의 포도주 기적으로 **"예수의 '하나님의 아들'로서의 능력"**이 증명되고, 3장에서는 '거듭남'이 무엇인가에 대하여 말씀하셨으며, 대중들에 대한 복음의

말씀은 4장부터 시작된다.

본문 공부

1,2절 "예수의 제자를 삼고 세례를 주는 것이 요한보다 많다 하는 말을 바리새인들이 들은 줄을 주께서 아신지라. ◇(예수께서 친히 세례를 주신 것이 아니요 제자들이 준 것이라.)"

예수가 제자들을 이끌고 유대 강가에서 세례를 주기 시작하자 그에게서 세례를 받으려는 사람들이 모여들었는데(요3:26), 그 숫자가 세례요한을 찾아가는 숫자보다 많다는 소문을 바리새인들이 들은 줄을 예수께서는 알고 계셨다.

여기에서 우리는 2절에 주목할 필요가 있다. 교계와 학자들 사이에서 '예수님이 직접 세례를 주었느냐? 주지 않았느냐?' 하는 논쟁이 있는데, 사도 요한은 "예수께서 친히 세례를 주신 것이 아니요, 제자들이 준 것"이라고 분명하게 밝히고 있다.

3,4절 "유대를 떠나사 다시 갈릴리로 가실 새 ◇사마리아로 통행하여야 하겠는지라."

예수께서 제자들이 세례를 주던 유대를 떠나 갈릴리로 가시게 되었는데, 멀리 돌아가지 않으려면 부득이 사마리아 땅을 거쳐 가야 했다.

5,6절 "사마리아에 있는 수가라 하는 동네에 이르시니 야곱이 그 아들 요셉에게 준 땅이 가깝고 ◇거기 또 야곱의 우물이 있더라. 예수께서 행로에 곤하여 우물곁에 그대로 앉으시니 때가 제 육시쯤 되었더라."

사마리아 땅에 '수가'라고 하는 마을이 있는데, 수가는 야곱이 크게 기업을 이룬 곳이기도 하며, 야곱이 요셉에게 분깃으로 주었던 땅 부근이다.

"거기 또 야곱의 우물이 있더라." 수가 마을 한 곳에 마을 사람들이 쓰는 오래 된 우물이 있는데, 야곱이 쓰던 우물이다. 유목민족에게 있어 우물은 가축들보다도 값지고 큰 재산이다.

"예수께서 행로에 곤하여 우물곁에 그대로 앉으시니" 예수께서는 행로에 피곤하여 우물가에 그대로 앉아 쉬었다. 태양이 끓는 시각에 먼길을 걸었을 테니 왜 아니 피곤하겠는가.

"때가 제 육시쯤 되었더라." 그런데 그때의 시각이 '제 육시' 쯤이라고 하였다. 이 시각은 우리 시각으로 아침 6시가 된다. 유대인들은 오전 6시부터 오후 6시까지를 12등분하여 낮 시간을 정했다. 이에 따르면 제6시는 정오가 되지만 자정부터 다음 자정까지를 하루로 하는 로마식에 따르면 제6시는 아침 6시가 된다. 그런데 오전 6시는 예수께서 피곤하셨다는 사실과 물 긷는데 적당한 시각이긴 하지만, 딴 여인들이 없었다는 사실과는 모순이다. (최선근 선생의 요한복음공부 참조)

7,8절 "사마리아 여자 하나가 물을 길러 왔으매 예수께서 '물을 좀 달라' 하시니. ◇이는 제자들이 먹을 것을 사러 동네에 들어갔음이러라."

마침 제자들은 먹을 것을 사러 동네 가게에 들어가고, 예수께서 우물곁에 혼자 앉아 쉬고 있을 때에 사마리아 여인 하나가 물을 길러 왔다. 제자들과 함께 여럿이 우물가에 있었다면 아마도 여인은 물을 길러 오다가 돌아갔을지도 모른다. 예수께서는 물을 긷는 사마리아 여인에게 "물을 좀 달라"고 하신다.

9절 "사마리아 여자가 가로되 '당신은 유대인으로서 어찌하여 사마리아 여자인 나에게 물을 달라 하나이까? 하니 이는 유대인이 사마리아인과 상종치 아니함이러라."

'물을 좀 달라'고 하는 예수에게 여인은 볼멘소리로 말한다. '당신은 유대인인데 어찌하여 사마리아 여자인 나에게 물을 달라고 합니까?' 이 말을 뒤집어 보면 '평소에는 우리 사마리아 사람들과는 상종치도 않는 당신들이 왜 물을 달라고 하느냐? 목이 마려우니까 달라 하느냐?' 하는 핀잔성의 질문이다.

10절 "예수께서 대답하여 가라사대 '네가 만일 하나님의 선물과 또 네게 물 좀 달라 하는 이가 누구인줄 알았다면 네가 그에게 구하였을 것이요, 그가 생수를 네게 주었으리라.'"

그렇다. 예수가 누구인지 알았다면 사마리아 여인이 그렇게 볼멘소리로 물었겠는가.

"네가 그에게 구하였을 것이요, 그가 생수를 네게 주었으리라."는 예수의 말씀처럼 자기와 대화하는 분이 메시야요, 인류를 구원할 하나님의 아들이란 사실을 알았다면 사마리아 여인은 먼저 예수께 구하였을 것이다.

신앙도 마찬가지이다. 무조건 믿는 믿음이 아니라, 잘 알게 될 때에 참 신앙인이 되는 것이다.

11,2절 "여자가 가로되 '주여, 물 길을 그릇도 없고 이 우물은 깊은데 어디서 이 생수를 얻겠삽나이까? ◇우리 조상 야곱이 이 우물을

우리에게 주었고, 또 여기서 자기와 자기 아들들과 짐승이 다 먹었으니 당신이 야곱보다 더 크니이까?"

여인은 예수님 말씀의 본뜻을 깨닫지 못하고 당장의 현실만을 예로 들어 말한다. '이 우물은 깊고, 당신은 물을 길을 두레박도 없는데 어떻게 이 물을 얻겠나이까? 하며 비아냥대지만, 아까보다는 말투가 온순해지고 이야기도 무르익는 가운데 사마리아 여인의 말에는 흥까지 들어있다.

이어서 여인은 우물의 내력과 자신의 조상 야곱을 자랑삼아 이야기한다. 그리고 묻는다. "당신은 야곱보다 더 큽니까?"

13,4절 "예수께서 대답하여 가라사대 '이 물을 먹는 자마다 다시 목마르려니와 ◇내가 주는 물을 먹는 자는 영원히 목마르지 아니하리니 나의 주는 물은 그 속에서 영생하도록 솟아나는 샘물이 되리라."

야곱보다 크냐는 사마리아 여인의 물음에 예수는 대답한다. "여기의 이 물은 먹는 자마다 다시 목마르다"고. 그렇다. 육신의 목이 말라서 마시는 물은 얼마 가지 않으면 다시 목이 마를 수밖에 없다.

예수께서는 영생하는 물에 대하여 말씀하신다. "내가 주는 물을 마시면 영원히 목마르지 않고 그 속에서 영생하도록 솟아나는 샘물이 된다"는 복음의 말씀이다. 여기서 "영생하도록 솟아나는 샘물"이라는 말씀은 무슨 말씀인가? '한번 마시면 그 물이 영생하도록 솟아난다'는 말씀이다. 여기에서 물은 생명이다. 곧, 예수가 주는 생명은 부활초로 자라 영원히 '솟아나서' 영생한다는 것이다. 우리가 예수의 생명을 받을 길은 장차 이루어지게 되는 십자가상에서 흘릴 생명의 피 아닌 다른 길은 없다.

여기에서의 "생명의 물"은 성서에서 여러 가지로 표현되고 있다.

어느 곳은 "생명의 떡"으로

어느 곳은 "생명의 물"로

어느 곳은 "생명의 피"로

어느 곳은 "생명의 진리"로

어느 곳은 "생명의 말씀"으로

어느 곳은 "참 포도나무"로

어느 곳은 "좋은 씨앗" 등으로 기록하고 있지만, 오직 이것을 받는 길은 예수가 십자가에서 흘린 피를 받는 한 길 뿐이다. 즉, 마음으로의 영접을 이야기 한 것이다.

생명의 떡이든, 생명의 물이든, 그 어떤 것이든 우리들! 곧 '나의 영혼과 만남'으로 다시 사는 것이 그리스도인의 부활신앙이다. 나의 마음속에 좋은 씨앗(예수의 말씀—피)이 떨어져야 그 씨앗이 싹을 내고 자라는 것이다.

15절 "여자가 가로되 '주여 이런 물을 내게 주사 목마르지도 않고 또 여기 물 길러 오지도 않게 하옵소서.' "

예수님의 "한 번 먹으면 목마르지 않는, 영생하도록 솟아나는 샘물"의 말씀이 사마리아 여인에게는 귀가 번쩍 뜨이는 말이 아닐 수 없다. 그래서 사마리아 여인은 "주여! 이런 물을 내게 주십시오. 내가 마시고 목마르지도 않고, 또 여기 물 길러 오지도 않게 해 주십시오." 라고 외치고 있다.

우리도 예수께 영원히 솟아나는 물을 달라고 외쳐야 하겠다.

2010년 8월 10일 발표

〈제17과〉
사마리아 여인과 대화하는 예수님(2)

본문 말씀 4:16~26

“16가라사대 ‘가서 네 남편을 불러 오라.’ 17여자가 대답하여 가로되
‘나는 남편이 없나이다.’ 예수께서 가라사대 ‘네가 남편이 없다 하는
말이 옳도다. 18네가 남편 다섯이 있었으나 지금 있는 자는 네 남편이
아니니 네 말이 참되도다.’ 19여자가 가로되 ‘주(主)여 내가 보니 선지
자로소이다. 20우리 조상들은 이 산에서 예배하였는데 당신들의 말은
예배할 곳이 예루살렘에 있다 하더이다.’ 21예수께서 가라사대 ‘여자여
내 말을 믿으라. 이 산에서도 말고 예루살렘에서도 말고 너희가 아버지
께 예배할 때가 이르리라. 22너희는 알지 못하는 것을 예배하고 우리는
아는 것을 예배하노니 이는 구원이 유대인에게서 남이니라. 23아버지께
참으로 예배하는 자들은 신령(神靈)과 진정(眞情)으로 예배(禮拜)할 때
가 오나니 곧 이때라. 아버지께서는 이렇게 자기에게 예배하는 자들을
찾으시니라. 24하나님은 령(靈)이시니 예배하는 자가 신령과 진정으로
예배할지니라.’ 25여자가 가로되 ‘메시야! 곧 그리스도라 하는 이가 오
실 줄을 내가 아노니 그가 오시면 모든 것을 우리에게 고하시리라.’ 26
예수께서 이르시되 ‘네게 말하는 내가 그로다’ 하시니라.”

하나님의 령으로 예배하는 사람을 찾으심

대부분의 주해(註解)자들은 신령(神靈)에 대하여 통상적으로 “마음을 다해 신령과 진정으로 예배해야 한다”고 한다. 그렇다면 어떻게 신령으로 예배를 해야 한다는 말일까? 예수께서는 “사람**이 거듭나지 아니하면 하나님 나라를 볼 수 없다**”고 하셨다. 하나님의 나라를 볼 수 없다는 말은 **예배의 대상을 알지 못한다는** 말과 같은 것이다.

여기서 분명한 것은 신령—즉, 하나님의 령(靈)으로 “**진정**”한 예배를 하라는 것이다. 하지만, 우리 인류는 모두 아담의 자손으

로 죄인 중의 죄인인데 어떻게 하나님의 령! 신령으로 예배 할 수 있을까? 없다.

예수 그리스도의 십자가의 사건을 대속의 신앙으로 보면, 예수 그리스도가 나를 대신하여 십자가상에서 죽었다는 것이 근본이 되는 진리이다. 그런데 예수께서 나를, 여러분을 위해 대신 죽었다고 하면 하나님! 곧 예수 그리스도의 령이 내 안에 들어올 수 있을까? 그럴 수는 절대 없다. 대속은 대속으로 끝나기 때문이다. 그러나 영접! 또는 접붙임은 예수께서 우리 안에 들어오시는 유일한 길이다.

대속은 이론상 절대로 내 안에 하나님의 령이 들어올 수 없다. 오직 하나님의 령이 내 안에 또는 우리들 안에 들어와 있어야 그 령으로 신령한 예배를 드릴 수 있다.

어떤 사람은 '하늘의 진리는 세상 이론적으로는 통하지 않는 것'이라고 말하기도 한다. 그러나 하나님이 세상을 창조하신 것이 분명하고, 예수 그리스도의 십자가 진리도 하나님의 은혜로 이루어졌다. 따라서 세상 이론이나 인류 구원의 진리도 하나의 원리나 하나의 진리로 통하는 것이다.

예수 그리스도 탄생 이천년이 되도록 그리스도교회에서 중요시 하지 않았던 진리가 있다. "접붙임의 만남"이라는 십자가의 진리이다. 십자가의 사건으로 우리가 접붙임, 곧 하나님의 령(靈)을 영접함으로 우리가 하나님을 모시는 것이다. 영접이 곧 "접목의 만남"이다. **"영접(迎接)하는 자 곧 그 이름을 믿는 자들에게는 하나님의 자녀가 되는 권세를 주셨으니"**(요1:12) **"이는 (아담의) 혈통이 아닌 오직 하나님께로서 난(거듭남) 자들"**(요1:13)이다.

신령(神靈)은 하나님이 처음 아담 창조 때에 흙의 형상에 불어 넣으신 생기로, 곧 생령인 것이다. 이 생기와 흙의 만남으로 아담이 창조되었다, 십자가의 사건도 만남이다. 아담의 죄악으로 죄인인 우리 인류가 십자가상에서 믿음으로 죽고, 하늘로부터 오신 예수 그리스도의 생명을 영접! 만남으로 하늘 백성이 되었다.

십자가상에서 우리 인류와 죄 많은 강도는 자신의 죄 된 몸을 멸하기 위하여 예수와 같이 죽고 없는 자리에 십자가상에서 흘린 예수의 피를 받아들임으로써 곧, "접붙임의 만남"으로 그 피의 생명으로 거듭난 사람이 하나님의 령이 있는 사람—신령(神靈)으로 예배(禮拜)하는 사람이다. 신령으로 예배하는 사람은 세상에 속하지 아니한다. **"내가 세상에 속하지 아니함 같이 저희도 세상에 속하지 아니함을 인(因)함이니라"**는 말씀대로 예수 그리스도를 영접한(또는 접붙임을 받은) 사람은 하늘에 속하는 사람이기 때문이다. 이런 사람이 하나님께 신령으로 예배하는 사람이다(요17:14).

하나님은 이렇게 '신령으로 예배하는 사람'을 찾으시며, 누구나 자신이 서 있는 곳이 예배의 장소이다. 시장에 있으면 시장이, 교단에 서 있으면 교단이, 집 안에 있으면 집안이 바로 예배의 장소인 교회다.

예수께서는 "이 산에서도 말고, 예루살렘에서도 말고" 라고 말씀하셨다. 예수 그리스도의 생명으로 거듭난 사람이 "이 성전을 헐라. 내가 사흘 만에 새로운 성전(聖殿)을 세우리라"는 예수 그리스도의 말씀대로 성전 된 우리요, 거듭난 사람의 몸이 바로 교회(敎會)이다(요2:19).

"볼지어다 내가 문(門)밖에 서서 두드리노니 누구든지 내 음

성(音聲)을 듣고 문을 열면 내가 그에게로 들어가 그로 더불어 먹고, 그는 나로 더불어 먹으리라."(요한 계시록 3:20)는 말씀을 음미하며 공부에 들어간다.

본문 공부

16절 "가라사대 '가서 네 남편을 불러 오라.'"

앞의 공부 마지막 부문인 15절에서 여자는 "주(主)여 이런 물을 내게 주사 목마르지도 않고, 또 여기 물 길러 오지도 않게 하옵소서." 라고 한다. 그런데 예수께서는 여인의 청과는 전혀 다른 말씀을 하신다. '가서 네 남편을 불러 오라.' 사마리아 여인에게는 마른하늘에 날벼락 같은 말씀이다.

17,8절 "여자가 대답하여 가로되 '나는 남편이 없나이다.' 예수께서 가라사대 '네가 남편이 없다 하는 말이 옳도다.' ◇ '네가 남편 다섯이 있었으나 지금 있는 자는 네 남편이 아니니 네 말이 참되도다.'"

사마리아 여인은 자신의 내면을 환히 들여다보는 예수의 말씀에 뜨끔하면서도 자신을 숨기려고 '나는 남편이 없다'고 대답한다. 그러자 예수께서는 '네가 남편이 없다 하는 말이 옳도다' 라고 일단 동의하신 후 다음 말씀을 이어간다.

예수께서는 앞절의 여자의 말에 동의한 이유를 말씀하신다. "너에게는 남편 다섯이 있었으나 지금 너와 함께 사는 남자는 네 남편이 아닌 줄 안다. 그러니 '남편이 없다'고 한 네 말이 거짓이 아니다."

19,20절 "여자가 가로되 주(主)여 내가 보니 선지자로소이다. ◇우리 조상들은 이 산에서 예배하였는데 당신들의 말은 예배할 곳이 예루살렘에 있다 하더이다."

사마리아 여인은 앞에 있는 사람(예수)이 자신의 과거까지를 정확히 짚어내자 비로소 앞에 서있는 사람의 능력을 알아본다. 그리고는 예수께 '주(主)여 내가 보니 선지자로소이다.' 하면서 자신의 느낌을 말한다.

자신의 불행한 과거를 알아보신 예수께 '당신은 선지자로소이다.'라고 말하고, 이어서 "우리 조상들은 이 산에서 예배하였는데, 당신들이 예배하는 곳은 예루살렘에 있다 하더이다." 하면서 예배의 장소로 대화의 방향을 바꾼다. 비록 과거가 복잡한 여인이지만 그녀의 지혜로움을 본다.

21절 "예수께서 가라사대 '여자여 내 말을 믿으라. 이 산에서도 말고 예루살렘에서도 말고 너희가 아버지께 예배할 때가 이르리라.'"

'여자여 내 말을 믿으라.' 예배할 장소를 묻는 여자에게 예수는 "내 말을 믿으라"고 말씀하신다. 무엇을 믿으라는 말일까? "네가 나를 선지자로 보았는데 네 말이 맞다. 나는 하늘로부터 온 사람이다. 그러니 내 말을 믿으라"는 의미가 함축된 말이다.

'이 산에서도 말고 예루살렘에서도 말고' 예배할 장소를 묻는 여자에게 "지금은 비록 예배 장소가 이 산과 예루살렘에만 있지만, 머잖아 아무 곳에서나 예배할 때가 올 것"이라는 의미 깊은 말씀이다.

22절 "너희는 알지 못하는 것을 예배하고 우리는 아는 것을 예배하노니 이는 구원이 유대인에게서 남이니라."

'너희는 알지 못하는 것을 예배하고' 여기서 '너희'는 사마리아인들을 지칭하고 있다. '알지 못하는 것을 예배한다'는 것은 하나님께 드리는 예배의 의미를 알지 못하고 지정된 장소에서 치루는 의례적 행사에 지나지 않는다는 뜻이다. 즉, 사마리아인들은 의미도 모른 채 예배한다는 말이다.

'우리는 아는 것을 예배하노니' '우리'는 유대인들을 가리키는 말로, 유대인들은 하나님께 예배하는 의미를 안다는 것이다.

'구원이 유대인에게서 남이니라.' 유대인들이 아는 예배의 의미이다. 그러나 이 말은 참으로 어려운 말이다. 예수는 유대인의 혈통으로 난 것이 아니다. 아담의 혈통이 아닌, 성령의 잉태로 마리아의 육신을 빌어 오셨을 뿐이다. 그런데 왜 구원이 유대인에게서 난다고 하였을까? 이것은 유대인 전체 즉 아브라함부터 시작하여 하나님이 아브라함을 선택하여 인류 구원의 예수를 이 땅에 보내신 과정의 모든 것이 압축된 말씀으로, 그리스도교는 유대인 마리아를 통해 오신 예수! 자신을 지칭하는 말이기도 하다.

23절 "아버지께 참으로 예배하는 자들은 신령(神靈)과 진정(眞情)으로 예배할 때가 오나니 곧 이때라. 아버지께서는 이렇게 자기에게 예배하는 자들을 찾으시니라."

예수께서는 예배할 장소와 때에 관하여 앞절에서 '이 산에서도 말고 예루살렘에서도 말고' 하시고, 이번 절에서는 예배의 진정한 의미를 말씀하신다. "아버지께 참으로 예배하는 자들은 장소에 구애 없이 신령과 진정으로 예배할 때가 온다"는 말씀이다. 또한 예배하는 자들의 자세에 대하여도 신령과 진정을 가져야 한다고 하셨다. 여기에서 '예배하는 자들'은 사람을 일컫는 말이다. 즉, 참사람인 것이다. 하나님의 령(靈)이 있는, 신령(神靈)이 있는 사람이다. 이 신령으로 하나님께 예배하는 것이다. 우리가 신령한 사람이 되려면 예수 그리스도를 영접해야 할 것이다.

'신령과 진정으로 예배할 때가 오나니' 지금까지는 짐승을 잡아 사르는 형식에 의한 속죄의 제사였지만, 앞으로는 신령스런 믿음과 진정한 자세만으로 예배할 때가 온다는 것이다. 즉, 하나님의 아들 예수 그리스도가 이 땅에 오셨음으로 새로운 예배 시대가 온다는 말이다. 그 때는 장차 그리스도와 같이 십자가상에서 죽고, 그리스도의 생명으로 부활하는 신앙을 이야기 한 것이다.

'아버지께서는 이렇게 자기에게 예배하는 자들을 찾으시니라' 하나님께서는 당신의 령! 신령으로 예배하는 자들을 찾으신다는 말씀이다.

24절 "하나님은 령이시니 예배하는 자가 신령과 진정으로 예배할지니라."

앞 절의 예배하는 자세에 대한 정리의 말씀이다. 하나님은 령(靈)이시니, 금은보화를 드리는 예배는 필요하지 않다. 하나님이 원하시는 제물은 오직 사람이다. 참다운 사람! 하나님을 닮은 사람, 히나님의 령이 있는 사람이다.

그런데 하나님! 곧 예수 그리스도의 령은 모든 사람들에게 이미 와 계신다. 이천년 전에 십자가상에서 인류 모두에게 예수 그리스도의 생명의 피를 흘려주셨기 때문이다. 그래서 인류의 구원은 오직 믿음으로 그 생명의 싹이 돋아나 자라는 것이다(롬 11:20).

25절 "여자가 가로되 '메시야, 곧 그리스도라 하는 이가 오실 줄을 내가 아노니 그가 오시면 모든 것을 우리에게 고하시리이다.'"

우리는 남편을 다섯이나 겪은 사마리아 여인의 과거를 알고 있지만, 그러나 여기서 그 여인의 신앙적 위대함을 본다.

"메시야! 곧 그리스도라 하는 이가 오실 줄을 내가 아노니" 사마리아 여인은 세상을 구원할 이는 언젠가는 오실 메시야임을 믿고 늘 마음 깊은 곳에서 자신의 부족한 삶을 해결 해주실 메시야, 그리스도가 어서 오실 것을 앙망하고 있음을 본다. 남편 다섯을 겪었기에 세상 사람들의 멸시어린 시선에서 자유롭지 못한 여인이지만 그녀에게 구원의 손길이 먼저 가 있는 것을 우리는 보는 것이다. 최초의 구원자 사마리아 여인! 그는 늘 깨어 메시야를 앙망하고 있었던 것이다.

"그가 오시면 모든 것을 우리에게 고하시리라" 사마리아 여인의 메시야에 대한 믿음을 다시 한번 확인할 수 있는 말이다. 그녀의 믿음이 참으로 고결하다.

26절 "예수께서 이르시되 '네게 말하는 내가 그로다' 하시니라."

메시야 오시기를 앙망하는 사마리아 여인에게 예수께서 말씀하신다. "네가 말하는 내가 그로다." 얼마나 반가운 말인가. 사마리아 여인의 눈앞에 그 분이 서계신다. 이방 여인으로서 처음으로 예수 그리스도를 만나 구원받는 여인으로 사마리아의 다섯 남편을 가졌던 여인이 기록되고 있다.

사람! 사람은 누구나
자신이 서 있는 자리가 삶터이다.

삶터의 주인으로 서 있다.
어느 누구에게도 예속되지 않는 주인이다.
어느 누구나 스스로 섬기는 자로 서 있다.
이런 사람은 풍부에 대처할 줄도, 비천에 대처할 줄도 안다.

2010년 9월 10일 발표

〈제18과〉

사마리아 여인과 대화하는 예수님(3)

본문 말씀 4:27~45

"27이때에 제자들이 돌아와서 예수께서 여자와 말씀하시는 것을 이
상히 여겼으나 무엇을 구하시나이까, 어찌하여 저와 말씀하시나이까 묻
는 이가 없더라. 28여자가 물동이를 버려두고 동네에 들어가서 사람들
에게 이르되 29'나의 행한 모든 일을 내게 말한 사람을 와 보라. 이는
그리스도가 아니냐.' 하니 30저희가 동네에서 나와 예수께로 오더라. 31
그 사이에 제자들이 청하여 가로되 '랍비여 잡수소서.' 32가라사대 '내
게는 너희가 알지 못하는 먹을 양식이 있느니라.' 33제자들이 서로 말
하되 '누가 잡수실 것을 갖다 드렸는가?' 한대 34예수께서 이르시되
'나의 양식은 나를 보내신 이의 뜻을 행하며 그의 일을 온전히 이루는
이것이니라.' 35'너희가 넉 달이 지나야 추수할 때가 이르겠다 하지 아
니하느냐. 내가 너희에게 이르노니 눈을 들어 밭을 보라. 희어져 추수
하게 되었도다.' 36'거두는 자가 이미 삯도 받고, 영생에 이르는 열매를
모으나니 이는 뿌리는 자와 거두는 자가 함께 즐거워하게 하려 함이니
라.' 37'그런즉 한 사람은 심고 다른 사람은 거둔다 하는 말이 옳도다.'
38'내가 너희로 노력지 아니한 것을 거두러 보내었노니 다른 사람들은
노력하였고, 너희는 그들의 노력한 것에 참예하였느니라.'"

"39여자의 말이 '그가 나의 행한 모든 것을 내게 말하였다.' 증거하
므로 그 동네 중에 많은 사마리아인이 예수를 믿는지라. 40사마리아인
들이 예수께 와서 자기들과 함께 유하시기를 청하니 거기서 이틀을 유
하시매 41예수의 말씀을 인하여 믿는 자가 더욱 많아 42그 여자에게 말
하되 '이제 우리가 믿는 것은 네 말을 인함이 아니니 참으로 세상의 구
주신 줄 앎이니라.' 하였더라. 43이틀이 지나매 예수께서 거기를 떠나
갈릴리로 가시며 44친히 증거 하시기를 '선지자가 고향에서는 높임을
받지 못한다' 하시고 갈릴리에 이르시매 45갈릴리인들이 그를 영접하니
이는 자기들도 명절에 갔다가 예수께서 명절 중 예루살렘에서 하신 모
든 일을 보았음이더라."

인류 구원자 그리스도가 아니냐!

하늘의 진리! 우주 만물의 창조자를 만나면 누구든지 자신의

부모 형제나 이웃에게 **"와 보라. 이는 그리스도가 아니냐!"** 하게 된다. 빌립이 나다나엘에게 '와 보라'고 한 것이나(요2:46), 사마리아 여인이 예수님의 이야기를 듣고 **'이 분이 그리스도가 아니냐!'** 하며 물동이를 버려두고 동네에 가서 외친(요4:29) 것은 기쁜 소식을 전한 공통점이다.

예수님을 '메시야' '인류 구원자' '그리스도'라고 할 때에 구원이라는 의미가 대속의 신앙관(信仰觀)과 영접으로 이루어지는 접목(接木)의 신앙관(信仰觀)은 각각 다른 의미가 있다.

대속 신앙의 구원관 ; 아담의 죄악으로 죽을 수밖에 없는 인류인 나를 대신하여 예수 그리스도가 십자가상에서 죽었다는 것을 믿는 믿음으로 구원된다는 구원관.

접붙임 신앙의 구원관 ; 아담의 죄악으로 죽을 수밖에 없는 죄인인 나를 품종 개량(品種改良)함으로써 얻어지는 구원관.

대속의 신앙관이나 영접을 전제로 하는 접붙임의 신앙관 모두가 믿음으로 구원 된다는 것은 같다. 여기에서 믿음은 하나님께서 이루어 놓으신 것을 믿는 마음이다.

인류는 아담의 자손으로, 모두가 죄인인 '들포도나무'다. 그렇지만, 오직 인류 역사에서 한분 예수 그리스도만이 '참포도나무로 우뚝 서 계시는 것'이다(요15:1).

하나님께서는 십자가상에서 인류를 대표하는 두 강도도 죽이고, 예수 그리스도도 죽이셨다. 증언자 바울은 **"내가 그리스도와 함께 (강도의 모습으로) 십자가(十字架)에 못 박혔나니 그런즉 이제는 내가 산 것이 아니요, 오직 내 안에 그리스도께서 (참포**

도나무 가지로) **사신 것이라. 이제 내가 육체(肉體) 가운데 사는 것은 나를 사랑하사 나를 위하여** (가지의 생명을 주기 위하여) **자기 몸을 버리신 하나님의 아들을 믿는 믿음 안에서 사는 것"** (갈2:20)이라고 하였다.

증언자 바울은 이렇게 십자가의 죽음을 '접붙임의 만남'으로 보고 이것을 새로운 창조(新 創造)로 보았다. **"누구든지 그리스도 안에 있으면 새로운 피조물(新 被造物)이라. 이전 것은 지나갔으니 보라 새것이 되었도다."**(고후5:17) 여기에서 '이전 것'은 '들포도나무 시절'을 말하며, '새것'은 접붙임 후의 참포도나무를 가리키는 말이다. 말씀대로 내가 그리스도와 십자가 위에서 같이 죽고, 그리스도의 생명을 받아 다시 사는 품종 개량의 구원관(救援觀)이다. 예수께서는 이것을 오늘 공부하는 요한복음 4장 36절에서 "영생에 이르는 열매를 모으나니"로 표현하셨다.

농부이신 하나님께서는 십자가 위에서 두 강도를 인류의 대표로 세워 '들포도나무' 둥치를 절단하여 죽이고, 아들 예수로 하여금 생명의 진액을 흘려 절단 된 들포도나무 둥치에 '접붙임 하려고 피와 물만' 흘리며 죽게 하셨다.

접붙임의 신앙은 아담이 선악과를 따먹음으로 에덴동산에서 추방되어 하나님을 볼 수 없게 된 상태에서 본디(本) 모습으로 돌아가는 일들이다. 즉, 에덴에서 선악과를 따먹기 이전(以前)의 모습으로 돌아가는 것이다. 바꾸어 말하면 그리스도의 생명으로 거듭나 하늘백성이 되어야 돌아갈 수 있고(요3:3), 거듭나려면 그리스도의 생명이 우리 안에 들어와야 그 힘으로 거듭날 수 있다. 십자가의 사건을 영접 또는 접목의 만남으로 보는 이유이다. 에덴! 천국으로 되돌아가는 길 되신 분이 하나님의 아들 예수 그리스도시다.

예수 그리스도께서는 **"나는 길이요, 진리요, 생명이니 나로 말미암지 않고는 아버지께로 올 자가 없다"**(요한 14:6)고 말씀하셨다.

◯ 십자가상에서 그리스도의 생명으로 접붙임 받아 하늘 백성이 되었으니 그리스도는 나의 하늘가는 길(道)이다.

◯ 십자가상에서 그리스도의 생명을 접붙임 받아 거듭나는 것이 내가 다시 사는 논리가 성립되기 때문에, 그리스도는 나의 진리(眞理)이시다.

◯ 십자가상에서 그리스도의 생명을 접붙임 받아 거듭나는 것이 생명을 받는 것이니 그리스도는 나의 생명(生命)이시다.

증언자 바울은 **"이는 저희를 접붙이실 능력(能力)이 하나님께 있음이라"**(롬11:23)고 하였다. 들포도나무가 접붙임을 받아 참포도나무, 작은 예수로 사는 것이 인류창조 당시의 모습으로 회귀(回歸)하는 인류 구원이라는 말씀이다. 땅에 속해있는 죄 많은 내가 품질 개량으로 하늘백성이 된다는 구원론이다.

본문 공부

27절 "이 때에 제자들이 돌아와서 예수께서 여자와 말씀하시는 것을 이상히 여겼으나 무엇을 구하시나이까, 어찌하여 저와 말씀하시나이까 묻는 이가 없더라."

동네로 먹을 것을 사러 갔던 제자들이 돌아왔을 때에 예수께서는 사마리아 여자와 대화하고 계셨는데, 제자들은 이것을 이상히 여겼다. 그러나 무엇 때문에 사마리아 여인과 대화를 하느냐고 스승에게 묻는 제자가 없었다고 했다. 이는 제자들의 스승에 대한 신뢰가 어떠했던가를 알게 해주는 대목이다.

당시 유대인들과 사마리아인들은 같은 조상을 두었으면서도 서로를 경원하는 처지였다. 그러니 다정하게 대화를 한다는 그 자체가 이해하기 어려운 일이었다. 그렇지만 제자들은 사마리아 여인과 대화를 나누는 스승을 이상하게 보지 않았던 것이다.

28,9절 "여자가 물동이를 버려두고 동네에 들어가서 사람들에게 이르되 ◇'나의 행한 모든 일을 내게 말한 사람을 와 보라. 이는 그리스도가 아니냐' 하니"

사마리아 여인은 자기와 대화를 나눈 사람이 그리스도란 것을 깨닫게 되자 동네 사람들에게 이 소식을 전해야겠다는 충동이 일어났다. 그래서 '물동이를 버려두고' 동네에 가서 사람들에게 외쳐 말한다.

'나의 과거에 행한 모든 일을 내게 말한 사람을 와서 보라! 이 분이야 말로 그리스도가 아니냐!' 하며 급히 전한 것이다.

30절 "저희가 동네에서 나와 예수께로 오더라."

여인이 전하는 말을 듣고 온 마을 사람들이 예수에게 나왔다. '도대체 그리스도라고 하는 사람이 어떻게 생긴 사람이기에 저리 호들갑을 떠는고?' 하는 호기심도 작용했을 것이며, 유대인들처럼 그리스도의 출현을 학수고대하는 사마리아 사람들이었으니 호기심 반 기대 반으로 나왔을 것이다.

31,2절 "그 사이에 제자들이 청하여 가로되 랍비여 잡수소서. ◇가라사대 내게는 너희가 알지 못하는 먹을 양식이 있느니라."

사마리아 여인이 동네로 들어가고, 마을 사람들이 예수에게 오는 사이에 제자들은 자기들이 구해온 음식을 내놓으며 "선생님 잡수소서." 하니 예수께서는 "내게는 너희가 알지 못하는 양식이 있다"고 하신다. 스승의 이 말씀에 제자들은 궁금해 할 수밖에 없다.

33,4절 "제자들이 서로 말하되 '누가 잡수실 것을 갖다 드렸는가?' ◇한대 예수께서 이르시되 나의 양식은 나를 보내신 이의 뜻을 행하며 그의 일을 온전히 이루는 이것이니라."

궁금해진 제자들이 "누가 먹을 것을 갖다 드렸는가?" 의아해 할 때 예수께서는 "나의 양식은 나를 보내신 이의 뜻을 행하며 그의 일을 온전히 이루는 것"이라고 하신다. 예수님은 이 땅에 하늘의 복음이 전해지는 것이 하나님의 뜻일진대, 그 전해지는 일을 하므로 육신의 시장함을 알지 못했다는 이야기이다. 정말 진정으로 자신이 하고 싶은 일을 하면 그렇게 되는 것이다. 하물며 하늘의 복음을 전하는 예수님이야 말해 무엇 하겠는가. 인류에게 자신의 생명을 주시기 위하여 죽으실 예수님이 아닌가.

35절 "너희가 넉 달이 지나야 추수할 때가 이르겠다 하지 아니하느냐. 내가 너희에게 이르노니 눈을 들어 밭을 보라. 희어져 추수하게 되었도다."

당시에는 밭에 씨앗을 뿌리고 넉 달이 지나야 추수를 할 수가 있었던 것 같다. '너희가 넉 달이 지나야' 에서 '너희' 는 제자들만을 일컫는 것이 아니라 일반 대중을 가리키는 말이다. 그런데 예수님은 '눈을 들어 밭을 보라. 희어져 추수하게 되었다' 고 하신다.

예수님은 갈수록 제자들이 못 알아듣는 말씀을 하신다.

"희어져 추수할 때가 되었다" 추수를 말할 때 제자들은 밀 같은 곡식을 두고 말하지만, 예수님은 인류라는 밭—세상 인간들을 두고 하신 말씀이다. 달리 말하면 '들포도나무'만 무성한 인간세상을 보신 것이다. 인간세상의 무성한 '들포도나무를 베어 내고, 참포도나무를 접붙임 할 때가 되었다'고 하신 말씀이다. 계절로 말하면 봄이 채 오기 전, 나무에 막 물이 오르려 할 때이다. 상징적인 '추수의 때'를 뒤집어 생각하면 접붙임의 때를 말씀하신 것이다.

36절 "거두는 자가 이미 삯도 받고 영생에 이르는 열매를 모으나니 이는 뿌리는 자와 거두는 자가 함께 즐거워하게 하려 함이니라"

'거두는 자가 이미 삯을 받았다'고 하신다. 여기에서의 삯은 하나님으로부터 받은 사명을 말한다. 인류를 새롭게 하시는 사명이다.

'영생에 이르는 열매를 모으나니' 인류가 영생에 이르게 하는 일을 하신다는 말씀이다.

36절을 일본어 성경에서 살펴보자.

"刈り入れる人は報酬を受け 永遠の命に至る実をあつめている こうして 種を蒔く人も刈る人も共に喜ぶのである"

거둬들이는 사람은 삯을 받고 영원한 생명의 단계에 이르는 열매를 모으다. 이와 같이 씨를 뿌린 사람도 거두는 사람도 같이 기뻐하는 것을 보고 있다.

그런데 중요한 것은 "永遠の命に至る実をあつめてい" "영원한 생명의 단계에 이르는 열매를 모으다" 이다. 여기서도 더욱 중요한 것은 '至る' 이르다 인데 어떤 단계에 이르다 즉, '~~에서 ~~에 이르다'로 읽을 수 있다. 말씀에서는 '그리스도의 생명이 있는 영혼'의 열매를 비유로 들고 있다. 이 외에도 여러 가지 형태로 읽을 수 있다.

○ 땅에 속한 사람에서 하늘에 속하는 사람으로 이르다.
○ 아담의 자손 죄인에서 하나님의 자녀로 이르다.
○ 어떤 단계에 이른 열매를 모으다.

등으로 읽을 수도 있겠다.

"뿌리는 자와 거두는 자가 함께 즐거워하게 하려 함이니라" 처음 창조 때에 창조주와 인류를 새롭게 하시려고 오신 분이 함께 일하신다는 것이다. 인류를 새롭게 하시는데 함께 즐거움으로 하신다는 말씀이다.

37,8절 "그런 즉 한 사람은 심고, 다른 사람은 거둔다 하는 말이 옳도다. ◇내가 너희로 노력지 아니한 것을 거두러 보내었노니, 다른 사람들은 노력하였고, 너희는 그들의 노력한 것에 참예하였느니라."

앞 절의 '뿌리는 자와 거두는 자가 함께 즐거워한다'는 말씀과 같은 맥락의 말씀으로 창조자와 접붙임을 하는 자가 시간적 공간이 있을 뿐, 같이 일하신다는 말씀이다.

그렇다. 창조자요 우주 만물 운행자가 노력하였고, 또는 접붙임 하시는 농부가 노력하였는데, 너희 즉 우리도 그 분들의 노력한 것에 참예하였다는 것이다. 다 이루어 놓은 일들을 전하는 자—전도자는 다 이루어 놓은 것을 전하는 참여자들이다.

39절 "여자의 말이 '그가 나의 행한 모든 것을 내게 말하였다' 증거 하므로 그 동네 중에 많은 사마리아인이 예수를 믿는지라."

사마리아 여인도 참여자로, 기쁜 소식을 전하는 전도자로 나섰다. "그가 나의 행한 모든 것을 내게 말하였다"고 증거하므로 그 동네 안의 많은 사마리아인이 예수를 믿었다고 하였다. 전도자는 기쁜 소식을 전하는 사람이다. 즉, 하나님이 인류를 새롭게 하시는 일들에 참여하는 사람인 것이다.

40~42절 "사마리아인들이 예수께 와서 자기들과 함께 유하시기를 청하니 거기서 이틀을 유하시매 ◇예수의 말씀을 인하여 믿는 자가 더욱 많아 ◇그 여자에게 말하되 이제 우리가 믿는 것은 네 말을 인함이 아니니 참으로 세상의 구주신줄 앎이니라 하였더라."

메시야! 인류를 새롭게 하시려고 오신 분을 만나게 된 것이 참으로 반가워 사마리아인들이 자기들과 함께 유하시기를 예수께 청하였고, 예수님 일행은 거기서 이틀을 유하셨다. 하늘나라 백성은 사람들과 지내는 것을 참으로 좋아한다.

전도자의 사명은 '와 보라! 와서 깨달음의 말씀을 들어보라!' 고 전함에 있을 것이다. 마을 사람들은 처음에 여인의 외침을 듣고 호기심으로 예수께 나왔지만, 예수의 말씀을 들으면서 많은 것을 깨닫고 여인에게 '우리가 믿는 것은 네 말을 인함이 아니니 참으로 세상의 구주신줄 앎이라' 고 말한다.

43,4절 "이틀이 지나매 예수께서 거기를 떠나 갈릴리로 가시며 ◇친히 증거 하시기를 '선지자가 고향에서는 높임을 받지 못한다' 하시고"

사마리아 동네에서 이틀을 묵은 예수님이 고향 갈릴리로 가시며 증거 하신다. 일종의 심경고백이다. "선지자가 고향에서는 높임을 받지 못한다"고 말이다. 사마리아 사람들은 이렇게 나를 영접하며 믿건만, 고향 사람들은 기적을 보고도 믿지 못하는 데에 섭섭한 마음을 드러내 보이는 말씀이다. 선지자보다 더욱 크신 창조주이신데도 알아주지 않음에 대하여 슬픈 마음을 드러내 보이고 계신다. 창조자를 알아보지 못한 고향 사람들이다.

45절 "갈릴리에 이르시매 갈릴리인들이 그를 영접하니 이는 자기들도 명절에 갔다가 예수께서 명절 중 예루살렘에서 하신 모든 일을 보았음이더라."

45절은 44절에 예수께서 증거 하신 '선지자가 고향에서는 높임을 받지 못한다'는 말씀에 요한이 덧붙임 하는 말씀으로 생각된다. 갈릴리의 유대 사람들은 물로 포도주를 만든 기적을 보고서도 예수님을 믿지 않았는데, 유대인들이 멸시하고 상종(相從)조차 하지 않는 사마리아인들은 기적을 보지 않았어도 예수를 영접하였다는 것을 말하기 위하여 45절을 기록한 것으로 보여진다. 하늘의 복음! 그리스도의 십자가복음은 가난한자에게 먼저 전해지고, 또는 멸시를 당하고 천대를 받는 사람들이 먼저 믿게 됨을 보여주고 있다. '갈릴리 사람들이 명절에 예루살렘에 갔다가 예수께서 하신 모든 일을 보고 믿게 되었다는 증거다. 보지 않고 믿는 것이 더욱 복되다 하겠다.

다른 사람의 마음을 알 수 있을까?

우리 속담에 '열길 물속은 알 수 있어도 한 길 사람의 마음은 알 수 없다'는 말이 있다. 마찬가지로 다른 사람의 마음속 깊은 곳에 있는 신앙은 더욱 알 수 없을 것이다. 그런데도 다른 사람의 신앙을 가볍게 비판하는 이들은 사람의 존귀함을 알지 못하는 데에서 오는 무지의 소치일 것이다. 이런 사람들은 하나님을 경외(敬畏)한다고 하면서도 경외하지 않는 사람들이 아니지 않을까?

자신의 주관으로 함부로 다른 사람을 제단하지 말아야 하겠다.

2010년 10월 10일 발표

〈제19과〉
가라! 네 아들이 살았다

본문 말씀 4:46~54

"[46]예수께서 다시 갈릴리 가나에 이르시니 전(前)에 물로 포도주를
만드신 곳이라. 왕(王)의 신하가 있어 그 아들이 가버나움에서 병(病)
들었더니 [47]그가 예수께서 유대로부터 갈릴리에 오심을 듣고 가서 청
(請)하되 '내려오셔서 내 아들의 병을 고쳐주소서.' 하니 저가 거의 죽
게 되었음이라. [48]예수께서 가라사대 '너희는 표적(表蹟)과 기사(奇事)
를 보지 못하면 도무지 믿지 아니하리라.' [49]신하가 가로되 '주(主)여
내 아이가 죽기 전에 내려오소서.' [50]예수께서 가라사대 '가라! 네 아
들이 살았다.' 하신대 그 사람이 예수의 하신 말씀을 믿고 가더니 [51]내
려가는 길에서 그 종들을 오다가 만나서 아이가 살았다 하거늘 [52]그 낫
기 시작한 때를 물은 즉 '제 칠시에 열기(熱氣)가 떨어졌나이다.' 하는
지라. [53]아비가 예수께서 '네 아들이 살았다' 말씀하신 그 때인 줄 알
고 자기와 그 온 집이 다 믿으니라. [54]이것은 예수께서 유대에서 갈릴
리로 오신 후 행하신 두 번째 기적이니라."

참고하실 말씀 요한복음 4:43~45

"◇이틀이 지나매 예수께서 거기를 떠나 갈릴리로 가시며 ◇친히 증거하시기를 '선지자(先知者)가 고향에서는 높임을 받지 못한다' 하시고 ◇갈릴리에 이르시매 갈릴리인(人) 들이 그를 영접하니 이는 자기들도 명절에 갔다가 예수께서 명절 중 예루살렘에서 하신 모든 일을 보았음이더라."

예수 그리스도의 표적(表蹟)과 기사(奇事)

예수께서는 한 마디의 말로 우리에게 기적을 보이신 적이 여러

번이다.

"가라! 네 아들이 살았다"라는 한마디 말로 병을 치유한 사람이 있었는가?

"항아리에 물을 채우라, 이제는 연회장에게 갖다 주라"(요2:7)는 한 마디 말로 물을 포도주로 만든 사람이 있었는가?

"일어나 네 자리를 들고 걸어가라"(요5:8)는 한 마디 말로 앉은뱅이를 일으켜 걸어가게 한 사람이 있었는가?

날 때부터 소경인 사람에게 침으로 진흙을 이겨 그의 눈에 바르시고 "실로암 못에 가서 씻으라"(요9:6,7)는 한 마디 말로 앞을 보게 한 사람이 있었는가?

인류 역사에서 어느 누구도 이룰 수 없는 표적과 기사를 본 우리들이다. 그리스도인이라면 "예수 그리스도"가 우주 만물의 주관자(主管者)이심을 깊이 배워야 할 것이다. 처음 우주 만물 창조도 예수 그리스도가 하셨고, 두 번째 인류 창조 즉, 재창조(再創造)도 예수 그리스도가 하셨음을 우리는 가슴에 담아야 한다.

이사야 선지자는 이 재창조를 이사야서에서 예언하였다.

"보라, 내가 새 하늘과 새 땅을 창조하나니 이전(以前) 것은 기억되거나 마음에 생각나지 아니할 것이라. 너희는 나의 창조하는 것을 인하여 영원히 기뻐하며 즐거워할지니라. 보라, 내가 예루살렘으로 즐거움을 창조하며 그 백성으로 기쁨을 삼고"(사65:17,18)

여기서 이사야는 **"내가 새 하늘과 새 땅을 창조하나니"**라며 예수 그리스도의 재창조를 분명하게 예언하고 있다. 그리고 **"이전 것은 기억되나"** 처음 창조한 것은 기억으로만 남는다는 것이다. 이제 새 인류 창조를 위하여 예수 그리스도가 오신 것이다.

새 인류 창조는 자신의 새 생명을 인류에게 주어 종자(種子)를 개량(改良)하는 창조이다. 이는 들포도나무를 참포도나무로 바꾸는 개량이다. 이것을 이사야는 새 창조로 보았다.

본문 공부

가라! 네 아들이 살았다

43~45절의 말씀은 두 번째 가나에 오신 예수 그리스도와 그곳 사람들의 관계가 은연중 드러나 있다. 그것은 **"이는 자기들도 명절에 갔다가 예수께서 명절 중 예루살렘에서 하신 모든 일을 보았음이더라"**는 말씀에 잘 나타나 있다.

예수께서는 사마리아를 떠나 갈릴리로 가실 때에 말씀하셨다. "선지자(先知者)가 고향에서는 높임을 받지 못한다"고. 이런 현상은 지금도 마찬가지이다. 선지자나 선각자들을 고향 사람들이 무시하는 경향이 있다. 지금 현재의 모습을 보지 않고 옛날 유년 시절을 염두에 두고 생각하기 때문이다. 그러나 갈릴리 인들은 자신들이 예루살렘에서 예수의 기적 행하심을 보고 알아보았다. 그래서 "아! 오신다는 메시야가 바로 저 분이구나. 저 분이야말로 인류를 새롭게 하실 분이구나." 하며 영접하였다.

그들 속에는 왕의 신하도 있었는데, 그는 예수 그리스도의 소문을 듣고 아들의 병 치유를 부탁드리러 나왔었다. 예수께서는 그 신하의 모습을 보면서 "기사(奇事)를 보지 못하면 도무지 믿지 못하느냐?"며 책망을 하신다.

46절 "예수께서 다시 갈릴리 가나에 이르시니 전에 물로 포도주를 만드신 곳이라. 왕(王)의 신하가 있어 그 아들이 가버나움에서 병(病)

들었더니"

예수께서 갈릴리 가나에 두 번째 가시게 된 때에는 이미 그곳 사람들도 예수 그리스도를 잘 알고 있었다. 예루살렘에서 행하신 일들을 보고 들었기 때문이다.

그런 사람들 가운데 왕의 신하가 있었는데, 그의 아들이 도저히 나을 수 없는 열병에 걸렸다고 한다. 참고할 점은 그 신하가 가나에서 제법 먼 마을인 가버나움에 살고 있었다는 것이다.

47~49절 "그가 예수께서 유대로부터 갈릴리에 오심을 듣고 가서 청(請)하되 '내려오셔서 내 아들의 병을 고쳐주소서' 하니 저가 거의 죽게 되었음이라. ◇예수께서 가라사대 '너희는 표적(表蹟)과 기사(奇事)를 보지 못하면 도무지 믿지 아니하리라.' ◇신하가 가로되 주(主)여 내 아이가 죽기 전에 내려오소서."

아들이 죽게 된 왕의 신하가 "제 집으로 오셔서 제 아들의 병을 고쳐주소서" 하며 예수께 간청한다.

아들의 병을 고쳐달라는 왕의 신하에게 예수님은 "갈릴리인들 너희가 나를 영접하는 것은 예루살렘에서 내가 행한 표적과 기사를 보았기 때문이 아니냐? 너희는 보지 못하면 도무지 믿지 아니하는구나." 하며 책망을 하신다.

신하의 입장에서 보면 한 시가 급하데 책망을 하시니 신하가 높이 외친다. "빨리 좀 내려오셔서 죽어가는 아이를 살려 주소서!" 하는 절규이다.

50절 "예수께서 가라사대 '가라! 네 아들이 살았다.' 하신대 그 사람이 예수의 하신 말씀을 믿고 가더니"

신하의 절규에 예수께서는 "가라! 네 아들이 살았다"고 하신다. 신하는 그 말씀을 믿고 곧바로 집으로 돌아간다. 여기서 우리 그리스도인은 깊이 생각 할 점이 있다. 본문공부 앞에서도 보았지만, 예수 그리스도의 기적은 자신을 하나님! 곧 창조자로 나타내 보이는 표적이었다.

통상, 성서 공부하는 사람들은 예수 그리스도의 병 치유를 인간들이 불쌍하여 행하신 것으로 생각하는데, 그보다는 예수 그리스도 자신이 창조주란 것을 나타내는 데에 더 큰 의미가 있다고 보는 것이 바른 방향일 것이다. 그리고 병자들의 믿음의 정도를 보시는 것 또한 중요한 가치가 있겠다. 다시 말하면

첫째 : 자신은 처음 창조자요,

둘째 : 재창조자(再創造者)임을 전하는데 큰 의미가 있다는 것이다.

예수님이 치유하신 병자들은 모두가 큰 믿음을 가졌던 사람들임을 알 수 있다. 성서 신 · 구약 66권을 다 보아도 믿음이 없는 사람이 하나님의 은혜를 입은 경우는 어디에도 없다. 예수께서도 당신의 말을 믿지 못하겠으면 행하는 일이라도 보고 믿으라고 아래와 같이 말씀하신다. **"내가 아버지 안에 있고, 아버지께서 내 안에 계심을 믿으라. 그렇지 못하겠거든 행하는 그 일들을 인하여 나를 믿으라."** 이러한 의미로 표적과 기사를 행하셨다.

51,2절 "내려가는 길에서 그 종들을 오다가 만나서 '아이가 살았다' 하거늘 ◇그 낫기 시작한 때를 물은 즉 '어제 제 칠시에 열기(熱氣)가 떨어졌나이다.' 하는지라"

신하는 예수님의 **'가라! 네 아들이 살았다.'** 하는 말씀을 믿고

집으로 돌아가다가 도중에 자신의 종들을 만나게 된다. 주인을 본 종이 외친다. "주인님! 당신의 아들이 살았습니다!" 죽어가는 아들이 살아났다는 말을 듣는 아비의 기분이 어땠을까?

종으로부터 아들이 살아났다는 소식을 들은 신하는 '언제부터 낫기 시작하였느냐?' 물었고, 종은 "어제 제7시에 열기가 떨어졌나이다." 라고 대답한다.

53절 "아비가 예수께서 '네 아들이 살았다' 말씀하신 그 때인 줄 알고 자기와 그 온 집이 다 믿으니라."

왕의 신하가 아이의 열기가 내리기 시작한 시각을 짚어보니 예수께서 "가라! 네 아들이 살았다."고 하신 그 시각이었다. 소문으로 듣기만 하던 예수의 능력을 직접 겪고 하늘의 기적을 본 것이다. 이 분이야말로 '인류를 새롭게 하시려고 오신 하나님의 아들이요, 인류를 재창조(再創造)할 메시야'로 알고 믿었다는 말씀이다.

병든 아이를 깨끗이 치유하신 것 같이 인류가 죄로 물들어 죽을 수밖에 없는 인류를 자신의 생명의 유전자를 주어 하늘 백성, 하나님의 자녀로 새롭게 하시려고 오신 주 예수 그리스도이다.

54절 "이것은 예수께서 유대에서 갈릴리로 오신 후 행하신 두 번째 기적이니라."

예수께서는 갈릴리 가나 마을의 혼인 잔칫집에서 첫 번째 기적으로 '물로 포도주'를 만드시고, 두 번째 기적으로 죽어가는 왕의 신하의 아들을 고치는 치유의 기적을 행하셨다.

그렇다. 우리 성서 공부하는 사람은 이 두 번의 기적의 능력을 통해 예수 그리스도는 '하나님 품속에 계셨던' 우주(宇宙) 만물

(萬物)의 창조자(創造者) 되시며 또한 인류를 새롭게 하시려고 오신 새로운(新) 창조자(創造者)란 것을 믿는 일이다.

2010년 11월 10일 발표

〈제20과〉

베데스다 연못 곁에서 일어난 기적(상)

본문 말씀 5장 1~8절

"1그 후에 유대인의 명절이 있어 예수께서 예루살렘에 올라가시니라.
2예루살렘에 있는 양문 곁에 히브리말로 「베데스다」라 하는 못이 있는
데 거기 행각(行閣) 다섯이 있고, 3그 안에 많은 병자, 소경, 절뚝발이,
혈기 마른 자들이 누워 (물의 동함을 기다리니 4이는 천사가 가끔 못에
내려와 물을 동하게 하는데, 동한 후에 먼저 들어가는 자는 어떤 병에
걸렸든지 낫게 됨이러라.) 5거기 삼십팔년 된 병자가 있더라. 6예수께서
그 누운 것을 보시고 병이 벌써 오랜 줄 아시고 이르시되 '네가 낫고자
하느냐?' 7병자가 대답하되 '주여 물이 동할 때에 나를 못에 넣어 줄
사람이 없어 내가 가는 동안에 다른 사람이 먼저 내려가나이다.' 8예수
께서 가라사대 '일어나 네 자리를 들고 걸어가라!' 하시니"

"일어나 네 자리를 들고 걸어가라"

예루살렘은 이스라엘의 수도로, 예루살렘 성전이 있을 뿐 아니라 여러 통치기관과 교육기관들이 있고, 상업 또한 발달된 곳이다. 또한 성전이 있음으로 해서 성직자들과 내로라는 지식층들이 모여 있다고 할 수 있는 곳이다.

예루살렘을 드나드는 여러 문 가운데 하나인 「양의 문」(양이나 염소 등 가축들이 드나드는 문) 옆에는 「베데스다」라는 연못이 있다. 연못 주위에는 행각 다섯 채가 있는데, 그 행각에는 병 고침을 받기위하여 여러 지방에서 모여든 사람들이 가득했다. 또한 연못 곁에도 많은 "병자, 소경, 절뚝발이, 혈기 마른 자"들이 누워 있다는 기사다.

기이(奇異)한 것은 이 연못의 물은 "천사가 가끔 못에 내려와

물을 동하게 하는데, 동한 후에 먼저 들어가는 자는 어떤 병에 걸렸든지 낫게 된다"는 사실이다. 이 연못은 현대 용어로는 간헐천이라고 할 수 있겠는데, 병을 낫게 하는 실로 놀라운 물이 아닐 수 없다. 의술이 발달되지 못한 당시의 유대인들에게는 큰 위로가 되는 기이한 연못이었다고 하겠다. 그 연못가에는 38년 된 병자가 누워 있었는데 몸을 움직이기 힘든 사람이었다.

예수께서 이 병자를 보신 후 병이 벌써 오랜 줄 아시고 이르시되 네가 낫고자 하느냐?' 물으시니 병자는 '주여 물이 동할 때에 나를 못에 넣어 줄 사람이 없어 내가 가는 동안에 다른 사람이 먼저 내려가나이다.' 하소연을 한다. 참으로 기막힌 사연이다. 그는 38년 동안이나 거기 있으면서 물속엘 들어가질 못했지만, 언젠가는 병을 고칠 수 있을 것이라는 희망을 버리지 않은 사람이다. 병고(病苦) 속에서도 참으로 고귀(高貴)한 희망이다. 이 희망을 포기하지 않는 것이 신앙이다. 예수님께 치유를 받은 사람들 모두가 하나같이 큰 소망과 믿음이 있었다.

본문 공부

1절 "그 후에 유대인의 명절이 있어 예수께서 예루살렘에 올라가시니라."

이 절은 앞의 4장 46~54절의 기사에서 왕의 신하에게 열병에 걸린 그의 아들에 대하여 "네 아이가 살았다!"는 말씀으로써 낫게 하신 그 후에 명절이 있어 예루살렘에 올라가셨다는 예수님의 정황 설명이다.

2,3절 "예루살렘에 있는 양문 곁에 히브리말로 「베데스다」라 하는

못이 있는데, 거기 행각 다섯이 있고 ◇그 안에 많은 병자, 소경, 절뚝발이, 혈기 마른 자들이 누워 물의 동함을 기다리니"

예루살렘에는 양 같은 가축들이 드나드는 문이 따로 있어 양문이라고 하는데, 그 곁에 히브리말로 「베데스다」라는 못이 있고, 그 옆에는 행각 다섯 채가 있다고 했다.

이 행각은 처음에는 목동들이 쉬는 집이었을 터이지만, '베데스다' 못의 기적이 알려지면서 치유를 받기 위해 각지에서 몰려온 환자 등 몸이 불편한 사람들이 차지하고 누워서 물이 솟아오르기를 기다리고 있는 모습들이다.

4절 "이는 천사가 가끔 못에 내려와 (물을 동하게 하는데, 동한 후에 먼저 들어가는 자는 어떤 병에 걸렸든지 낫게 됨이러라.)"

베데스다 못의 물은 평소에는 잠잠했다가도 드물게 천사가 내려와 물을 움직이게 하는데, 물의 움직임이 멎은 뒤에 처음으로 물속에 들어가는 병자는 어떤 병이든 낫는다는 것이다. 그래서 행각에는 신병을 치유하려는 병자들로 항상 북적이었다.

5,6절 "거기 삼십팔 년 된 병자가 있더라. ◇예수께서 그 누운 것을 보시고 병이 벌써 오랜 줄 아시고 이르시되 '네가 낫고자 하느냐?"

물의 동함을 기다리며 누워있는 병자들 중에 "삼십팔 년 된 병자가 있더라"고 하였다. 자신의 병을 낫기 위하여 삼십팔 년 동안이나 그곳에 있었다니 참으로 기막힌 사연이요, 병자 자신의 끈질김을 본다.

양문을 지나던 예수님이 한 구석에 누워있는 이 병자를 보시고는 대뜸 그의 병이 오래된 줄을 아시고 그에게 다가가 "네가 낫고자 하느냐?"고 물으신다. 삼십팔 년 된 환자에게 구원자가 나타나신 것이다.

7절 "병자가 대답하되 '주여! 물이 동할 때에 나를 못에 넣어 줄 사람이 없어 내가 가는 동안에 다른 사람이 먼저 내려가나이다.'"

이 절은 따로 설명이 없어도 이해할 수가 있다. "네가 낫고자 하느냐?"는 앞절에서의 예수님 물음에 그 병자는 "물이 동할 때면 못에 들어가고 싶지만 나를 못에 넣어 줄 사람이 없습니다. 그래서 온 힘을 기울여 내 힘으로 가보지만, 가는 동안에 다른 사람이 먼저 내려갑니다." 라고 하소연을 한다. 이 병자의 말 속에 저간의 사정과 염원이 담긴, 참으로 기막힌 사연이다.

8절 "예수께서 가라사대 '일어나 네 자리를 들고 걸어가라' 하시니"

의학적으로나 세상 상식으로는 도저히 일어날 수 없는 일이다. "일어나 네 자리를 들고 걸어가라"고 하시니 걸어갔다는 것이다. 그런데 여기서 우리는 깊이 생각해야 할 일들이 있다.

만약 병자가 생각하기를 "내 병은 내가 잘 알아. 내 병은 이 연못에 먼저 들어가야만 낫는 병이야!" 하며 일어서려고 하지 않았다면, 그보다 "일어나 자리를 들고 걸어가라"고 하는 예수님의 말씀을 믿지 않았다면 병은 낫지 않았을 것이다. 그러나 이 병자는 낫고자 하는 소망을 잃지 않고 살아 왔다. 병자의 하소연대로 "주여 물이 동할 때에 나를 못에 넣어 줄 사람이 없어 내가 가는 동안에 다른 사람이 먼저 내려가나이다." 하는 말이 사실이라면 얼마나 기막힌 사연인가. 그럼에도 병자가 희망을 잃지 않고 38년 동안이나 거기 있었다는 것은 참으로 고귀(高貴)한 기다림이 아닌가. 끝까지 잃지 않은 희망—이것이 신앙(信仰)이다. 예수님께 치유를 받은 사람들은 모두가 하나같이 큰 소망과 믿음이 있었다.

이 병자 스스로는 절대로 병에서 나을 수 없는 입장이었다. 우리 그리스도인들도 우리의 힘으로는 절대로 하늘 백성이 될 수 없는 처지에 있는 들포도나무들이다. 들포도나무 스스로는 절대로 참포도나무가 될 수 없다. 농부이신 하나님이 십자가 사건으로 들포도나무인 강도도 죽이시고, 참포도나무인 예수 그리스도도 죽이시어 접붙임 하심으로 우리들을 하늘 백성으로 다시 살게 하셨다.

신앙이란 병자 자신으로는 할 수 없는 일들을 농부이신 하나님이 다 이루어 놓으셨다는 것을 믿는 마음이다.

2010년 12월 10일 발표

〈제21과〉
베데스다 연못 곁에서 일어난 기적(하)

본문 말씀 5:9~18

“9그 사람이 곧 나아서 자리를 들고 걸어 가니라. 10이 날은 안식일
이니 유대인들이 병 나은 사람에게 이르되 ‘안식일인데 네가 자리를 들
고 가는 것이 옳지 아니하니라.’ 11대답하되 ‘나를 낫게 한 그가 자리
를 들고 걸어가라 하더라.’ 한대 12저희가 묻되 ‘너더러 자리를 들고
걸어가라 한 사람이 누구냐?’ 하되 13고침을 받은 사람이 그가 누구신
지 알지 못하니 이는 거기 사람이 많으므로 예수께서 이미 피(避)하셨
음이라. 14그 후에 예수께서 성전에서 그 사람을 만나 이르시되 ‘보라,
네가 나았으니 더 심(甚)한 것이 생기지 않게 다시는 죄를 범치 말라.’
하시니 15그 사람이 유대인들에게 가서 자기를 고친 이는 예수라 하니
라. 16그러므로 안식일에 이러한 일을 행하신다 하여 유대인들이 예수
를 핍박하게 된지라. 17예수께서 저희에게 이르시되 ‘내 아버지께서 이
제까지 일하시니 나도 일한다.’ 하시매 18유대인들이 이를 인하여 더욱
예수를 죽이고자 하니 이는 안식일만 범할 뿐 아니라 하나님을 자기의
친 아버지라 하여 자기를 하나님과 동등으로 삼으심이러라.”

본문 공부

9,10절 “그 사람이 곧 나아서 자리를 들고 걸어 가니라. 이 날은 안식일이니 ◇유대인들이 병 나은 사람에게 이르되 ‘안식일인데 네가 자리를 들고 가는 것이 옳지 아니하니라.”

8절에서 **“네 자리를 들고 걸어가라”**는 예수님의 한 마디 말씀에 병에서 나은 사람이 자리를 들고 걸어간 날이 마침 안식일이었다. 율법에는 안식일에 일을 하면 안 되는 것으로 되어있다.

당시에는 자기가 깔고 있던 자리를 걷어들고 걸어가는 것조차 일하는 것으로 생각하고 있었던 모양이다. 율법에 얽매여 있는

유대인들은 그래서 병 나은 사람에게 안식일 날의 일은 옳지 않다고 한 것이다.

11절 "대답(對答))하되 '나를 낫게 한 그가 자리를 들고 걸어가라 하더라' 한대"

율법에 매인 유대인들은 38년 동안이나 걷질 못하고 누워있던 병자가 일어나 걷게 된 것보다 안식일 날 자리를 들고 가는 것이 눈에 들어왔던지 앞 절에서 병 나은 사람을 나무란다.

안식일 날 일한다고 훈계하는 유대인들에게 병 나은 사람이 변명을 한다. "나를 낫게 한 그가 자리를 들고 걸어가라 하더라"고.

힘없는 병자로서는 다른 방법이 없었을 것이다.

12,3절 "저희가 묻되 '너더러 자리를 들고 걸어가라 한 사람이 누구냐?' 하되 ◇고침을 받은 사람이 그가 누구신지 알지 못하니 이는 거기 사람이 많으므로 예수께서 이미 피하셨음이라."

유대인들이 병 고침 받은 사람에게. '너에게 자리를 들고 걸어가라고 한 사람이 누구냐?' 고 물었다 병자는 **'그가 누구인지 알지 못한다'**고 하였다. 이는 예수께서 여러 사람들 앞에 자신의 존재를 알릴 때가 아직은 아님을 아시고 다른 사람들이 알아보기 전에 벌써 자리를 피하셨기 때문이다.

14절 "그 후에 예수께서 성전에서 그 사람을 만나 이르시되 '보라, 네가 나았으니 더 심(甚)한 것이 생기지 않게 다시는 죄를 범치 말라' 하시니"

예수께서 얼마 후에 병 고침을 받은 병자를 성전에서 만나게 되어 말씀하신다. "보라, 네가 나았으니 더 심한 것이 생기지 않게 다시는 죄를 범치 말라"고. 여기서 우리 공부하는 사람에게 큰 문제가 생긴다. '더 심한 것이 생기지 않게 다시는 죄를 범치 말라'는 말씀에 주목해야 한다. "모든 병은 죄로부터 오고, 죄는 욕심이 과하여 짓게 된다"고 보는 것이다. 그래서 예수께서는 **"욕심이 잉태한 즉 죄를 낳고 죄가 장성한 즉 사망(병)을 낳느니라."** (약1:15)고 하셨다.

15,6절 "그 사람이 유대인들에게 가서 자기를 고친 이는 예수라 하니라. ◇그러므로 안식일에 이러한 일을 행하신다 하여 유대인들이 예수를 핍박하게 된지라."

병 고침을 받은 사람은 유대인들에게 자기의 병을 고쳐준 능력자를 자랑하고 싶었을 것이고, 그래서 그 사람이 뒤에 예수님이란 걸 알게 되자 저들에게 가서 자랑하게 된다. "나를 고쳐준 이는 예수"라고. 그러나 이 말은 결국 유대인들에게 고변한 말이 되고 만다.

유대인들이 예수 그리스도를 미워하고 핍박하게 되는 이유가 **'안식일에 이러한 일을 행하심'**에 시작되었다는 것이다. 안식일에 말씀하신 '너의 자리를 들고 걸어가라'는 한 마디 때문에 핍박을 당하게 되었다는 것이 참으로 놀라운 일이다. 있을 수 있는 일들인가? 마치 우물 안에만 사는 개구리의 시각이다. 율법에 쓰여진 글자에서 벗어나지 못하는 시각이다. 율법이라는 우물 안에서 시각을 밖으로 돌려야 새로운 진리! 새로운 성서의 지평선이 보이지 않을까.

17절 "예수께서 저희에게 이르시되 '내 아버지께서 이제까지 일하시니 나도 일한다' 하시매"

예수께서는 율법이라는 우물 안에서만 사는 유대인들에게 시각을 돌려 하늘의 아버지를 보라고 말씀하신다. '내 아버지께서 이제까지 일하시니 나도 일 한다' 고. 유대인의 시각을 땅의 율법에서 하늘나라 아버지에게 돌리려 하신 말씀이다. 즉, '율법만 보지 말고 얼굴과 마음을 하나님 아버지께 돌려 보라'고 하신 것이다. "내 아버지 하나님께서는 지금도 인류 구원을 위하여 일하고 계신다. 그러므로 나도 인류 구원을 위하여 단 한 사람이라도 낫게 하려는 것"이라는 예수님의 말씀이 생생히 들려온다.

18절 "유대인들이 이를 인하여 더욱 예수를 죽이고자 하니 이는 안식일만 범할뿐 아니라, 하나님을 자기의 친 아버지라 하여 자기를 하나님과 동등(同等)으로 삼으심이러라."

율법을 써진 글자대로만 수호 하겠다는 유대인들에게 하늘의 아버지를 가르쳐 주심으로 유대인들은 더욱 예수 그리스도를 미워하고 죽이려 하게 되었다. '예수가 율법만 범하는 것이 아니라 이제는 자신을 하늘의 아버지와 동등하게 하려 한다' 는 이유에서이다. 그러나 예수 그리스도는 태초부터 하나님의 품속에 계셨던 분으로, 하나님의 본체라고 할 수 있는 분이다. 즉, 우주 만물의 창조자 되시는 분이시다.

오늘 공부에서 본 것처럼 율법! 대속! 또는 속죄! 라는 고정 관념을 깨야 새로운 진리가 보인다.

'율법'이라는 고정관념

우리 속담에 '우물 안 개구리'란 말이 있다. 이 말은 식견이 넓지 못한 사람을 가리키는 말이기도 하지만, 바꾸어 말하면 우물 안의 개구리가 우물 밖으로 뛰쳐나와야 '넓은 하늘과 광활한 대지(大地)를 본다'는 말이기도 하다. 마찬가지로 유대인은 '율법'이라는 우물 속의 고정된 관념을 뛰어 넘어야 새로운 진리를 볼 수 있을 것이다.

38년 동안 어떤 치료도 받지 못하고 누워 지내던 병자가 만물의 근원이신 예수 그리스도를 만나 '**자리를 들고 걸어가라**'는 한마디 말에 병자가 벌떡 일어나 자리를 들고 걸어가는 기적. 그렇지만 율법이라는 고정관념 때문에 창세(創世) 이후 처음으로 일어난 기적을 기적으로 보지 못하고 율법적으로 안식일에 자리를 들고 가는 것에만 주목하고 있으니 이 얼마나 불행한 생각인가? 이러한 일들은 율법이라는 고정 관념 때문에 새로운 기적을 보지 못하는 맹인들이 하는 일들이라 할 것이다.

이러한 일들은 오늘날에도 얼마든지 있다. 기독교에서 자신들이 최고라고 자랑하는 무교회에서 조차도 새로운 성서 해석을 백안시(白眼視) 하는 일들이 얼마든지 있다. 기독교에서 구원의 진리로 말하는 대속! 속죄의 신앙만이 인류역사에서 유일한 진리로 보고, 다른 사람의 새로운 진리 개진을 백안시 하고 있는 것이 현실이다.

만약 대속의 진리가 인류역사에서 유일한 진리라고 한다면 종교가요, 세계적인 시인인 '존 밀턴'이 어찌 "제2, 제3의 개혁"을 이야기했겠는가.

개혁을 말한 사람은 밀턴 만이 아니다.

내촌 감삼도 「우주적 최대문제」라는 글에서 "웨슬리나, 칼빈이

나, 루터에게 돌아가는 것으로 만족하지 말고 바울, 베드로, 요한에게 다시금 생명의 본원이신 예수 그리스도께 가라"고 하였다.

노평구 선생 또한 "제2, 제3의 개혁"에 대하여 자주 역설하시면서 "제2의 개혁, 제3의 개혁은 우리 한국 사람이 해야 한다"고 하셨다. 그리고 이런 말도 하셨다. "한국 사람이 세계역사에 이바지 할 수 있는 것은 제2, 제3의 진리 발견뿐이다. 그러기 위해서는 한국인이 진리 발견을 하여야 한다."고도 하셨다. 이렇건만 「새로운 진리발견」이라는 깃발을 든 사람을 백안시하고, 자기와 관련된 모임에도 나오지 못하게 막고 있다. 참으로 두려운 일이 아닐 수 없다.

그들은 예언자 **이사야! 십자가상에서 인류에게 당신의 생명을 주신 예수 그리스도! 증언자 바울 선생!** 등을 완전하게 알고 있다고 생각하는 모양이다.

그러나 아니다. 맹인들이 코끼리의 한 부분만을 만져보고 코끼리를 평가하듯 증언자 바울 선생도 제대로 알지 못하는 사람들이다. 바울은 **"내가 그리스도와 같이 십자가에 못 박혔나니 그런즉 이제는 내가 산 것이 아니요, 오직 내 안에 그리스도께서 사신 것"**이라고 갈라디아서 2장 20절에서 고백하고 있지 않는가. 갈라디아서는 무슨 책인가? 성서 공부하는 사람들은 갈라디아서를 가리켜 "신앙을 지키는 칼" 또는 "신앙의 전투서" 라고 한다. 바울은 이 전투서에서 "내가 그리스도와 같이 십자가에 못 박혔나니 그런즉 이제는 내가 산 것이 아니요 오직 내 안에 그리스도께서 사신 것!"이라고 외치고 있다.

증언자 바울 선생이 예수 그리스도의 십자가 사건을 대속으로 보았다면 자신이 예수 그리스도와 같이 죽었다고 고백하지 않았을 것이다. 대속은 예수 그리스도만 죽고 바울은 죽지 않아야 대속이 되는 것이다. 그러나 바울은 분명 예수 그리스도와 같이 죽었다고 고백하고 있다. 이 말은 어거스틴이나 루터 등 개혁자들이 대속으로 본 것일 뿐, 바울 선생이 그렇게 본 것은 아니다. 바울 시대로 돌아가 대속의 틀을 벗어난다면 얼마든지 새로운 십자가의 진리가 발견 될 수 있는 것이다. '대속'이라는 우물 안에서 뛰어 넘어야 광활한 성서 안에서 새로운 지평선의 진리가 보이게 된다.

2011년 1월 10일 발표

〈제22과〉

하나님 아들의 권위

본문 말씀 5:19~30

"19그러므로 예수께서 저희에게 이르시되 내가 진실로, 진실로 너희
에게 이르노니 아들이 아버지의 하시는 일을 보지 않고는 아무 것도 스
스로 할 수 없나니 아버지께서 행하시는 그것을 아들도 그와 같이 행하
느니라. 20아버지께서 아들을 사랑하사 자기의 행하시는 것을 다 아들
에게 보이시고, 또 그보다 더 큰 일을 보이사 너희로 기이히 여기게 하
시리라. 21아버지께서 죽은 자들을 일으켜 살리심 같이 아들도 자기의
원하는 자들을 살리느니라. 22아버지께서 아무도 심판하지 아니하시고
심판을 다 아들에게 맡기셨으니 23이는 모든 사람으로 아버지를 공경
하는 것 같이 아들을 공경하게 하려 하심이라. 아들을 공경치 아니하는
자는 그를 보내신 아버지를 공경치 아니하느니라. 24내가 진실로, 진실
로 너희에게 이르노니 내 말을 듣고 또 나 보내신 이를 믿는 자는 영
생(永生)을 얻었고, 심판에 이르지 아니하나니 사망에서 생명으로 옮겼
느니라. 25진실로, 진실로 너희에게 이르노니 죽은 자들이 하나님의 아
들의 음성을 들을 때가 오나니 곧 이 때라. 듣는 자는 살아나리라. 26아
버지께서 자기 속에 생명이 있음 같이 아들에게도 생명을 주어 그 속에
있게 하셨고, 27또 인자됨을 인하여 심판하는 권세를 주셨느니라. 28이
를 기이히 여기지 말라. 무덤 속에 있는 자가 다 그의 음성을 들을 때
가 오나니 29선한 일을 행한 자는 생명의 부활로, 악한 일을 행한 자는
심판의 부활로 나오리라. 30내가 아무 것도 스스로 할 수 없노라. 듣는
대로 심판하노니 나는 나의 원대로 하려하지 않고 나를 보내신 이의 원
대로 하려는 고로 내 심판은 의로우니라."

아버지 품속에 있었던 자신을 말함

요한복음 공부 5장 초반에서 예수께서는 38년 동안이나 '베데스다' 연못에 넣어줄 사람을 기다리고 있던 병자를 '일어나 네 자리를 들고 걸어가라'는 한 마디 말씀으로 걸어가게 하심으로 하나님께로부터 오신 자신을 보이셨다. 그리고 38년 동안 누워

있다가 일어나 걸어가는 사람의 기적을 보면서도 안식일에 율법을 범했다고 비판하는 유대인들을 향하여 '너희가 마음과 얼굴을 돌려 아버지 하나님을 보라!'고 방향 전환의 말씀을 하신다. 곧 **"예수께서 저희에게 이르시되 '내 아버지께서 이제까지 일하시니 나도 일한다."**(5:17)는 말씀이다.

예수께서는 '율법'이라는 우물을 벗어나서 율법 밖으로 마음의 눈을 돌려 무한히 넓은 하나님의 자혜하심을 보라고 하신다. 또한 자신이 본 대로 들은 대로 일한다는 것도 말씀하신다. 이는, 아버지 품 안에 있으면서 보고 배운 **'아버지가 하시는 일을 나도 한다'**는 말씀이다. 이리하여 유대인들이 지적한 대로 저들이 예수를 죽이고자 한 것은 **"안식일만 범할 뿐 아니라 하나님을 자기의 친 아버지라 하여 자기를 하나님과 동등으로 삼으심"**(5:18) 때문이었다. 맞는 말이다.

위에서 살핀 대로 오늘 공부는 예수 그리스도의 권위에 관한 내용이다.

본문 공부

19절 "그러므로 예수께서 저희에게 이르시되 내가 진실로, 진실로 너희에게 이르노니 아들이 아버지의 하시는 일을 보지 않고는 아무것도 스스로 할 수 없나니 아버지께서 행하시는 그것을 아들도 그와 같이 행하느니라."

증거자 요한은 1장 14절에서 **"말씀이 육신이 되어 우리 가운데 거하시며 우리가 그 영광을 보니 아버지의 독생자의 영광이요, 은혜와 진리가 충만하더라"**고 말하고 있다. 성서를 공부하는 우리들은 위의 말씀을 전제로 하여야 한다. 예수님은 하나님과 함께 말씀으로 계셨던 분이 세상에 하늘의 생명을 주시기 위하여 독생자의 모습으로 오셨다는 것과, 아버지께서 행하시는 그것을 아들도 행하신다는 점을 우리가 한시라도 잊으면 안 된다.

20절 "아버지께서 아들을 사랑하사 자기의 행하시는 것을 다 아들에게 보이시고, 또 그보다 더 큰 일을 보이사 너희로 기이히 여기게 하시리라."

'예수'란 이름에는 '세상을 구원할 하나님의 아들'이라는 뜻과 '참 사람'이라는 뜻이 있고, '그리스도'란 말에는 '하나님'이라는 뜻도 있다. 그래서 '예수 그리스도'라고 하면 예수와 하나님이 함께 계심을 나타내는 말이다.

'아버지께서 아들을 사랑하사 자기의 행하시는 것을 다 아들에게 보이시고', 아버지가 행하시는 것을 다 아들에게 보이셨다는 것은 늘 하나님 안에 예수가 있고, 예수가 하나님과 하나라는 말씀이다. 즉, 하나님의 일하시는 것을 보아서 다 알기 때문에 그 일을 하신다는 말씀이다.

'또 그보다 더 큰 일을 보이사 너희로 기이히 여기게 하시리라' 여기서 '그보다 더 큰 일'이란 인류 구원의 일이다. 우리 믿는 사람이 이 일들을 미루어 보면 참으로 기이(奇異)하게 여기는 일들이다. 하나님이 이루어 주시는 역사—곧, 인류 구원의 일이 기이하다는 것이다.

21절 "아버지께서 죽은 자들을 일으켜 살리심 같이 아들도 자기의 원하는 자들을 살리느니라."

19과 공부에서 죽어가는 왕의 신하의 아들이 예수님의 말 한 마디에 살아난 것은 하나님 아버지의 능력인데, 그 아들 예수도 아버지의 권위로 살리고자 하는 사람들을 살리신다는 말씀이다.

22,3절 "아버지께서 아무도 심판하지 아니하시고, 심판을 다 아들에게 맡기셨으니 ◇이는 모든 사람으로 아버지를 공경하는 것 같이 아들을 공경하게 하려 하심이라. 아들을 공경치 아니하는 자는 그를 보내신 아버지를 공경치 아니하느니라."

'다 아들에게 맡기셨으니' 하나님께서는 인류를 살리시는 권한과 심판하는 권한을 모두 아들 예수께 맡기셨다는 말씀이다.

'모든 사람으로 아버지를 공경하는 것 같이 아들을 공경하게 하려 하심이라' 하나님은 왜 인류를 살리고 심판하는 권한을 아들에게 맡기셨는가에 대한 설명이다. 사람들이 하나님을 경외하는 것 같이 아들인 예수 그리스도 또한 경외토록 하겠다는 원려(遠慮)에서다. 이는, 사람들로부터 아들 예수를 깊은 사랑과 권위의 만왕의 왕으로 모시게 하시겠다는 것이다.

'아들을 공경치 아니하는 자는 그를 보내신 아버지를 공경치 아니하느니라.' 앞의 설명에 대한 반대의 설명으로, 아들을 공경하지 않는 사람은 아들을 보낸 하나님도 공경하지 않을 사람이라는 것이다. 즉, 아들을 공경하는 것이 그 아버지를 공경하는 일이라는 말씀이다. 이 말씀을 한 마디로 줄인다면 '아버지와 아들은 하나'라고 하겠다.

24절 "내가 진실로, 진실로 너희에게 이르노니 내 말을 듣고 또 나 보내신 이를 믿는 자는 영생(永生)을 얻었고, 심판에 이르지 아니하나니 사망에서 생명으로 옮겼느니라."

예수께서는 중요한 말씀을 하실 때마다 "내가 진실로, 진실로 너희에게 이르노니"라고 하시는데, 여기서도 강조하고 계신다.

예수의 하시는 말씀을 듣고, 예수를 이 땅에 보내신 이—즉, 하나님을 믿는 자는 '영생을 얻고' 심판도 받지 않으며, 그러므로 죽음에서 구원을 얻어 영생하게 된다고 하신다.

예수께서는 다음에 공부할 36절에서 **"아버지께서 내게 주사 이루게 하시는 역사(役事)가 아버지께서 나를 보내신 것을 나를 위하여 증거하는 것"**이라고 아주 중요한 말씀을 하시는데, 이 말씀은 아버지께서 예수 그리스도에게 주시어 이루게 하신 '역사'—곧, 장차 다가올 십자가 사건은 큰 역사라는 예언의 말씀이다. 이 역사를 이루게 하신 그 역사를 믿으면 사망에서 생명! 곧, 영생으로 옮긴다는 말씀이다. 들포도나무에서 참포도나무로 옮겨지는 역사를 믿으라는 것이다. 십자가의 사건은 다 이루어 놓은 것을 믿는 것이다. 그래서 은혜이다. 우리가 할 수 있는 것은 그 은혜로운 일에 감격하여 감사와 찬미를 드릴 뿐이다. 만 개의 입이 있다 하여도 감사할 따름이다.

25절 "진실로, 진실로 너희에게 이르노니 죽은 자들이 하나님의 아들의 음성을 들을 때가 오나니 곧 이 때라. 듣는 자는 살아나리라."

여기서 우리는 참으로 중요한 말씀을 접하게 된다, 즉, **"죽은 자들이 하나님의 아들의 음성을 들을 때가 온다"**는 말씀이다. 죽은 자들은 누구인가? 바로 나와 여러분이다. 또 과거의 사람과 현재의 사람, 미래의 사람이다. 예수님은 '나로 먼저 가서 내 부친을 장사하게 허락 하옵소서'라고 청한 제자에게' **"죽은 자들로 죽은 자를 장사하게 하라"**(눅9:59,60)고 하셨다. 이사야는 인류를 들포도나무로 비유하였다. 들포도는 그 열매가 참포도 축에 들지 못하는 열매다. 바꾸어 말하면 죄인으로 전락한 우리가 이대로는 천국백성이 될 수 없는 처지였다. 그래서 예수께서는 하늘 백성이 될 수 없는 사람들을 죽은 사람으로 표현하신 것이다.

포도농장에 가득 찬 들포도나무—곧, 세상 인류를 하늘의 생명인 예수 그리스도로 접붙임 받게 하시여 참포도나무로 개조(改造)하시려고 예수 그리스도가 오셨다. 즉, 참 생명을 주시려고 오신 것이다. 예수 그리스도의 생명을 "접붙임"으로 받음으로써 사망에서 생명으로 옮기어질 수가 있다. 이렇게 생명이 옮겨진 사람은 '영생을 얻었다'(5:24)고 할 수가 있다.

'죽은 자들이 하나님의 아들의 음성을 들을 때가 오나니 곧 이 때라. 듣는 자는 살아나리라' 하나님을 알지 못하고 사는 사람들은 죽은 자들이다. 그런데 이들이 하나님 아들의 음성을 듣게 된다는 것이다. "이 때"란 예수 그리스도가 이 땅에서 복음을 전하게 된 그 때부터다(십자가상에서 접붙임 하실 때로 볼 수도 있음). 이는 예수의 시대부터 과거와 현재와 미래까지 즉, 인류를 심판하실 때까지를 말한다.

26,7절 "아버지께서 자기 속에 생명이 있음 같이 아들에게도 생명을 주어 그 속에 있게 하셨고, ◇또 인자됨을 인하여 심판하는 권세를 주셨느니라."

예수께서는 아버지 속에 생명이 있는 것처럼 자신도 아버지로부터 생명을 받았음을 말씀하신다. '아버지 속에 있는 생명'이란 인류에게 주신 생명인데, 그 생명을 자신에게도 주셨다는 말씀이다. 예수 자신 속에 있는 생명은 인류를 새롭게 하실 생명이다.

이는, 접붙임으로 인류에게 주게 될 하늘 아버지의 생명인 것이다.

'심판하는 권세를 주셨느니라' 장차 있게 될 접붙임의 사실을 믿지 못하는 사람을 심판할 권한도 하나님으로부터 받았다는 말씀이다. 증언자 바울은 이 사실을 '저희는 믿지 아니하므로 꺾이우고, 너는 믿으므로 섰느니라'(롬11:20)고 하였다.

28절 "이를 기이히 여기지 말라. 무덤 속에 있는 자가 다 그의 음성을 들을 때가 오나니"

"이를 기이히 여기지 말라" 아들이 아버지로부터 권세 받은 것을 기이하게 여기지 말라고 하신다.

"무덤 속에 있는 자"의 무덤 속이란 접붙임을 받은 상태—곧, 부활초가 나오기 전(前)에 하나님의 권세를 받지 못한 자들이다. 즉, 이들이 예수 자신의 음성을 들을 때가 온다는 것이다. '음성'은 '복음'을 가리키는 말이다. 장차 십자가의 접붙임으로 완성될 복음을 모두가 듣는다는 말씀이다. 듣고 믿는 자는 생명의 부활로 다시 살게 된다. 그래서 예수께서도 사흘 동안 무덤에 계셨는데 그 때에 우리도 함께 무덤에 있었던 것이다. 이것을 바울은 **"만일 우리가 그의 죽으심을 본받아 연합한 자가 되었으면 또한 그의 부활을 본받아 연합한 자가 되리라"**(롬6:5)고 하였다.

또한 바울은 인류가 예수 그리스도를 알지 못하고 무신앙인으로 살 때를 죽어 있는 상태로 말하고 있다. 예수와 연합하여 십자가상에서 죽어 있는 상태로 있다가 하늘의 복음을 들을 때에 거듭나는 것으로 본 것이다. '무덤 속'이란 십자가상에서 예수와 같이 죽어 있는 상태를 말한다.

"음성을 들을 때가 오나니" 음성은 십자가 복음이다. 이 복음을 듣고 믿으면 생명의 부활로 산다는 말씀이다. 여기에 대하여 바울은 **"너희도 너희 자신을 죄에 대하여는 죽은 자요, 그리스도 예수 안에서 하나님을 대하여는 산 자로 여길 찌어다."**(롬6:11)라고 하였다.

다시 정리 하면, 아담의 죄로 인하여 죄인 된 사람을 '죽은 사람'이라고 예수님은 보신 것이다.

'무덤 속에 있는 자'란 접붙임의 복음을 접하지 못하여 아직 '믿음이 없는 사람들'을 지칭한 말이다.

29절 "선한 일을 행한 자는 생명의 부활로, 악한 일을 행한 자는 심판의 부활로 나오리라."

"선한 일을 행한 자는 생명의 부활로" 이 말씀을 얼핏 생각하면 예수 믿지 않는 사람들도 '선한 일을 행하면 생명으로 부활'하는 것으로 자칫 생각 할 수 있다 그러나 그것은 크게 잘못된 생각이다. 하나님 앞에서 새로운 생명을 받지 못한 사람에게는 선한 일도 다 아담의 자손으로 죄인들이 행하는 일들이다 특히 선한 일들을 구분하기가 참으로 어려운 것이다. 여기서 '선한 일'이란 믿느냐 믿지 않느냐에 따라 달라진다. 하나님의 은혜인 그리스도의 생명을 믿음으로 받아 생명의 부활로 천국에서 살고, '악한 일' 즉 '믿지 못하는 자'는 심판의 부활을 받아 지옥에서 산다는 말씀이다. 그래서 천국과 지옥이 극명하게 나뉘는 것이다.

우리는 여기서 다시 한 번 깊이 생각할 부분이 있다. 아담과 하와는 죄인으로 전락하여 하나님의 방대한 에덴동산의 꿈을 산산조각 나게 하고, 그 꿈의 동산에서 추방당하였다. 그러나 하나님은 죄인으로 전락하여 영원히 죽을 수밖에 없는 아담의 후손들을 불쌍히 여기셨다. 그래서 처음 창조 때의 모습으로 회복시키시려고 창조자 자신이 아들의 모습으로 육신의 옷을 입고 이 땅에 오셔서 당신의 몸을 갈기갈기 찢어 접붙임으로 새로운 생명을 우리에게 주셨는데, 그 것을 믿지 못하는 사람들이 받는 심판은 당연한 일이 아니겠는가.

에덴동산에서 죄를 범한 아담과 하와는 추방을 당하였다. 따라서 예수님의 희생에 의한 재창조를 믿지 못하는 자들에게 심판이 있다는 것은 당연한 일이다. 자신의 생명을 갈기갈기 찢어 나누어 주었는데, 그 희생을 헛되이 하는 것은 죄임에 분명하기 때문이다.

심판의 의미는 크게 두 가지로 생각 할 수 있다.

첫째 : 예수 그리스도는 당신의 생명을 갈기갈기 찢어 우리에게 주었는데, 그 사실을 헛되이 함으로 받는 심판과

둘째 : 들포도 열매가 참포도 열매 축에 들지 못한다 하여 스스로 하나님을 피하여 도망함으로 받는 심판이다.

30절 "내가 아무 것도 스스로 할 수 없노라. 듣는 대로 심판하노니 나는 나의 원대로 하려하지 않고, 나를 보내신 이의 원대로 하려는 고로 내 심판은 의로우니라."

예수님은 하나님의 권세를 쥐고 태어났지만 '모든 일을 내 마음대로 할 수가 없다. 세상을 심판하는 일도 나를 보내신 이의 원대로 할 뿐'이라고 하신다. 그래서 예수님의 심판은 의롭다.

2011년 2월 10일 발표

〈제23과〉
나의 역사는 아버지께서 증거 하신다

본문 말씀 5:31~47

"31내가 만일 나를 위하여 증거하면 내 증거는 참되지 아니하되 32
나를 위하여 증거하시는 이가 따로 있으니 나를 위하여 증거하시는 그
증거가 참인 줄 아노라. 33너희가 요한에게 사람을 보내매 요한이 진
리에 대하여 증거하였느니라. 34그러나 나는 사람에게서 증거를 취하
지 아니하노라. 다만, 이 말을 하는 것은 너희로 구원을 얻게 하려 함이
니라. 35요한은 켜서 비취는 등불이라 너희가 일시 그 빛에 즐거이 있
기를 원하였거니와 36내게는 요한의 증거보다 더 큰 증거가 있으니 아
버지께서 내게 주사 이루게 하시는 역사—곧 나의 하는 그 역사가 아
버지께서 나를 보내신 것을 나를 위하여 증거하는 것이요. 37또한 나를
보내신 아버지께서 친히 나를 위하여 증거하셨느니라. 너희는 아무 때
에도 그 음성을 듣지 못하였고, 그 형용을 보지 못하였으며 38그 말씀
이 너희 속에 거하지 아니하니 이는 그의 보내신 자를 믿지 아니함이니
라. 39너희가 성경에서 영생을 얻는 줄 생각하고 성경을 상고하거니와
이 성경이 곧 내게 대하여 증거하는 것이로다. 40그러나 너희가 영생
을 얻기 위하여 내게 오기를 원하지 아니하는도다. 41나는 사람에게 영
광을 취하지 아니하노라. 42다만, 하나님을 사랑하는 것이 너희 속에 없
음을 알았노라. 43나는 내 아버지의 이름으로 왔으매 너희가 영접지 아
니하나 만일 다른 사람이 자기 이름으로 오면 영접하리라. 44너희가 서
로 영광을 취하고 유일하신 하나님께로부터 오는 영광은 구하지 아니하
니 어찌 나를 믿을 수 있느냐. 45내가 너희를 아버지께 고소할까 생각
지 말라. 너희를 고소하는 이가 있으니 곧 너희의 바라는 자 모세니라.
46모세를 믿었더면 또 나를 믿었으리니 이는 그가 내게 대하여 기록하
였음이라. 47그러나 그의 글도 믿지 아니하거든 어찌 내 말을 믿겠느냐
하시니라."

요한의 위대한 편집

요한의 편집이 위대하다고 쓴 바 있지만, 5장 공부에서도 편집이 체계적으로 이루어졌음을 본다. 즉 5장 9~18절에서 38년 동안 거동하지 못하고 누워있는 사람에게 "일어나 네 자리를 들고

걸어가라"는 한 마디 말씀으로 병을 치유함으로써 예수님 자신이 하나님의 아들이란 것을 보이시고, 19~30절에서는 **"아들이 아버지의 하시는 일을 보지 않고는 아무것도 스스로 할 수 없나니"** 라고 예수 자신에 대하여 말씀하셨으며, 그 하나님의 아들이 바로 이 땅에 와서 일을 하는데 그 일은 하나님 아버지에게서 보고 익힌 일들을 한다고 자신의 권위를 말씀하신다. 그리고 오늘 공부 31~47절에서 '내가 이루는 역사를 아버지께서 증거하신다'는 말씀—즉, 십자가 죽음을 통해 하늘의 아버지가 인류에게 아들의 생명을 주는 것이 역사(役事)라고 말씀하신다. 이 역사는 앞으로 공부할 6장에서 자신을 생명의 떡으로 비유하며 오천 명에게 나누어 주는 오병이어(五餠二魚)의 기적이 상징적이며, 이 기적은 하나님 아버지께서 장차 십자가상에서 접붙임 하실 상징적인 장면이다.

통상 성서공부 하는 분들이 6장의 물고기 두 마리와 떡 다섯 조각의 기적을 단순한 기적으로만 보는데, 이는 결코 단순한 기적이 아니다. 기적을 통해 접붙임 하실 것을 상징으로 보여주신 장면이다. '손에 놓고 떼어 주시는' 것이 즉 십자가 위에서 예수 그리스도의 몸으로 하나님이 접붙임 하실 것을 보여주신 것이다.

장차 하나님이 당신의 아들을 십자가에 매달고 살을 갈기갈기 찢어서 접붙임 하시는 상징(象徵)적인 모습이다.

예수께서는 '내가 너희를 하늘 백성으로 다시 살게 하는 생명의 떡'이라고 말씀하시며 **"내 살을 먹고 내 피를 마시는 자는 영생을 가졌고 마지막 날에 내가 그를 다시 살리리니"**(6:54)라고 하신다. 이 말씀은 '접붙임 되었기 때문'에 영생을 가졌고, 나의 생명 곧 그리스도의 생명이 믿는 자들에게 있다는 뜻이다. 즉,

그리스도의 생명이 부활 때에 다시 산다는 말씀이다.

바울의 증언과 같이 **"이제 내가 사는 것이 아니라 오직 내 안에 (접붙임으로 오신) 그리스도께서 사신 것"**(갈2:20)이다.

본문 공부

31,2절 "내가 만일 나를 위하여 증거 하면 내 증거는 참되지 아니하되, ◇나를 위하여 증거하시는 이가 따로 있으니 나를 위하여 증거하시는 그 증거가 참인 줄 아노라."

예수께서는 자신에 대하여 직접 증거하지 않는다고 말씀 하신다. 자신이 자신에 대하여 증거 하면 누가 믿겠느냐는 것이다.

자신을 위하여 증거 하시는 이가 따로 있는데, 그 분은 바로 우주 만물의 창조주 아버지시고, 그 분이 증거하신다는 말씀이다.

33,4절 "너희가 요한에게 사람을 보내매 요한이 진리에 대하여 증거 하였느니라. ◇그러나 나는 사람에게서 증거를 취하지 아니하노라. 다만, 이 말을 하는 것은 너희로 구원을 얻게 하려 함이니라."

요한복음 공부 제5과에서 공부한 대로 유대인들이 제사장과 레위인을 세례자 요한에게 보내 **'네가 누구냐?'**(1:19)고 물은 일이 있었다. 그때 세례 요한의 대답은 **'나는 그리스도가 아니라'**고 했었는데, 예수께서는 그것을 상기하신 말씀이다.

너희는 요한에게 진리에 대하여 묻고 증거를 취하였지만, 나는 사람의 증거를 취하지 않는다. 다만, 내가 나에 대하여 이런 말을 하는 것은 **'너희로 하여금 구원 받기를 바라는 마음'** 때문이라고 하신다. 즉, 요한의 증거대로 '나는 너희에게 구원의 생명을 주는 아버지의 아들'이라고 하겠다. 참으로 놀라운 사랑의 말씀이다.

35,6절 "요한은 켜서 비취는 등불이라 너희가 일시 그 빛에 즐거이 있기를 원하였거니와 ◇내게는 요한의 증거보다 더 큰 증거가 있으니 아버지께서 내게 주사 이루게 하시는 역사—곧 나의 하는 그 역사가 아버지께서 나를 보내신 것을 나를 위하여 증거하는 것이요"

'요한은 켜서 비취는 등불' 우리는 제5과 공부에서 '광야에서 외치는 소리'를 공부한 바 있다. 그때 예루살렘의 권력자들과 부자, 기득권자들은 세례자 요한의 소리를 듣고, '저 소리는 새로운 소리인데, 저 사람은 혹시 그리스도가 아니냐?' 하며 구름 사이에서 빛을 보듯 일시나마 그 빛에 즐거워 한 것을 상기한 말이다.

예수 그리스도는 '자신에 대한 증거는 요한이 하였는데, 그 요한의 증거보다 더욱 큰 증거가 있다'고 말씀하신다. 곧 아버지께서 자신을 이 땅에 보내신 것과 자신이 이루어 가는 역사(役事)가 큰 증거라는 말씀이다.

37,8절 "또한 나를 보내신 아버지께서 친히 나를 위하여 증거하셨느니라. 너희는 아무 때에도 그 음성을 듣지 못하였고, 그 형용을 보지 못하였으며 ◇그 말씀이 너희 속에 거하지 아니하니 이는 그의 보내신 자를 믿지 아니함이니라."

"나를 보내신 아버지께서 친히 나를 위하여 증거하셨느니라." 성경에 쓰인 대로 아버지가 나를 보내셨고, 그동안 내가 너희에게 보인 능력들 모두 아버지가 친히 나를 증거하셨다는 말씀이다.

"너희는 아무 때에도 그 음성을 듣지 못하였고, 그 형용을 보지 못하였으며" 너희는 아무 때에나 아버지의 음성을 듣지 못하고, 그 형용을 보지 못하지만, 나는 늘 아버지와 같이 있으므로 대화를 나눈다고 하신다.

'그 말씀이 너희 속에 거하지 아니하니' 나(예수)를 증거하는 (하나님의) 말씀을 믿어야 너희(우리) 속에 생명이 있을 텐데, 너희는 나를 보내신 하나님 아버지를 믿지 않으니 생명이 없다는 말씀이다. 바꾸어 말하면 십자가상에서 아버지가 접붙임을 하시면 우리 속에도 생명이 있게 된다는 말씀이기도 하다.

39절 "너희가 성경에서 영생을 얻는 줄 생각하고 성경을 상고하거니와 이 성경이 곧 내게 대하여 증거하는 것이로다."

유대인들은 자신들이 영생의 길을 찾기 위하여 성서를 보는데, 그 성서는 곧 예수 자신을 이야기하고 있다고 하신다.

'나(예수)를 믿는 것이 영원히 사는 길'이라는 말씀이다. 나(예수)는 진리요 생명이며, 이 생명의 떡을 먹어야 영생 한다는 말씀이다. 그것은 유대인뿐만 아닌 우리를 포함한 모든 인류가 마찬가지다.

40절 "그러나 너희가 영생을 얻기 위하여 내게 오기를 원하지 아니하는도다."

영생을 얻기 위하여 성서를 보면서도 막상 영생의 근원이 되는 생명의 떡을 주겠다고 해도 오지 않는다고 예수께서는 한탄하신다.

여기서 중요한 것은 옛날 유대인들은 영생을 얻기 위하여 성서를 보긴 했지만, 막상 자기들 앞에 있는 예수가 하나님의 보내심을 받은 메시야임은 믿지 않았다.

이런 불신의 현상은 오늘날도 예수 당시의 유대인들과 마찬가지라고 하겠다. 우리 시대의 사람들 또한 영생을 얻기 위해 반드시 필요한 예수 그리스도에 대하여 깊이 생각하지 않기 때문이다. 생명의 근원이신 예수를 깊이 생각하고 자신의 생명으로 영접하여야 우리에게 생명이 있다.

41절 "나는 사람으로 영광을 취하지 아니하노라."

조물주는 우주만물과 인류를 창조하시고 그 운행을 관장하신다. 그런데 창조된 우주 만물은 창조 당시의 모습으로 창조주께 영광을 돌리고 있지만, 오직 만물의 영장이라고 하는 사람들만 늘 하나님 아버지께 등을 보이고 배반하며 살아왔다. 인류의 조상인 아담과 하와가 그랬고 그 후손인 우리가 그렇다.

이런 인류와 하나님 아버지와의 관계가 나누어진 상태를 하나되게 하시려고 예수 그리스도가 오셨는데, 인류가 예수 그리스도를 배척하니 "나는 사람으로 영광을 취하지 아니하노라." 즉, "나는 너희에게서 영광을 취하지 않는다"고 하신다. 이 말씀은 "너희는 다 죄로 물들어 죽을 수밖에 없는 들포도나무 즉, 죄인이기 때문에 나에게 영광을 돌릴만한 생명이 없다"는 말씀과 같다.

42,3절 "다만 하나님을 사랑하는 것이 너희 속에 없음을 알았노라. ◇나는 내 아버지의 이름으로 왔으매 너희가 영접지 아니하나, 만일 다른 사람이 자기 이름으로 오면 영접하리라."

사람에게서 영광을 취하지 않는 이유를 말씀 하신다. "너희 마음속에 하나님을 사랑하는 영이 없다. 곧 너희는 아담의 후손이므로 자연히 들포도나무로 전락되어 있기 때문에 하나님의 영이 없다"는 말씀이다.

"만일 다른 사람이 자기 이름으로 오면 영접하리라." 여기서 무서운 말씀을 하신다. "너희 속에 하나님 아버지의 영이 없으므로 아버지의 영을 가지고 온 나를 알아보지 못하고 영접하지 않고 있지만, '다른 사람이 자기 이름으로 하나님의 아들이라고 한다면 영접할 것'이라는 말씀이다. 다른 사람은 누구인가? 자신들과 꼭 같은 들포도나무가 참포도나무의 가면(假面)을 쓰고 오면 영접할 것이라는 말이다.

44절 "너희가 서로 영광을 취하고, 유일하신 하나님께로부터 오는 영광은 구하지 아니하니 어찌 나를 믿을 수 있느냐?"

"너희가 서로 영광을 취하고" 우리 예수 그리스도를 믿는 사람들이 심각하게 깊이 생각해야 할 말씀을 하고 계신다.

—나는 집사가 되었다!

—나는 기도의 은사를 받았다!

—나는 성서 공부를 위하여 유학을 갔다가 박사 학위를 받았다! 등 현대의 기독교인들은 자랑을 많이 한다.

어떤 사람은 외국인에게서 온 편지를 잡지에 소개하며 스스로 자고(自高)하며 살기도 하고, 또 어떤 사람은 "내가 성서 연구지를 발간하는 것은 하나님의 섭리로, 참으로 복된 일로 생각한다"며 스스로를 자랑하기도 한다.

이런 일들은 예수님이 말씀하시는 '참 생명'과는 관계가 없는 일로, '너희끼리 영광을 취하고 있다'고 지적하신 말씀에 해당한다고 보겠다.

"하나님께로부터 오는 영광은 구하지 아니하니 어찌 나를 믿을 수 있느냐?" 하나님께로부터 오는 큰 은혜는 구하지도 생각하지도 않고, 자기도취에 사는 너희들이 어찌 나를 믿을 수 있느냐고 하신 말씀이다.

45,6절 "내가 너희를 아버지께 고소할까 생각지 말라. 너희를 고소하는 이가 있으니 곧 너희의 바라는 자 모세니라. ◇모세를 믿었으면 또 나를 믿었으리니 이는 그가 내게 대하여 기록하였음이라."

내가 이 땅에 온 목적은 하늘의 새 생명을 주려는 것이지 너희를 하나님 아버지께 고소하려는 것이 아니다. 자기 영광만 취하는 너희를 고소하는 사람은 따로 있다. 그 사람은 '너희가 그토록 자랑하고 내세우는 모세'라고 하신다.

너희가 모세를 그토록 자랑하고 내세우지만, 막상 너희는 그의 말도 따르지 않았다. 모세는 나(예수)에 대하여 기록하였다. 너희가 입으로만 내세우지 않고 모세의 말을 정중히 믿었다면 그가 남긴 나에 대한 기록도 믿었을 것이다.

47절 "그러나 그의 글도 믿지 아니하거든 어찌 내 말을 믿겠느냐 하시니라."

너희는 모세가 기록한 말도 믿지 않는데 하물며 내 말을 너희가 믿겠느냐는 책망 섞인 탄식의 말씀이다.

이 말씀 안에는 '너희가 계속 나를 믿지 않는다면 너희는 오로지 독사의 새끼 아담의 자식으로 남을 뿐'이라는 말씀과 '아담의 자식인 들포도나무를 참포도나무의 진액으로 접붙임을 하려고 내 아버지가 하늘나라에서 나를 이 땅 곧 들포도나무 농장에 보내셨다'는 말씀이 은연중 들어있다고 하겠다.

2011년 3월 10일 발표

사진 : 신장용 작가

〈공부 2주년 특집〉

다시 돌아보는 '만남'

—요한복음 공부 2주년을 맞아 주요 내용들을 간추려 특집으로 엮는다.—

이 땅의 모든 동·식물과 자연은 하나의 「만남」이란 원리로 예수 그리스도의 십자가 접붙임의 진리가 이루어짐을 성서와 과학이 증언하고 있다.

하나님의 말씀과 선지자가 **'만남'**으로써 이 땅에 하나님의 진리가 전해지게 되었다. 수천 년에 걸쳐 선지자들에게 하나님의 계시(啓示)가 임(臨)하므로 하나님의 뜻이 전해지고 또 전해져서 성서라는 책이 완성되었다.

아주 오래 전부터 하나님의 예언의 말씀이 선지자들에게 임하였으며, 선지자들은 그 말씀들을 기록으로 남겨 왔는데, 그 기록들이 바로 우리가 지금 읽고 보는 성서이다. 이 기록들은 귀중한 하나님의 말씀을 남겨야 한다는 선지자들의 의무감에서 기록된 진리임에 틀림없다.

대표적인 예언서는 이사야서라고 할 수 있는데, 이사야서는 이렇게 시작하고 있다. **"히스기야 시대(時代)에 아모스의 아들 이사야가 유다와 예루살렘에 대(對)하여 본 이상(異像)이라."**(사 1:1)

하나님이 보여주신 이상과 이사야가 '만남'으로써 이사야의 영혼이 감응되어 앞날에 대한 언어의 싹이 트고, 그 싹이 살아 숨을 쉼으로 예언의 말이 되어 밖으로 표출하게 되었고, 그 것을 기록한 책이 이사야서이다.

예레미야서도 마찬가지이다. "아몬의 아들 유다 왕(王) 요시야의 다스린 지 십삼 년에 여호와의 말씀이 예레미야에게 임하였고, 요시야의 아들 유다 왕 여호야김 시대부터 요시야의 아들 유다 왕 시드기야의 제 십일년 말까지 임하니라.~"(렘1:2,3) 이처럼 수년에 걸쳐 하나님의 말씀이 임하여 예레미야와 '만남'으로써 예레미야서가 쓰이게 되었다.

아모스서 또한 마찬가지이다. "드고아 목자 중 아모스가 이스라엘에 대(對)하여 묵시(黙示) 받은 말씀이라."(암1:1) 여기에서도 여호와의 말씀이 아모스에게 임함을 보는 것이다. 그 말씀이 아모스의 감성과 '만남'으로써 무한한 상상력에서 새로운 언어인 예언의 말이 만들어져 표현된 것이다.

이처럼 모든 예언서는 하나님의 말씀과 선지자들의 감성이 '만남'으로써 기록되어 성서로 남게 되었다.

증언서도 '만남'으로 쓰여졌다

바울은 사회, 과학, 문학, 신학, 철학 등 여러 분야에 밝은 그 시대 최고의 학자요 지식인이었다. 그렇게 높은 지식을 가진 바울이었으며, 그는 예수 사후의 초기 기독자들을 핍박하는 데에 앞장선 사람이었다. 그런 그가 다메섹에서 예수 그리스도를 만남으로써 사울이었던 사람이 바울이란 이름으로 최고의 증언자로 서게 되는 것이다.

"사울이 행하여 다메섹에 가까이 가더니 홀연히 하늘로부터 빛이 저를 둘러 비추는지라 땅에 엎드러져 들으매 소리 있어 가라사대 '사울아 사울아! 네가 어찌하여 나를 핍박하느냐?' 하시거늘 대답하되 '주(主)여 뉘시오니까?' 가라사대 '나는 네가 핍박하는 예수라. 네가 일어나 성으로 들어가라. 행할 것을 네게 이를 자가 있느니라.' 하시니 같이 가던 사람들은 소리만 듣고 아무도 보지 못하여 말을 못하고 섰더라. 사울이 땅에서 일어나 눈을 떴으나 아무 것도 보지 못하고 사람의 손에 끌려 다메섹으로 들어가서 사흘 동안을 보지 못하고 식음을 전폐 하니라."(행 9:3~9)

여기서 우리가 주목해야 할 것은 '사흘 동안을 보지 못하고 식음을 전폐'한 부분이다.

이 사흘 동안에 사울의 마음은 '예수 그리스도와의 만남'으로 요동치고 있었다. 그리고 새로운 증언의 말들이 생성(生成)되어 전하게 된 것이 바울의 증언서이다.

높은 학문을 가진 바울! 그 학문과 예수 그리스도와의 만남으로 위대한 증언서가 여러 가지의 방향으로 논리화되어 나오게 된 것이다. 신약의 어떤 책도 이 증언서(證言書)를 뛰어 넘는 것이 없다.

통상 사람들은 성서 말씀이 하나님의 말씀이라고 이야기한다. 그런데 그 성서 문자만으로는 절대로 하나님의 말씀이 될 수 없다. 성서 말씀과 사람이 '만남'으로써 성서 말씀은 하나님의 말씀이 되고, 성서와 사람이 만남으로써 믿음이 생성되는 것이다. 즉, 우리가 성서 안에서 하나님과 '만남'으로 그리스도인으로 생성되어지는 것이다.

창조의 원리는 만남

하나님은 '어떻게 사람을 지으셨는가?'

하나님이 하늘과 땅과 바다를 지으시고, 그 위의 생물을 지으실 때 모든 것을 말씀으로 창조를 하셨다. 그러나 오직 '사람'만은 말씀이 아닌 행동으로 지으셨음을 본다.

"여호와 하나님이 흙으로 사람을 지으시고 생기를 그 코에 불어 넣으시니 사람이 생령이 된지라."(창2:7)

말씀처럼'흙과 생기의 만남으로써 첫 인간인 아담이 창조되었다. 인간창조는 만남으로 이루어진 것이다. 즉, 하나님의 생기와 흙의 만남이 창조의 원리이다. 하와도 만남으로 지음을 받았다. 아담의 갈빗대와 하나님의 생기가 만남으로 하와가 지음을 받은 것이다. 하나님이 아담에게서 갈빗대를 취(取)하는 순간 하나님과 갈빗대의 만남이 이루어진 것이다.(창2:22)

'아담과 하와의 만남'은 생육의 본능이요, 사랑의 만남이다. 서로의 반신(半身)으로의 만남이다. 아담과 하와의 만남은, 피조물과 피조물의 만남이다. 피조물끼리의 첫 만남인 것이다. -요한복음 공부 1과에서-

모든 동 · 식물의 생육 번성은 만남

처음 아담 창조의 원리가 자연과 모든 동 · 식물과 인류의 생육 번성의 원리요, 진리이다.

"하나님이 가라사대 땅은 풀과 씨 맺는 채소와 각기 종류대로 씨 가진 열매 맺는 과목을 내라 하시매 그대로 되어 ◇땅이 풀과 각기 종류대로 씨 맺는 채소와 각기 종류대로 씨 가진 열매 맺는 나무를 내서 하나님의 보시기에 좋았더라."(창1:11,12)

위의 자연 창조의 원리는 「흙과 생기의 만남」이 기본 원리이다. 식물이 꽃을 피우고 향기를 내면 벌 · 나비가 날아와 꽃의 꿀을 빨면서 몸에 꽃가루를 묻히게 되고, 벌 · 나비는 다른 꽃으로 가서 꽃가루를 전해줌으로 씨앗을 맺고 생육, 번성하도록 창조하셨다. 이것들이 다 만남의 원리로 생육하고, 번성한다는 사실이다.

"하나님이 가라사대 물들은 생물로 번성케 하라. 땅 위, 하늘, 궁창에는 새가 날으라 하시고, ◇하나님이 큰 물고기와 물에서 번성하여 움직이는 모든 생물을 종류대로, 날개 있는 모든 새를 그 종류대로 창조 하시니 하나님 보시기에 좋았더라."(창 1:20,21)

공중과 물속에도 새와 물고기를 창조하시고, 이들에게도 생육하고 번성하라 하셨는데, 모두가 만남으로 생육하고 번성하게 창조되었다는 것은 누구나 알 것이다.

만남의 원리는 공중에서도 통하고 있다. 땅에서 수증기가 공중에 올라가 찬 공기와 만남으로써 비나 눈이 형성되어 내린다.

20세기에 들면서 비약적으로 발전한 공업도 알고 보면 만남의 원리에서 벗어난 것이 하나도 없다. 만남의 원리를 적용하지 않으면 공업 또한 있을 수 없다는 것이다. 만남이 있어야 세상 만물은 생육하고 번성하는 것이다. 이것이 모두 창조의 원리이자, 예수 그리스도의 인류의 구원의 진리이다. 그래서 '만남은 세상 만물의 진화의 원리요, 생육 번성의 원리이며, 인류 구원의 진리이다.

문화도 만남으로 생성(生成)

우리가 사용하는 글자도 하나하나가 만남으로 만들어진다. 만들어진 글자와 글자가 만남으로 새로운 단어가 생성(生成)되는

것이다.

예를 들면 아버지 + 어머니=부모란 단어가 생성된다 여자와 남자가 만나면'부부란 말이 생성되어 진다. 글자 자체도 만남으로 생성(生成)되어진다. 계집 녀(女)와 아들 자(子)가 만나면 좋을 호(好)자가 만들어진다.

인류 사회가 만들어가는 문화도 만남으로 새로운 문화가 형성되어 이어져 간다는 것이다. 한국의 전통문화와 서양문화가 만나 새로운 문화가 형성되어진 것이 그것이다. -이상 "우리가 먹어야 할 생명의 떡"에서-

이사야, 예수 그리스도, 바울의 말씀을 각각 생각해 보기로 하자.

최고의 예언자 이사야

구약 성서에는 많은 예언자가 있다. 그 중에서 최고의 예언자 '이사야'는 처음 창조되었을 때의 인류를 '극상품 포도나무'로 표현하고 있다. 그러나 아담이 선악과를 따먹은 후 에덴에서 추방당하여 고통의 땅에서 살게 된 아담과 그 후손들을 "들포도나무"로 표현한다. '땅을 파서 돌을 제하고 극상품 포도나무를 심었었도다. 그 중에 망대를 세웠고 그 안에 술틀을 팠었도다. 좋은 포도 맺기를 바랐더니 들포도를 맺혔도다.'(사5:2) 라고 하였다. 인류가 들포도로 되었다고 탄식하고 있는 것이다. 왜 이사야가 탄식하였을까? 인류가 들포도나무로 전락하여 인류라는 농장에 들포도나무만 무성함을 보고 탄식하는 것이다.

예수 그리스도

인류를 하나님의 생명으로 새롭게 하시려고 오신 예수 그리스도께서는 '떡집'의 아들로 왔다. '베들레헴'이란 이름에는 '떡집'이라는 뜻이 있다고 한다. 예수는 떡집 아들로 이 땅에 오신 것이다. 이 떡은 사람의 영혼의 생명을 영원히 살린다. 유대인들의 광야 생활 사십년 동안 하늘에서 내린 '만나'가 사람의 육의 생명을 살리는 떡이었다면 예수 그리스도가 자신의 몸을 십자가상에서 갈기갈기 찢어 접붙임의 가지로 주신 떡은 우리의 영혼을 영원히 살게 하는 생명의 떡이다.

사십년 광야의 '만나'는 장차 십자가상에서 예수의 몸을 떡으로 떼어서 주시는 것을 상징으로 보여주신 것이다. 만나가 이스라엘 백성의 생명을 살렸다면, 예수 그리스도의 생명은 온 인류의 영혼을 살리는 생명의 떡이다.

예수 그리스도는 하나님 품속에 계시던 분이다. '본래 하나님을 본 사람이 없으되 아버지 품속에 있는 독생하신 하나님이 나타내셨느니라.'(요1:18) 그래서 예수 그리스도는 하나님이시요, 예수의 살은 생명의 떡이다.

유대인들이 5병2어의 기적을 보고 예수께 말하였다. '저희가 가로되 '주여 이 떡을 항상 우리에게 주소서.'(요6:34) 당신의 능력으로 육의 주림을 해결해 달라는 말이다. 이에 예수께서는 '내가 곧 생명의 떡이니 내게 오는 자는 결코 주리지 아니할 터이요, 나를 믿는 자는 영원히 목마르지 아니하리라.'(요6:35)고 하신다. 그리고 53,54절에서는 '내가 진실로, 진실로 너희에게 이르노니 인자의 살을 먹지 아니하고 인자의 피를 마시지 아니하면 너희 속에 생명이 없느니라. ◇내 살을 먹고 내 피를 마시는 자는 영생을 가졌고, 마지막 날에 내가 그를 다시 살리리니' 라고 하신다. 자신의 살과 피를 먹어야 생명이 있고 마지막 날에 다시 살리신다는 말씀이다.

예수께서는 위의 말씀을 하시기 전(前)에 떡 다섯 개와 생선 두 마리로 오천 명을 먹이셨는데, 성서 공부하는 사람들은 이 기적을 하나같이 단순한 기적으로만 치부하고 있다. 하지만, 그건 결코 아니다. 이 기적을 통해 예수 그리스도는 당신이 장차 겪게 될 십자가 사건에서 당신의 살과 피를 갈기갈기 찢어 나누어 주실 것을 미리 보여주신 것이다. 오천 명의 군중은 인류 전체를 뜻한다. 또한 보리떡 다섯 개로 오천 명이 먹고도 남은 떡이 열두 바구니에 가득했다는 것은 세상의 모든 사람을 접붙임하고도 남는다는 것을 보여주신 것이다.

여기서 떡은 예수 그리스도의 몸을, 떡을 떼어 주시는 분은 하나님을 상징한다.

위에서 예수께서는 자신의 살과 피를 먹어야 생명이 있다고 하셨다. 이 말씀 또한 예수 그리스도의 살과 피로 접붙임 받아야 한다는 말씀으로, '나는 참포도나무, 너희는 가지", "내가 참포도나무요, 내 아버지는 그 농부'라고 하셨다.

바울의 증언을 생각함

증언자 바울은 '천국 백성이 되는 길은 접붙임을 받는 길 뿐'이라고 떡을 먹는 방법론을 제시하고, '접붙임 하실 능력이 하나님께 있다.'(롬11:23)고 증언하고 있다.

십자가 사건은 하나님이 접붙임 하시는 사건이다. 증언자 바울은 '내가 그리스도와 함께 십자가에 못 박혔나니 그런즉 이제는 내가 산 것이 아니요, 오직 내 안에 그리스도께서 사신 것'(갈 2:20)이라고 자신도 강도의 모습으로 십자가상에서 죽었다고 증언한다. 바울이 십자가 사건을 대속으로 보았다면 자신이 십자가에 못 박혀 죽었다고 하지 않았을 것이다. 대속이라면 예수만 죽고, 바울 자신은 죽지 않아야 되기 때문이다. 그런데 앞에서 보았듯이 바울 자신은 그리스도와 함께 십자가에 못 박혀 죽었으니 오직 자신 안에 그리스도께서 사실 뿐이라고 고백하고 있으니 십자가 사건을 접붙임으로 보았음에 틀림없다.

예수 그리스도는 '떡집' 아들로 오셔서 자신을 '생명의 떡'이라고 하셨는데, 그 생명의 떡을 먹는 방법은 "접붙임의 방법으로 예수 그리스도를 내 안에 모시는 것"이다. 십자가상에서 강도의 모습으로 둥치가 절단된 들포도나무인 우리는 죽임을 당하고, 하나님의 아들인 예수 그리스도는 죽임을 당하는 십자가 위에서도 뼈가 하나도 상함이 없이 살과 피를 우리에게 주셨으니 우리는 접붙임을 받아 생명의 떡을 그저 먹기만 하면 되는 것이다.

접붙임에는 원목은 필요하지 않기 때문에 십자가의 죽음에서 예수의 뼈가 단 하나도 꺾이지 않았고, 두 강도는 두 발이 절단되었으며, 접붙임의 일은 농부이신 하나님이 하신다.

성서의 예언자 중 최고의 예언자라고 할 수 있는 이사야는 왜 '인류를 들포도나무'(사5:2)로 비유하였을까?

예수께서는 왜 '나는 참 포도나무, 너희는 가지'(요15:5)라고 하셨을까?

증언자 바울은 왜 '저희를 접붙이실 능력이 농부인 하나님께 있다'(롬11:23)고 하였을까?

위의 세 말씀을 뜯어보면 하나로 연결됨을 알 수 있다. 이사야는 인류를 "들포도나무 농장"으로 보았다. 참포도는 간 곳 없고 들포도나무만 무성한 농장! 하나님은 이 들포도나무 농장에 당신의 품속에 있던 독생자 예수 그리스도를 참포도나무로 심으셨다. 바울의 증언대로 접붙임의 가지를 얻고자 하신 것이다.

참고한다면, 바울은 접붙임의 대상을 포도나무 대신 감람나무(롬11:24)를 예로 들고 있으나 접붙임의 의미는 달라지지 않는다.

창조물이 병들면 치유는 접붙임

창조의 원리는 만남이요, 창조물이 병들면 치유나 개량은 "접붙임의 만남"으로써 되는 것을 우리는 본다.

자연(自然)과 모든 동 · 식물은 하나님의 섭리대로 예수 그리스도의 십자가 접붙임의 진리를 증언(證言)하고 있다.

인류를 포함한 자연과 모든 동 · 식물의 창조의 원리는 「만남」임을 성서는 보여주고 있다. 만남으로써 창조되고 번성하는 것이다. 또한 사람과 모든 동 · 식물들이 병들면 그 치유와 개량 또한 접붙임의 만남으로 회복할 수 있음을 보는 것이다. 앞에서 예로 나온 들포도나 돌감람나무가 접붙임을 받으면 참포도나무나 참감람나무로 변하는 이치와 같다고 하겠다.

20세기 이후 의학이 빠르게 발달하였지만 그럴수록 접붙임의 진리가 증명되고 있음을 볼 수 있다. 사람의 신장(腎臟)이 병들어 못 쓰게 되면 그 신장을 잘라내고 그 자리에 병들지 않은 사람의 신장을 갖다 붙이는데, 이 수술이 바로 "접붙임의 만남"을 바탕으로 한 신장이식수술이다.

여기서 병자는 우리 인류요, 나 자신과 여러분이다. 신장을 제공하는 사람은 예수 그리스도를 상징하고, 이식 수술을 담당하는 의사는 농부인 하나님을 나타낸다. 이렇게 우리 인간의 육체도 접붙임의 복음을 증언하고 있다.

이천년 전에 예수 그리스도와 같이 죽은 강도! 강도는 죄인의 상징이다. 십자가 사건은 하나님이 예수 그리스도의 참생명을 인류에게 접붙임 하는 사건이었던 것이다.

전지전능의 하나님께 진정으로 찬미와 감사를 올립니다

만물의 창조주 하나님은 '만남'이라는 하나의 원리로 우주 만물을 만드시고, 인류를 창조하셨음을 보았다. 아담의 죄로 물든 인류가 원래의 모습인 극상품 포도나무로 돌아가는 길은 창조의 원리인 "접붙임의 만남"으로써 "십자가의 접붙임" 뿐임도 보았다. 이와 관련하여 예수 그리스도께서는 자신에 대하여 여러 가지로 말씀하셨다.

나는 참포도나무.

나는 길이요 진리요 생명.

나는 새 생명의 떡이니 내 살과 피를 먹어야 너희에게 나의 생명이 있다.

나를 영접하는 자는 하나님의 자녀가 된다.

나는 세상에 새 생명을 밝히는 빛.

나는 새 생명의 씨앗.

이처럼 여러 가지로 예를 들어 말씀하고 계신다. 우리는 이 말씀들을 받아들이고 믿는 것이다.

여기서 그리스도인들이 깊이 생각해야 할 부분이 있다. 신장병 환자가 신장을 이식받고 싶어도 뜻대로 이식수술을 받을 수 없다는 것이다. 이식수술을 받기 위해서는 두 가지 필요조건이 충족되어야 하기 때문이다.

첫째, 신장을 제공해 줄 생명의 은인(恩人)이 있어야 한다. 우리에게 은인은 예수 그리스도이다.

둘째, 의술이 높은 의사를 만나야 수술이 성공 할 수 있다. 그리스도인에게는 의술이 높으신 하나님이 계신다.

인류의 주인인 창조주는 당신의 아들 예수 그리스도 곧 참포도나무를 들포도나무 농장에 보내시어 들포도나무 농장인 세상 한가운데 심으셨다. 그리고 접붙임의 일은 농부인 아버지 하나님께서 하시는 것이다. 증언자 바울은 '(돌감람나무인) 내가 그리스도와 함께 십자가(十字架)에 못 박혔나니 그런즉 이제는 (돌감람나무인) 내가 산 것이 아니요, 오직 내 안에 (참감람나무) 그리스도께서 사신 것이라. 이제 내가 육체 가운데 사는 것은 나를 사랑하사 나를 위하여 자기(自己) 몸을 버리신 하나님의 아들을 믿는 믿음 안에서 사는 것'(갈2:20, 괄호 안은 필자 삽입) 이라고 하였다.

그래서 우리 안에 참감람나무 그리스도께서 사신다는 것을 바울은 새로운(新) 창조로 보고 '그런즉 누구든지 그리스도 안에 있으면 새로운 피조물이라. 이전 것은 지나갔으니 보라, 새것이 되었도다." 라고 외치고 있다.

위에서 본 대로 들포도나무인 우리 자신은 스스로 접붙임 할 수 없고 농장 주인이 접붙임의 일을 하시는 것이다. 우리의 주인! 창조주 하나님이 우리에게 당신의 생명을 주시어 하늘에 속하는 사람으로 다시 살게 하시는 것이다.

즉, 아들이란 이름으로 예수 그리스도의 생명의 피를 우리에게 흘려주셨고, 예수 그리스도의 생명으로 '인류'라는 농장에 있는 모든 들포도나무를 접붙임 하시는 일을 하나님이 하셨다. 이것이 은혜요, 우리를 하늘 백성으로 되게 하시는 큰 역사이다.

성부, 성자, 성신—성 삼위께서는 우리 인류! 여러분과 나를 위하여 일하고 계신다. 우리 기독자들은 이 사실을 믿는 것이다. 증언자 바울은 '**옳도다. 저희는 믿지 아니하므로 꺾이우고, 너는 믿으므로 섰느니라.**'고 하였다.

바울은 또 '**이는 만물이 주에게서 나오고, 주로 말미암고, 주에게로 돌아감이라. 영광이 그에게 세세에 있으리로다.**'(롬11:36)라고도 하였다.

「만남」! '흙과 하나님의 생기의 만남'으로 아담이 창조되고, 그 아담을 창조한 원리가 모든 창조물 생성(生成)의 원리이며, 이 '만남'으로 우주만물을 창조하였음을 우리는 보았으며, 십자가의 접붙임의 만남은 하나님의 나라로 돌아가는 진리임도 보았다. 그래서 예수 그리스도의 '십자가 접붙임의 만남'이라는 진리가 우뚝 서 있는 것이다.

「만남」이라는 하나의 진리로 천지를 창조하시고, 인류 구원을 이루신 전지전능하신 하나님을 찬양합니다.

2011년 4월 10일 발표

〈제24과〉
모든 인류에게 생명의 떡을 떼어 주심

본문 말씀 6:1~15

"1그 후에 예수께서 갈릴리 바다 곧 디베랴 바다 건너편으로 가시매
2큰 무리가 따르니 이는 병인들에게 행하시는 표적을 봄이러라. 3예수
께서 산에 오르사 제자들과 함께 거기 앉으시니 4마침 유대인의 명절인
유월절이 가까운지라 5예수께서 눈을 들어 큰 무리가 자기에게로 오는
것을 보시고 빌립에게 이르시되 '우리가 어디서 떡을 사서 이 사람들로
먹게 하겠느냐?' 하시니 6이렇게 말씀하심은 친히 어떻게 하실 것을
아시고 빌립을 시험코자 하심이라. 7빌립이 대답하되 '각 사람으로 조
금씩 받게 할찌라도 이백 데나리온의 떡이 부족하리이다.' 8제자 중 하
나 곧 시몬 베드로의 형제 안드레가 예수께 여짜오되 9'여기 한 아이가
있어 보리떡 다섯 개와 물고기 두 마리를 가졌나이다. 그러나 그것이
이 많은 사람에게 얼마나 되겠삽나이까.' 10예수께서 가라사대 '이 사
람들로 앉게 하라.' 하신대 그 곳에 잔디가 많은지라 사람들이 앉으니
수효가 오천쯤 되더라. 11예수께서 떡을 가져 축사하신 후에 앉은 자들
에게 나눠 주시고 고기도 그렇게 저희의 원대로 주시다 12저희가 배부
른 후에 예수께서 제자들에게 이르시되 '남은 조각을 거두고 버리는 것
이 없게 하라.' 하시므로 13이에 거두니 보리떡 다섯 개로 먹고 남은
조각이 열 두 바구니에 찼더라. 14그 사람들이 예수의 행하신 이 표적
을 보고 말하되 '이는 참으로 세상에 오실 그 선지자라' 하더라. 15그
러므로 예수께서 저희가 와서 자기를 억지로 잡아 임금 삼으려는 줄을
아시고 다시 혼자 산으로 떠나가시니라."

예수 그리스도의 십자가 길의 이정표

'모든 길은 로마로 통한다'는 말이 있다. 이 말을 바꾸면 '모든 길의 이정표는 로마를 안내하고 있다'고도 할 수 있겠는데, 성경 안에도 이정표 역할을 하는 부분이 있어 '예수 그리스도의 십자가의 길을 안내하고 있다'고 할 수 있다.

그래서 성서를 읽는 사람은 성경 속에 표시된 십자가의 길을 안내하는 이정표를 잘 보아가며 읽을 때에 성경이 제시하는 진리를 바르게 볼 수 있다.

요한복음서에서 중요한 이정표 대목을 든다면

첫째, "모세가 광야에서 뱀을 든 것 같이 인자도 들려야 하리니"(3:14)

둘째, "마침 유대인의 명절인 유월절이 가까운지라"(6:4)

위의 두 말씀을 들 수 있겠으나 여기에서는 오늘 공부하는 6장 4절의 "유월절"의 의미에 관하여 본문 공부에 앞서 짚어보기로 한다.

유월절의 의미

유월절은 우리가 성경을 읽으면서 십자가의 진리를 찾아가는 데에 매우 중요한 이정표가 되고 있다.

"이 달 십사일까지 간직하였다가 해 질 때에 이스라엘 회중(會衆)이 그 양을 잡고 ◇그 피로 양을 먹을 집 문(門) 좌, 우 설주와 인방에 바르고 ◇그 밤에 고기를 불에 구워 무교병과 쓴 나물과 아울러 먹되 ◇날로나 물에 삶아서나 먹지 말고 그 머리와 정강이와 내장을 다 불에 구워 먹고"(출 12:6~9)

유월절에 양을 잡아먹는 것은 하나님이 모세를 통해 애굽의 모든 백성과 짐승의 맏이를 죽게 하는 재앙을 내리게 되었을 때 이스라엘 민족이 이 재앙을 피해가는 방법으로 양을 잡아먹고, 그 양의 피를 방문 앞의 인방에 바름으로 해서 그 집 안의 사람은 죽이지 않고 재앙의 사자가 그냥 지나간 것을 기념하는 전통적

의식이다. 그런데 양을 잡아먹을 때에 뼈는 하나도 상함이 없이 살만 먹으라고 율법은 가르치고 있다.

"아침까지 그것을 조금도 남겨두지 말며 그 뼈는 하나도 꺾지 말아서 유월절 모든 율례대로 지킬 것이니라."(민9:12)

"그 모든 뼈를 보호하심이여 그 중에 하나도 꺾이지 아니하도다."(시34:20)

유월절에 어린 양을 잡아먹되 그 뼈는 하나도 꺾지 말라는 엄명이다.

예수 그리스도는 어린 양으로 이 땅에 오셨는데, **'보라 하나님의 어린 양이로다.'**(요한 1:29) 라며 예수를 어린 양으로 처음 부른 사람은 세례요한이다.

세례요한이 예수 그리스도를 어린 양으로 본 것은 희생양으로 보았기 때문이다. 애급의 바로 왕 밑에서 이스라엘 민족이 구원받기위하여 어린 양이 희생되었던 것처럼 세례 요한은 장차 예수 그리스도의 살과 피를 인류가 먹고 구원받게 될 줄을 알고 어린 양이라 하였던 것이다.

그런데 예수 그리스도는 "나는 참포도나무"라고 말씀하신다. 그렇다면 예수 그리스도는 어린 양이면서 참포도나무이다. 어린 양이란 표현은 구약의 유월절 양을 이어받기 위함이요, 참포도나무는 신약의 진리를 바르게 설명 하시려고 참포도나무로 표현하신 것이다.

덧붙여 설명하면 구약의 유월절 '어린 양'과 예수가 말씀하신 신약의 '참포도나무' 사이에 필요한 것이 5절 이하의 '떡 기적' 이다. 떡 다섯 개로 오천 명에게 떡을 떼어 나누어 주는 이 기적은 곧, 십자가상에서 하나님이 예수 그리스도라는 생명의 떡을 당신의 손에 놓고 떼어 접붙임 하시는 것을 미리 보여주신 상징이다.

만일 예수 그리스도의 십자가 사건이 '대속, 속죄'의 죽음이라면 어린 양의 고기를 살만 발라 먹는 기사는 필요하지 않게 된다. 양의 피를 인방에 발라 표시하면 되는 것이다. 구약의 어린 양을 먹듯, 신약의 예수의 살과 피로 접붙임 받아야 우리에게 예수의 생명이 있는 것이다. 그래서 '대속'이 아니라 '접붙임의 만남'이다.

본문 말씀 공부

1,2절 "그 후에 예수께서 갈릴리 바다 곧 디베랴 바다 건너편으로 가시매 ◇큰 무리가 따르니 이는 병인들에게 행하시는 표적을 봄이러라."

5장 47절에서 예수님이 유대인들에게 **"그(모세)의 글도 믿지 아니하거든 어찌 내 말을 믿겠느냐?"**고 책망하신 그 후라고 읽으면 좋겠다.

예수께서 디베랴 건너편으로 가시니 주변에는 큰 무리가 모여들었는데, 그 이유는 예수께서 병자들을 치유하시는 기적을 사람들이 보았기 때문이다.

3,4절 "예수께서 산에 오르사 제자들과 함께 거기 앉으시니 ◇마침 유대인의 명절인 유월절이 가까운지라"

산에 오른 예수를 따라 많은 사람이 모여들었음으로 멀리서도 잘 보이도록 산으로 올라 높은 곳에 자리를 잡았는데, 시절은 곧 유월절이었다.

3-5절 기사에서 4절을 빼도 기사는 자연스럽게 연결 된다. 그런데 요한이 편집 과정에서 4절을 넣은 것은 방향의 표시—즉, 이정표가 필요했기 때문이다. 어린 양고기와 무교병을 먹는 전통의 유월절을 앞두고 오천 명의 무리에게 떡을 떼어주어 먹게 함으로써 이 떡은 유월절의 의미와 같다는 것을 나타내고 있다.

5,6절 "예수께서 눈을 들어 큰 무리가 자기에게로 오는 것을 보시고 빌립에게 이르시되 '우리가 어디서 떡을 사서 이 사람들로 먹게 하겠느냐?' 하시니 ◇이렇게 말씀하심은 친히 어떻게 하실 것을 아시고 빌립을 시험코자 하심이라."

양떼가 목자를 따르는 것처럼 많은 사람들이 모여든 바, 마침 유월절이 가까웠음으로 예수께서는 그들에게 음식을 먹이고자 하여 제자 빌립에게 물으신다.

그러나 예수께서는 이미 어떤 일을 하실 것인가를 아시지만, 제자인 빌립은 과연 어떤 대답을 할 것인가? 그 대답을 들어보기 위함이었다.

7절 "빌립이 대답하되 '각 사람으로 조금씩 받게 할찌라도 이백 데나리온의 떡이 부족하리이다.'"

빌립은 이 사람들에게 조금씩 먹이더라도 "이백 데나리온" 값의 떡이 있어야 한다고 대답하였다. 그렇다면 이백 데나리온의 가치는 얼마나 될까? 성서학자들은 예수님 당시의 장정 하루 품값이 '1데나리온' 정도라고 하였으니 얼추 장정 이백 명의 품삯이라고 하겠다. 그런데 이백 데나리온 어치의 떡도 부족할 것이라는 빌립의 대답이다.

8,9절 "제자 중 하나 곧 시몬 베드로의 형제 안드레가 예수께 여짜오되 ◇'여기 한 아이가 있어 보리떡 다섯 개와 물고기 두 마리를 가졌나이다. 그러나 그것이 이 많은 사람에게 얼마나 되겠삽나이까."

군중 속을 둘러본 '안드레'가 스승에게 말씀을 드린다. "보리떡 다섯 개와 물고기 두 마리를 가진 아이가 있는데 이것이 얼마나 도움이 되겠습니까?" 누가 보아도 성인 한 사람의 한 끼니 식사감에 지나지 않는 양이다.

10절 "예수께서 가라사대 '이 사람들로 앉게 하라' 하신대 그 곳에 잔디가 많은지라 사람들이 앉으니 수효가 오천쯤 되더라."

이스라엘 백성은 광야 생활 사십 년 동안 식량이라곤 하나도 없었지만, 하나님은 이들에게 만나를 내려 먹게 하셨는데, 하나님의 아들인 예수에게 보리떡 다섯 개와 물고기 두 마리는 좋은 재료가 아닐 수 없다. 그래서 예수는 제자들에게 사람들로 무리지어 잔디 위에 앉게 하라고 이르시는데, 사람들이 무리지어 앉고 보니 그 수효가 약 오천쯤 되더라고 했다.

11절 "예수께서 떡을 가져 축사하신 후에 앉은 자들에게 나눠 주시고, 고기도 그렇게 저희의 원대로 주시다"

예수께서 떡을 들어 축사하신 후 떡을 떼어 나눠 주시고, 고기도 그렇게 저희가 원하는 대로 주셨다.

성서 공부하는 우리는 깊이 생각 할 일들이 있다. '떡을 직접 떼어 주신 것은 장차 제자들과의 최후의 만찬에서 떡을 떼어 주실 것과, 십자가상에서 예수 자신의 몸을 하나님이 자신의 손에 놓고 떼어 접붙임 하실 것을 상징으로 보여주신 것'이라 하겠다.

12,3절 "저희가 배부른 후에 예수께서 제자들에게 이르시되 '남은 조각을 거두고 버리는 것이 없게 하라' 하시므로 ◇이에 거두니 보리 떡 다섯 개로 먹고 남은 조각이 열두 바구니에 찼더라."

이날 떡을 떼어주신 것은 장차 다가올 접붙임의 상징으로 당신의 살을 찢어 나눠 준 것이나 마찬가지이기에 남은 떡을 버리지 말고 거두라고 하신 것이다.

제자들이 스승의 지시대로 오천 명이 먹고 남은 떡 조각을 거두니 그 떡 조각이 열 두 바구니에 가득 찼다고 하였다. 여기에서 열둘은 완전수로써 이스라엘 민족 열두 지파를 나타내기도 하지만, 인류의 온 족속을 나타낸다고 보아도 상관없겠다.

14절 "그 사람들이 예수의 행하신 이 표적을 보고 말하되 '이는 참으로 세상에 오실 그 선지자라' 하더라."

예수의 떡 기적을 본 유대인들은 놀란다. "세상에 저런 능력자도 있구나. 저 사람이야 말로 성경에 쓰여진 세상에 오실 그 선지자!" 라며 입들을 모은다. 거기에 모인 사람들 모두가 단순한 떡 기적으로만 본 것이다.

인류역사에서 이 떡 기적을 바르게 읽은 사람은 유대인들 말고도 단 한 사람도 없었다. 어거스틴이나 루터가 그랬고, 내촌감삼도 단순한 떡 기적으로만 보았을 뿐이다.

어느 분은 심지어 4절 말씀과 결부시켜「유월절에 예루살렘 성전에 가기 위하여 군중이 가는 도중에 예수의 떡 기적이 있어 사람들이 5천명이나 모여들었다」고도 하였다.

그러나 아니다. 십자가상에서 인류 모두에게 예수 그리스도의 생명의 살을 찢어 접붙임 하실 것을 미리 상징으로 보여주신 것이다. 오천 명이라는 숫자는 인류 모두를 나타내고 있다.

15절 "그러므로 예수께서 저희가 와서 자기를 억지로 잡아 임금 삼으려는 줄을 아시고 다시 혼자 산으로 떠나가시니라."

예수의 표적을 본 무리는 물질적인 것만 생각하여 "세상에 오실 그 선지자를 임금으로 삼으면 우리가 먹고 사는 걱정에서 벗어날 수 있겠다"(14절)고 하면서 예수님을 억지로라도 유대의 임금으로 삼으려는 생각들을 하게 되었다.

그래서 예수께서는 저희의 생각을 아시고 혼자 산으로 떠나가신다. 단 한 사람이라도 예수 그리스도를 알아 본 사람이 있었다면 산으로 떠나지 않으셨을 것이다. 그런 사람이 있었다면 1장 49절에서 나다나엘이 **"당신은 하나님의 아들이시오, 당신은 이스라엘의 임금이로소이다."**라고 하였을 때에 기뻐하신 것 같이 기뻐하시며 그들과 대화하셨을 것이다. 그러나 진정한 예수를 알아 본 사람이 하나도 없어, 씁쓸한 마음으로 무리를 떠나 산으로 가신다. 떡 기적으로만 보는 것은 옛날 예수 그리스도 시대에나 지금이나 같다.

2011년 5월 10 발표

〈제25과〉 제2의 생명의 기운-바람

본문 말씀 6:16~21

"16저물매 제자들이 바다에 내려가서 17배를 타고 바다를 건너 가버
나움으로 가는데 이미 어두웠고, 예수는 아직 저희에게 오시지 아니하
셨더니 18큰 바람이 불어 파도가 일어나더라. 19제자들이 노를 저어 십
여 리쯤 가다가 예수께서 바다 위로 걸어 배에 가까이 오심을 보고 두
려워하거늘 20가라사대 '내니 두려워 말라' 하신대 21이에 기뻐서 배로
영접하니 배는 곧 저희의 가려던 땅에 이르렀더라."

제2의 생기—바람

사람과 바람은 뗄 수 없는 관계에 있다. 바람(공기)으로 호흡하는 사람이 이 세상에 왔다가 가는 것을 두고 '바람같이 왔다가 바람같이 간다'고 한다. 그렇다면 사람의 생명은 어떻게 생겨났는가? **"흙으로 사람을 지으시고 생기를 그 코에 불어 넣으시니 사람이 생령이 된지라"**(창2:7)는 말씀처럼 하나님께서 처음 사람을 창조할 때에 생명의 기운을 흙에 불어넣어 주신 것이다. 사람의 몸은 흙으로 만들어져 있고, 이 흙이 생명의 기운(生氣)을 만나면서 살아있는 사람이 되었다는 말씀이다. 마치 불을 피울 때에 불쏘시개에 불씨를 넣고 입으로 바람 즉, 기를 불어 넣어 불을 피우는 것처럼 사람을 창조하실 때에도 生! 生命과 氣! 바람을 同時에 불어 넣어서 만드셨다. 生은 命이고, 氣는 바람이므로 生과 氣가 합해진 호흡의 역할로 사람이 살아 숨을 쉰다.

그렇다면 바람은 무엇인가? 호흡을 해야 살 수 있는 사람은 바

람 없이는 호흡할 수 없으므로 바람은 하나님이 만드신 '제2의 생명의 기운'이라고 할 수 있겠다.

호흡은 곧 바람이다. 바람을 들여 마시고, 내쉼으로써 호흡이 되고, 호흡을 반복함으로써 생명이 연장된다. 이 현상은 비단 사람만이 아닌, 호흡기능을 가진 모든 동물들도 마찬가지이며, 식물들도 예외일 수 없다. 그래서 바람은 '제2의 생명의 기운'이라고 감히 정의(定意)하는 것이다.

바람이 사람으로 하여금 숨만 쉬게 하는 것은 아니다. 바람은 소리를 낸다. 소리를 냄으로써 말(言을) 하고, 시나 노래를 읊을 수도 있다. 그래서 말은 생명이라고도 하며, 성서말씀을 생명의 말씀이라고 한다. 바람이 생명의 근원이라고 하는 이유가 여기에 있다.

반복되는 말이지만, 숨은 생명의 바람이다. 바람이 사람 안으로 들어왔다 나갔다 하는 들숨과 날숨을 반복하며 사람을 살아있게 한다. 우리 사람의 영은 바람으로 되어 있고, 사람의 목숨 또한 바람을 들여 마시고 내쉬어야 살아있는 생명이 되는 것이다. 사람 안에 바람이 들어오지 못하면 영은 하나님께 돌아가고, 육신은 송장이 되어 흙으로 돌아가는 것이다.

사람이나 동물들만 바람으로 호흡하는 것은 아니다. 하나님이 만드신 이 땅의 모든 구성체들이 공기 즉, 바람을 떠나 살 수 없으며, 심지어 사람이 만든 자동차나 비행기, 배들도 바람이 있어야 움직이게 된다. 이것들의 연소기관은 공기가 없으면 작동되지 않으며, 설령 전기를 이용한다고 하드라도 전기 자체는 바람을 떠나 만들어질 수 없다. 그래서 자동차나 배들도 바람으로 호흡하며 작동하는 것이다.

다시 본문으로 돌아와, 바람이 창조자 예수 그리스도를 보고 기뻐한다. 이 장면을 요한은 **"큰 바람이 불어 파도가 일어나더라."**(요6:18)고 기록하고 있다. 왜 바람은 파도를 일으켜 춤을 추며 예수 그리스도를 환영하였는가? 그것은 모든 피조물은 하나님의 자녀가 나타나기를 고대하기 때문이다. 증언자 바울은 다음과 같이 말하고 있다. **"피조물이 고대하는 바는 하나님의 아들들이 나타나는 것이니"**(롬8:19) 즉, 모든 피조물은 하나님 아들의 생명을 받아 새 하늘 백성이 되기를 학수고대한다는 말이다. 그래서 오늘 공부하는 본문처럼 바다와 바람도 인류에게 하늘의 생명을 주시려고 오신 예수 그리스도를 환영하여 파도를 일으킨 것이다.

바람의 정의(定意)

참고로 바람의 원천인 공기의 구성을 개괄해 보기로 하자.

공기는 여러 가지 원소들로 구성되어 있는데, 이 가운데 사람에게 없어서는 안 되는 산소는 질소 다음으로 많아서 대기의 5분의 1, 물의 무개의 9분의8, 지각질량의 2분의 1을 차지하고 있다. 산소는 무색, 무미, 무취의 기체로 모든 물질의 분자량을 측정하는 기준이 되며. 모든 동식물의 생활에 반드시 필요한 물질이다.

이산화탄소는 모든 식물의 탄소동화작용에 필요하며, 가장 많은 질소는 식물 성장에 필요한 거름 역할을 하며, 이 외에도 많은 원소들이 모여서 공기라는 대기를 구성하고 있다.

그렇다면 하나님께서는 왜 산소, 이산화탄소, 질소 등을 한 덩어리의 공기 곧 바람이라는 "제2의 생명의 기운" 안에 있게 창조하셨는가? 그것은 이러한 원소들을 있게 함으로써 모든 동식물의 생명을 유지시키기 위해서다. 하나님의 우주 만물 창조가 참으로 신비하다 할 것이다. 이 신비란 단어는 유일신 하나님만이 하시는 일로 신비한 일이라고 한 것이다.

태풍은 왜 불어오는가?

결론부터 말하면 식물들이 결실을 맺게 하기 위해서다. 남태평양에서 뜨거워진 열기가 북상하며 북쪽의 찬 기운을 만나 장마전선이 이루어지는데, 이 시기에 모든 식물의 성장(成長)이 이루어진다. 식물들이 약 한 달 동안의 장마철에 최고의 성장을 하며 열매를 맺는다. 그러다가 태풍이 와서 흔들어 놓으면 식물들은 성장을 멈추고 맺어진 열매가 여물기 시작한다. 만약 이런 과정이 없다면 곡식은 성장만을 계속하게 되어 열매가 여물지 못하고 쭉정이만 남을 것이다. 식물이 자각하여 겨울이 가까워짐을 알고 자신이 죽기 전에 열매를 여물게 하는 것이다. 이것이 식물들의 종족 보존의 본능이니 하나님의 섭리에 그저 감탄할 뿐이다.

식물의 키가 크기만 하면 튼실한 열매를 맺지 못한다. 나뭇잎이 무성하면 바람과 햇볕이 들지 못하여 열매가 실하지 못하게 되기 때문이다. 태풍이 지나간 후에 무성한 나뭇잎이 떨어지면 바람과 햇볕이 잘 통함으로써 열매가 튼실해지는 것이다. 또 열매가 너무 많이 열려 있어도 영양이 부족하여 열매가 실하지 못한데, 태풍이 불면 낙과가 생겨 적당한 수확의 열매가 남는다.

땅의 호흡

사람의 몸에 코, 입 등 구멍이 있어 호흡하듯, 우리가 사는 지구라는 땅도 바람으로 더불어 호흡하고 있다. 바람이 지나가면서 공기가 땅으로 스며들면서 숨을 쉬는 것이다. 땅 속에 공기가 없다면 땅 속의 벌레들과 식물들이 살아갈 수가 없다.

물의 호흡

땅에서 수분이 증발하여 높은 공간에 이르면 그곳에서 구름으로 떠돌다가 바람을 만나면 비나 눈이 되어 내려서 산과 들을 적신다. 비와 눈은 물로 되어 계곡으로 흐르면서 바람의 도움으로 숨을 쉬므로 물이 살아있게 된다. 물을 가두어두면 썩어서 죽은 물이 된다. 그러나 물이 흐르면 바람의 도움으로 숨을 쉬게 되어 살아 있는 물이 된다. 바다도 바람의 도움으로 파도를 일으켜 숨을 쉬므로 깊은 바닷속에 사는 어패류들까지도 숨을 쉬며 살아가는 것이다. 바람이 파도를 일으키지 않으면 바다는 죽은 바다가 될 것이고, 그렇게 되면 어패류와 미생물도 살 수 없게 된다.

그래서 이 땅의 모든 물은 바람의 도움으로 숨을 쉬는 것이다.

성서와 사람과 땅덩어리는 유기체(有機體)

- ◯ 성서는 어느 곳을 읽어도 예수께서 십자가에서 흘린 피와 연관되어 있다.
- ◯ 사람의 몸도 어느 곳이나 상처가 나면 피가 나온다.
- ◯ 땅도 어느 곳이나 파면 습기가 있고, 물이 나온다.

왜 성경말씀과 사람과 지구를 하나의 유기체(有機體)로 보는가?

그것은 하나님께서 사람을 창조하실 때에 생기를 불어넣어 흙에게 생명을 주셨고, 제2의 생기인 바람으로 지금까지 호흡하고 있기 때문이다. 사람만 바람으로 호흡하는 것이 아니라 만물이 하나님의 창조물인 바람으로 호흡하며 살아가는 것이다. 성경말씀은 우리에게 그것을 가르치고 있다. 그래서 성경말씀과 사람과 자연은 하나의 有機體이다.

본문 말씀 공부

16,7절 "저물어 제자들이 바다에 내려가서 ◇배를 타고 바다를 건너 가버나움으로 가는데 이미 어두웠고, 예수는 아직 저희에게 오시지 아니하셨더니"

예수 그리스도는 앞의 15절(24과 공부)에서 5병 2어의 기적을 본 사람들이 당신을 억지로 잡아 임금을 삼으려 하므로 산으로 피하시고, 저물어 제자들이 배를 타려고 허둥지둥 내려가는 장면이 눈에 선하게 그려진다.

제자들이 배를 타고 가버나움으로 가는데 날은 이미 어두워지고 예수님은 어디에 계신지 알지 못한 상태이므로 제자들은 두려움이 앞섰다. 무엇보다도 의지하였던 선생님이 계시지 않기 때문이다.

18,9절 "큰 바람이 불어 파도가 일어나더라. ◇제자들이 노를 저어 십여리쯤 가다가 예수께서 바다 위로 걸어 배에 가까이 오심을 보고 두려워하거늘"

두려움에 떨던 제자들 앞에 또 다른 두려움인 큰 바람이 불어 파도가 높게 일어났다. 바람이 불어 파도가 일어난 것은 자연을 순환하는 바람이 예수를 맞아 즐거움으로 환영하는 춤이었다. 그러나 제자들에게는 높게 이는 파도로만 보이므로 두려움에 떨면서 어찌할 바를 모르고 있었다.

제자들은 파도가 일렁이는 바다에서 두려움 속에 노를 저어 가는데 선생님 모습을 한 사람이 저만큼 앞에서 바다 위를 걸어 배에 가까이 오는 것을 보고 혹시 유령이 아닌가? 하고 더욱 떨게 되었다.

20,1절 "가라사대 '내니 두려워 말라' 하신대 ◇이에 기뻐서 배로 영접하니 배는 곧 저희의 가려던 땅에 이르렀더라."

파도와 유령으로 인하여 떨고 있는 제자들의 귀에 선생님의 따뜻한 음성이 들려왔다. "내니 두려워 말라." 얼마나 반가운 음성인가.

창조주 하나님의 아들 예수 그리스도가 오시므로 자연의 하나인 바람이 잔잔한 바다에 파도를 일으켜 영접을 하고, 스승의 음성을 들은 제자들이 스승을 갑판으로 모시자 파도는 가라앉고, 배는 목적지까지 순항을 했으니 얼마나 좋았겠는가. 노랫가락이 절로 나왔을 법 하다.

만물의 주인인 예수 그리스도가 바다 위로 걸어오심을 보고 바람이 파도를 일으켜 환영하여 영접을 하였고, 제자들도 기뻐서 배로 영접하였던 것이다.

우리가 예수 그리스도를 영접하는 것은 유대인들처럼 세상 임금으로서가 아니라 바람이 파도를 일으키며 영접한 것처럼 하나님의 아들로, 새 생명의 근원으로 진정하게 받아들이는 것이다.

2011년 6월 10 발표

〈제26과〉
생명의 떡이신 예수 그리스도(1)

본문 말씀 6장 22~33절

"22이튿날, 바다 건너편에 섰는 무리가 배 한척 밖에 다른 배가 거기
없는 것과 또 어제 예수께서 제자들과 함께 그 배에 오르지 아니하시
고 제자들만 가는 것을 보았더니 23(그러나 디베랴에서 배들이 주의 축
사하신 후 여럿이 떡 먹던 그 곳에 가까이 왔더라.) 24무리가 거기 예
수도 없으시고 제자들도 없음을 보고 곧 배들을 타고 예수를 찾으러 가
버나움으로 가서 25바다 건너편에서 만나 '랍비여 어느 때에 여기 오셨
나이까?' 하니 26예수께서 대답하여 가라사대 '내가 진실로, 진실로 너
희에게 이르노니 너희가 나를 찾는 것은 표적을 본 까닭이 아니요 떡
을 먹고 배부른 까닭이로다. 27썩는 양식을 위하여 일하지 말고, 영생하
도록 있는 양식을 위하여 하라. 이 양식은 인자가 너희에게 주리니 인
자는 아버지 하나님의 인 치신 자니라.' 28저희가 묻되 '우리가 어떻
게 하여야 하나님의 일을 하오리이까?' 29예수께서 대답하여 가라사대
'하나님의 보내신 자를 믿는 것이 하나님의 일이니라' 하시니 30저희가
묻되 '그러면 우리로 보고 당신을 믿게 행하시는 표적이 무엇이니이까,
하시는 일이 무엇이니이까? 31기록된 바 하늘에서 저희에게 떡을 주어
먹게 하였다 함과 같이 우리 조상들은 광야에서 만나를 먹었나이다.'
32예수께서 이르시되 '내가 진실로, 진실로 너희에게 이르노니 하늘에
서 내린 떡은 모세가 준 것이 아니라 오직 내 아버지가 하늘에서 내린
참 떡을 너희에게 주시나니 33하나님의 떡은 하늘에서 내려 세상에게
생명을 주는 것이니라.'"

본문 공부

22절 "이튿날 바다 건너편에 섰는 무리가 배 한척 밖에 다른 배가 거기 없는 것과 또 어제 예수께서 제자들과 함께 그 배에 오르지 아니하시고 제자들만 가는 것을 보았더니"

'이튿날'은 예수께서 오병이어(五餠二魚)의 기적으로 오천 명의 무리를 먹인 후 무리를 피해 산속으로 들어가시고(15절), 제

자들만 늦게 배를 타고 가버나움으로 떠난(16절) 다음날이다.

전날 밤 예수께서 바다 위를 걸어 배를 저어가는 제자들과 합류한 일(제25과 공부)을 모르는 무리는 어제 배가 한 척 뿐이었고, 예수께서 분명 배를 타지 않았음을 보았으므로 그들은 어제의 그곳으로 예수를 찾아 왔다.

23,4절 "(그러나 디베랴에서 배들이 주의 축사하신 후 여럿이 떡 먹던 그 곳에 가까이 왔더라.) ◇무리가 거기 예수도 없으시고 제자들도 없음을 보고 곧 배들을 타고 예수를 찾으러 가버나움으로 가서"

오병이어의 기적을 전해들은 디베랴 사람들이 여러 척의 배를 타고 어제의 떡 먹던 곳 가까이까지 찾아왔다.

그러나 그곳에 예수와 제자들이 없음을 본 무리는 디베랴 사람들이 타고 온 '배들을 타고 예수를 찾으러 가버나움으로' 건너갔다.

25절 "바다 건너편에서 만나 랍비여 어느 때에 여기 오셨나이까? 하니"

예수를 찾아 나섰던 무리가 바다 건너 가버나움에서 예수를 보고 반가워서 '랍비여 어느 때에 여기 오셨나이까?' 하고 묻는다.

무리가 떡 다섯 개로 오천 명을 먹이신 능력자를 다시 만났으니 '이제 우리는 먹고 사는 문제는 해결되겠구나.' 하는 생각들을 하였을 것이다.

그런데 왜 예수께서는 오병이어(五餠二魚)의 표적을 행하셨을까? 그것은 예수 그리스도의 능력을 보이신 것이다. 창세(創世) 이후 최고의 능력을 행하심으로써 예수 그리스도 자신이 창조주 하나님의 아들로 왔다는 증거를 보이신 것이다. 통상, 성서 공부하는 사람들은 무리의 굶주림을 걱정하여 떡 기적을 보이신 것으로 본다. 그러나 아니다. 다음 절을 살펴보자.

26절 "예수께서 대답하여 가라사대 내가 진실로진실로 너희에게 이르노니 너희가 나를 찾는 것은 표적을 본 까닭이 아니요, 떡을 먹고 배부른 까닭이로다."

반가워 인사하는 무리의 마음을 읽으신 예수께서는 "너희가 나를 찾는 것은 표적을 본 까닭이 아니요, 떡을 먹고 배부른 까닭이로다!" 라고 일갈하신다. 무리의 심중을 꿰뚫는 책망의 말씀이다.

왜 예수께서 책망을 하셨는가? 그것은 무리가 떡 먹는 일만 생각하기 때문이다. 떡 다섯 개와 물고기 두 마리로 오천의 무리를 먹인 일을 표적(表蹟)으로 보지 않고 오로지 먹고 사는 것에만 매달리는 모습이 불쌍하다는 것이다. 그렇다면 표적은 무엇인가? 예수가 하나님 아들로서의 증거요, 능력이다. 창세(創世) 이후 누가 이런 능력을 보였던가.

27절 "썩는 양식을 위하여 일하지 말고, 영생하도록 있는 양식을 위하여 하라. 이 양식은 인자가 너희에게 주리니 인자는 아버지 하나님의 인 치신 자니라."

우리 인간들이 먹는 모든 양식은 썩어지는 것이니 그런 양식에 매달리지 말고 '영생할 수 있는 양식을 위하여' 일하라는 말씀이다. 그런데 "이 양식은 인자가 주신다"고 하신다. "인자는 하나님의 인 치신 자"라고도 하신다. 人子 곧, 예수 자신은 '하나님의 아들'로서 하나님의 인정을 받은 자란 말씀이다.

'인 치신 자'란 하나님이 자신의 생명을 인류에게 접붙임 할 나무—참포도나무로 확정하셨다는 말씀이다. 즉, 예수 자신은 참포도나무로 이 땅에 오셨다는 말씀이기도 하다.

28,9절 "저희가 묻되 우리가 어떻게 하여야 하나님의 일을 하오리이까? ◇예수께서 대답하여 가라사대 '하나님의 보내신 자를 믿는 것이 하나님의 일이니라' 하시니"

예수님의 "영생을 위해 일하라"는 말씀에 저희가 '우리가 어떻게 하여야 하나님의 일을 하오리까?' 하며 묻는다.

예수께서 '하나님의 일'은 아주 간단하다. '하나님의 보내신 자를 믿는 것'이라고 대답하신다.

그렇다면 '믿는 일'이란 무슨 말인가? 어떤 분들은 '오직 믿음'이라고 하기도 한다. 그렇다면 무엇을 어떻게 믿으라는 말인가? 여기서 '믿으라'는 예수의 말씀은 '하나님이 보내신 자(者)'를 믿으라는 것이다. 다시 말하여 예수 그리스도가 이 땅에서 하시는 일(事)인 이루어 가시는 역사를 믿으라는 말이다.

즉, 하나님이신 농부가 하신다는 것을 믿으라는 말이다. 예수 자신은 '하나님의 인친 자(者)'로 참포도나무인데, 그 참포도나무를 접붙임 하시어 인류를 하늘 백성으로 개조(改造)하시는 하나님의 일(事)을 믿으라는 말씀이다.

30,1절 "저희가 묻되 '그러면 우리로 보고 당신을 믿게 행하시는 표적이 무엇이니이까, 하시는 일이 무엇이니이까?' ◇기록된 바, 하늘에서 저희에게 떡을 주어 먹게 하였다 함과 같이 우리 조상들은 광야

에서 만나를 먹었나이다."

예수의 '하나님이 인류를 개조하심을 믿으라'는 말씀에 '우리가 그런 말을 하는 당신을 믿게 하려면 표적이 있어야 할 텐데 그것이 무엇이요?' 하고 묻는다. 떡 다섯 개로 오천 명을 먹인 표적을 보고서도 물은 것이다. 참으로 우둔한 인간들이다. 우둔할수록 그저 표적만을 보이라고 한다. 표적을 보고도 깨닫지 못한 자들이 덧붙여 출애굽기를 들추며 말한다. 옛날에 우리 조상들은 광야에서 생활하는 동안 하늘에서 내린 떡 '만나'를 먹었는데 당신은 우리에게 무엇을 먹게 해주겠느냐는 물음이다.

32,3절 "예수께서 이르시되, 내가 진실로, 진실로 너희에게 이르노니 하늘에서 내린 떡은 모세가 준 것이 아니라 오직 내 아버지가 하늘에서 내린 참 떡을 너희에게 주시나니 ◇하나님의 떡은 하늘에서 내려 세상에게 생명을 주는 것이니라."

무리의 조상 즉, 이스라엘 민족의 조상들이 광야에서 먹었던 떡 이야기에 예수께서는 '만나'의 출처(出處)를 말씀하신다. "광야에서 너희 조상들이 먹었던 떡은 모세가 준 것이 아니라 내 아버지가 하늘에서 내린 떡으로, 하늘에서 내려 너희 조상들을 살 수 있게 하셨다. 마찬가지로, 내 아버지는 너희들에게도 참떡을 내려주신다"고 하신다.

이어서 '하늘에서 내려주는 하나님의 떡은 세상에 생명을 주는 참떡'이라고 하신다. 이번 공부의 결론의 말씀이다. 즉, "광야 생활 40년 동안 하늘에서 만나를 내려 너희의 조상들을 굶주림에서 구하셨지만, 이제 하나님은 당신의 품속에 있던 나를 너희에게 주어 새 하늘의 생명으로 거듭나게 하는 일을 하나님이 하신다"고 말씀하신다.

너희 조상들이 광야에서 40년 동안 먹었던 만나도 내 아버지가 내린 것이다. 그래서 너희의 조상이 죽음의 굶주림에서 살아났다. 그때의 광야의 '만나'는 장차 내가 십자가상에서 이루어야 할 일의 그림자와 같은 것으로써, 내 살을 너희 인류에게 주어 영원한 생명으로 하늘의 백성으로 다시 살게 하신다는 말씀이다.

2011년 7월 10 발표

〈제27과〉

생명의 떡이신 예수 그리스도(2)

본문 말씀 6:34~40

"[34]저희가 가로되, 주여 이 떡을 항상 우리에게 주소서. [35]예수께서
가라사대 내가 곧 생명의 떡이니 내게 오는 자는 결코 주리지 아니할
터이요, 나를 믿는 자는 영원히 목마르지 아니하리라. [36]그러나 내가 너
희더러 이르기를 너희는 나를 보고도 '믿지 아니하는도다' 하였느니라.
[37]아버지께서 내게 주시는 자는 다 내게로 올 것이요, 내게 오는 자는
내가 결코 내어 쫓지 아니하리라. [38]내가 하늘로서 내려 온 것은 내 뜻
을 행하려 함이 아니요, 나를 보내신 이의 뜻을 행하려 함이니라. [39]나
를 보내신 이의 뜻은 내게 주신 자 중에 내가 하나도 잃어버리지 아니
하고 마지막 날에 다시 살리는 이것이니라. [40]내 아버지의 뜻은 '아들
을 보고 믿는 자마다 영생을 얻는 이것이니 마지막 날에 내가 이를 다
시 살리리라' 하시니라."

예수의 떡을 먹는 방법

예수를 믿는 자(者)란 생명의 떡을 먹듯 예수를 자신의 생명의 근원으로 영접하는 자! 즉 접붙임을 하나님께 받은 자 안에 생명의 근원이신 예수 그리스도의 생명이 오시여 계신다는 말씀이다. 이미 2천 년 전에 십자가상에서 하나님이 농부로서 그 일들을 하셨다. 우리 인간들은 성서를 읽고 진리를 접하고 이 사실들을 깨달음으로 내 안에 접붙임으로 오신 그 분을 알게 역사 하신다.

하나님의 품속에 계셨던 예수 그리스도가 아들의 모습으로 이 땅에 오시어 모든 믿는 者 안에 계시므로 이제는 더 이상 목마르지 않고 진리의 갈급을 느끼지 않는다는 말씀이다. 그런데 인류 모두에게 접붙임을 하였지만, 진리를 깨닫고 믿는 者는 구원이

되고, 믿지 않는 사람은 구원받지 못한다고 하셨다. "달린 행악자 중 하나는 비방하고, 하나는 그 사람을 꾸짖어 가로되 '네가 동일한 정죄를 받고서도 하나님을 두려워 아니하느냐?' 가로되, '예수여 당신의 나라에 임하실 때에 나를 생각하소서.' 하니 예수께서 이르시되 '내가 진실로 네게 이르노니 오늘 네가 나와 함께 낙원에 있으리라."(눅23:39-43) 여기에서 예수를 믿음으로써 구원 받은 행악者를 본다.

깨달음이 있는 사람은 진리와 더불어 감사와 감격으로 늘 찬미가 벅차오르는 것을 말씀하신다. 내 영혼이 당신의 생명으로 화하여 당신과 하나 될 수 있어 나의 생명, 나의 영혼이 감사가 넘치나이다.

본문 말씀 공부

34절 "저희가 가로되, 주여 이 떡을 항상 우리에게 주소서."

유대인들은 떡의 의미를 생각지 않고 오로지 자신들이 살아가는 데에 필요한 양식을 얻기 위하여 예수께 말한다. "주여 이 떡을 항상 우리에게 주소서." 그렇다면 진정한 '생명의 떡'의 의미는 무엇인가? '생명의 떡'이란 참포도나무로, 접붙임의 가지로 영접해야 한다는 말씀이다.

하나님께서 처음 아담을 창조하실 때에 극상품 포도나무로 만드셨다. 그러나 아담의 불순종으로 들포도나무로 전락하여 온 인류가 다 들포도나무로 되고 만 것이다. 에덴에서의 추방이 곧 하나님과 함께 할 수 없는 상태가 되었음을 뜻한다. 세상을 축소하여 들포도나무 농장으로 생각하면, 포도농장에 들포도나무만 무성한 것을 안타깝게 보신 하나님이 하늘에서 하나님 품속에 두

셨던 참포도나무인 예수를 들포도나무 농장 한 가운데에 심으셨다(요1:18). 농장 주인이 하늘에서 가져다 심은 예수! 예수는 참포도나무, 우리 인류는 들포도나무가 되는 것을 보여주신 것이다. 즉 미구에 다가올 십자가상에서의 하나님의 접붙임에 대하여 상징으로 또는 예고로 하신 말씀이다.

35,6절 "예수께서 가라사대 내가 곧 생명의 떡이니 내게 오는 자는 결코 주리지 아니할 터이요, 나를 믿는 자는 영원히 목마르지 아니하리라. ◇그러나 내가 너희더러 이르기를 너희는 나를 보고도 '믿지 아니하는도다' 하였느니라."

"이 떡을 항상 우리에게 주소서." 하며 절규하는 유대인들에게 "내가 곧 생명의 떡"이라고 하신다. 당신을 영접하고 믿는 자는 그 믿음 안에 생명의 근원이 있으므로 영원히 진리에 대하여 갈급하지 않게 된다는 말씀이다.

예수께서는 이어서 말씀하신다. "너희는 나를 보고도 믿지 아니하는도다." 즉, "너희는 나를 배를 부르게 하는 떡 떼어주는 사람으로만 보았을 뿐, 참 하나님의 품속에 있던 나의 영원한 생명은 받으려 하지 않는다. 하나님 품속에 있던 나를 영접하면 영원히 목마르지 않다"고 하신다. 왜? 예수는 하나님과 하나 되기 때문이다. 하나님과 하나인 예수 그리스도가 인류인 여러분과 나와 하나 되게 하기 위해 자신의 생명을 접붙임으로 주셨기 때문이다. 이 일은 농부인 하나님이 하셨다.

37절 "아버지께서 내게 주시는 자는 다 내게로 올 것이요, 내게 오는 자는 내가 결코 내어 쫓지 아니하리라."

예수께서는 여기서 참으로 놀라운 말씀을 하신다. "너희는 나를 알지 못하고 참떡의 의미를 알지 못하여 나를 믿지 못하지만, 하나님께서 너희를 나에게로 인도하시면 다 내게로 올 텐데, 그 때는 결코 너희를 내어 쫓지 아니하리라"는 말씀이다. 하나님의 인도! 이 말씀은 곧 하나님이 깨닫게 하신다는 말씀이다. 참으로 놀라운 은혜의 말씀이 아닌가.

우리가 이렇게 성서공부를 하는 것도 은혜로 알게 하시여 공부한다는 말씀이다.

38,9절 "내가 하늘로서 내려 온 것은 내 뜻을 행하려 함이 아니요, ◇나를 보내신 이의 뜻을 행하려 함이니라. 나를 보내신 이의 뜻은 내게 주신 자 중에 내가 하나도 잃어버리지 아니하고 마지막 날에 다시 살리는 이것이니라."

'내가' 즉 예수께서 이 땅에 오신 것은 '내 뜻' 즉, **'예수 자신의 뜻'**을 행하려 함이 아니라 '나를 보내신 이의 뜻' 하나님의 뜻을 행하려 왔다고 하신다.

하나님의 뜻은 자신의 몸을 십자가상에서 갈기갈기 찢어 하나님이 접붙임 하시도록 순종하는 일이라고 하신다. 그리고 십자가상에서 하나님의 생명을 받은 자들을 "하나도 잃어버리지 아니하고 마지막 날에 다시 살리는 이것"이라고도 말씀하신다.

여기서 예수님은 두 가지 일을 하신다.

하나는 십자가상에서 자신의 몸을 갈기갈기 찢어 하나님이 접붙임 하시도록 순종하는 일이요, 또 하나는 접붙임을 받은 가지—곧 당신의 생명을 받은 자를 하나도 잃어버리지 않고 마지막 날에 거듭나게 하는 일이다. 이 일은 곧, 그리스도의 생명의 부활로 다시 살게 하는 일이다. 가지의 생명! 참포도나무로 살게 하신다는 말씀이다.

그러면 마지막 날은 언제인가?

◯ 사람이 육신을 버리고 이 세상을 떠나는 날

◯ 최후 심판의 날

위의 어느 날이든 상관이 없다. 그런데 현세에서 거듭남의 체험으로 자신이 참포도나무가 되었다고 자랑하는 사람들이 있다. 그러나 거듭남의 체험을 했다하여도 인간이 육을 가지고 있는 한 늘 육의 감각을 좋아하여 범죄를 할 수 밖에 없다. 그러므로 믿는 사람들은 위의 두 날을 늘 생각하여야 할 것이다.

40절 "내 아버지의 뜻은 '아들을 보고 믿는 자마다 영생을 얻는 이것이니 마지막 날에 내가 이를 다시 살리리라' 하시니라."

이번 절에서는 앞 절에서의 "하나님의 뜻"을 역설적으로 설명하고 있다. 여러분과 내가 예수의 십자가의 사건에서 인류에게 생명을 주시는 것을 보고, 예수를 자신의 생명으로 받아들이면 마지막 날에 거듭나게 하여 하늘 백성이 되게 하신다는 것이 하나님의 뜻이라는 말씀이다.

"영접하는 자 곧 그 이름을 믿는 자들에게는 하나님의 자녀가 되는 권세를 주셨으니"(요1:12) 하나님의 아들 즉, 예수를 자신의 생명으로 영접하는 자들에게 하나님의 자녀가 되게 하는 것이 하나님의 뜻이라는 말씀이다.

하늘나라는 하나님의 품속에 계셨던 예수 그리스도의 생명이 있는 자들이 가는 곳이다. 십자가상에서 이 일들을 이루어 놓으신 것이다.

마리아의 처녀잉태

성경에는 마리아가 예수를 잉태할 때 처녀의 몸인 것으로 나와 있다. 인간의 좁은 논리로는 절대 이해될 수 없는 사실이다. 이것을 기독자들은 논리의 초월이라는 말로 대신해 왔다. 신의 영역에서는 인간의 논리가 적용될 수 없다는 것이다. 그래서 그리스도교에서는 초월이라는 말이 일상화 되어 있다.

그런데 이것은 인류 구원의 논리를 대속으로 보았기 때문에 내세우는 빈약한 논리일 뿐, 십자가의 사건을 대속에서 눈을 돌려 '접붙임의 만남'으로 보면 마리아의 처녀잉태는 진리의 논리로 서게 된다.

십자가의 사건을 접목으로 보면 접목은 '만남'이다. 십자가상에서 예수 그리스도와 좌 · 우의 강도가 같이 죽음으로써 십자가의 사건은 곧 '접붙임의 만남'이 된다. 인류의 구원이 만남으로 된다는 말이다.

예수 그리스도는 자신을 참포도나무라고 하셨다. 왜 예수가 자신을 참포도나무로 이야기하였는가? 그것은 자연을 예로 들어 구원의 논리를 설명하시기 위해 하신 말씀이다. 참포도나무와 들포도나무를 비유로 하여 당신의 십자가 사건을 설명하시기 위함이었다.

증언자 바울은 예수 그리스도를 참감람나무로 예를 들며, 접붙임의 능력이 농부인 하나님께 있고, 예수를 참감람나무! 인류를 돌감람나무로 비유하여, 십자가상에서 돌감나무의 밑동을 잘라내고 참감람나무의 가지를 접붙임한다는 것을 이야기한다. 예수께서는 참포도나무를, 증언자 바울은 참감람나무를 예로 들고 있다.

어쨌든 예수님의 가지로 접붙임을 받으면 우리 그리스도인은 가지가 된다. 예수는 들포도나무인 우리에게 가지를 주시려고 십자가상에서 피를 흘려주으시고, 예수님 좌 · 우의 두 강도는 인류의 대표로 죽어서 밑동이 절단되어 없는 그곳에 예수 그리스도의 가지! 곧 피가 흘러들어 접붙임이 성립되어진 것이다. 이것을 한마디로 줄이면 '만남'이다. 다시 말하면 인류의 구원은 예수 그리스도의 피가 우리 안에 들어와 계심이다.

인류 구원은 만남이며, 인류 창조 또한 만남이다.

"여호와 하나님이 흙으로 사람을 지으시고 생기를 그 코에 불어 넣으시니 사람이 생령이 된지라."(창2:7) 곧, 흙과 하나님 생기의 만남이다.

마리아의 처녀잉태도 만남이다. 마리아에게 하나님의 성령이 강림하여 '만남'이 이루어졌다. 그런데 이 '마리아와 성령의 만남'이 논리에 맞지 않다고 하여 논리 초월이라는 말이 나왔다. 그러나 씨앗이 땅에 떨어져 '흙과 씨앗의 만남'으로 새싹이 돋는 것을 생각하면 이상할 것이 없다. 씨앗이 땅에 떨어져 흙과 만나는 것은 보편적인 일이라서 논리로써 타당하고, 성령님의 강림으로 인한 마리아의 잉태는 보편적인 일이 아니기 때문에 이상할 뿐이지만 이러한 일들이 자주 있게 되면 보편적으로 보일 것이다.

처음 사람을 창조할 때에 하나님이 흙으로 사람의 모형을 만드시고, 그 모형에 하나님의 생기를 불어 넣으시니 사람이 된 것은 '흙과 생기의 만남'의 결과이다. 마리아의 몸에 성령이 강림한 것도 '만남'이다. 또 씨앗이 땅에 떨어져 땅과 만나 새싹이 돋아나는 것도 '만남'이다. 이것을 정리하면 다음과 같다.

◯ '흙과 생기의 만남'으로 아담 창조

◯ '마리아의 몸과 성령의 만남'으로 예수 그리스도 잉태

◯ '씨앗과 땅의 만남'으로 새싹이 돋아남

◯ '죄인인 인류의 몸에 예수 그리스도의 피가 흘러들어 만남'이 되어 예수의 생명으로 부활하는 인류 구원

이 모두가 '만남'이라는 한 가지 논리로 설명이 가능한 것이다.

흙과 사람, 성서는 유기체(有機體)

"흙으로 사람을 지으시고 생기를 그 코에 불어 넣으시니 사람이 생령이 된지라."(창2:7) 사람이 만들어진 재료는 흙이다. 마찬가지로 마리아의 몸도 흙으로 되어있다. 이 흙에 성령이 강림하신 것이나 흙에 생기를 불어넣으신 것은 같은 논리이다. 마리아에게 성령이 임하여 잉태가 된 것과 인류 탄생은 같은 이치이다. 더욱 놀라운 것은 흙으로 만들어진 사람이 성서 말씀을 기록하였다는 것이다. 사람에게 하나님의 계시(啓示)가 임하므로 성서가 기록된 것이다. 뿐만 아니라 사람이 생존하는데 꼭 필요한 의식주도 땅—곧, 흙이 공급해 준다는 것이다. 그래서 흙과 사람, 성서는 유기체(有機體)이다. 여기에 하나님의 영이 거하시는 것이다.

이렇게 성경 말씀은 하나님의 은혜 안에서 논리로 모두 풀 수 있다. 초월이라는 논리 아닌 논리를 사용하는 것은, 예수 그리스도의 십자가 사건을 대속으로 보았기 때문이다. 예수 그리스도의 십자가 사건을 '접붙임의 만남으로 보면 보이게 된다. 접붙임은 논리이다.

2011년 8월 10일 발표

〈제28과〉

생명의 떡이신 예수 그리스도(3)

본문 말씀 6:41~51

"41자기가 하늘로서 내려온 떡이라 하시므로 유대인들이 예수께 대
하여 수군거려 42가로되 이는 요셉의 아들 예수가 아니냐? 그 부모를
우리가 아는데 제가 지금 어찌하여 하늘로서 내려왔다 하느냐. 43예수
께서 대답하여 가라사대 너희는 서로 수군거리지 말라. 44나를 보내신
아버지께서 이끌지 아니하면 아무라도 내게 올수 없으니 오는 그를 내
가 마지막 날에 다시 살리리라. 45선지자의 글에 저희가 다 하나님의
가르치심을 받으리라 기록되었은즉 아버지께 듣고 배운 사람마다 내게
로 오느니라. 46이는 아버지를 본 자가 있다는 것이 아니라 오직 하나
님에게서 온 자만 아버지를 보았느니라. 47진실로, 진실로 너희에게 이
르노니 믿는 자는 영생을 가졌나니 48내가 곧 생명의 떡이로라. 49너희
조상들은 광야에서 만나를 먹었어도 죽었거니와 50이는 하늘로서 내려
오는 떡이니 사람으로 하여금 먹고 죽지 아니하게 하는 것이니라. 51나
는 하늘로서 내려온 산 떡이니 사람이 이 떡을 먹으면 영생하리라. 나
의 줄 떡은 곧 세상의 생명을 위한 내 살이로라 하시니라."

인류를 개조할 제2의 창조

창세기 2장 7절의 **"하나님이 흙으로 사람을 지으시고 그 코에 생기를 불어 넣으시니 사람이 생령이 된지라"** 이 말씀을 보면 하나님께서 흙으로 빚은 사람의 형상에 생기를 불어 넣어서 생명이 있는 생령(生靈)이 되었다고 했다. 여기서 생령은 두 가지 역할을 하는 것을 볼 수 있다.

생령(生靈). 生은 生命이고, 靈은 하나님의 몸에서 나온 생명의 기운—바람이다. 즉, 사람은 생명과 령으로 창조된 것이다. 이는 마치 불쏘시기에 불씨를 넣고 입으로 바람을 불어 넣어 불을 피

우는 것과 같은 이치다.

이것을 정리하면

生은 생명이요,

靈은 바람이다.

아담! 곧 사람뿐 아니라 만물이 다 하나님이 불어넣으신 생기와 만남으로 창조되고, 그 불어넣어 주시는 생령으로 호흡하며 살고 있다. 이것이 제1의 창조이다.

이때의 아담은 극상품 포도나무였다. 그런데 사탄의 유혹으로 아담이 죄를 범하여 에덴동산에 살지 못하고 세상이란 곳으로 도망을 한다. 이리하여 아담과 하나님 사이에는 서로 오가는 길이 없어져 인간과 하나님의 관계가 단절 되었다.

추방과 도망의 의미를 살펴보자.

추방 : 하나님 편에서의 추방이다. 하나님은 죄인인 아담을 죽이지 않고 추방하셨다. 아담이 비록 죄를 지었지만, 당신의 창조물이시기에 목숨만은 살리시겠다는 자애로움에서였다.

도망 : 아담 편에서의 도망이다. 죄를 지은 아담은 하나님을 볼 수 없게 되어 (거룩하신 하나님을 보면 죽게 되므로) 하나님의 눈을 피하기 위한 도망이다.

위의 모습을 선지자 이사야는 "에덴동산에서 살지 못하는 인류가 들포도나무로 전락하였다고 한탄한다. "땅을 파서 돌을 세하고 극상품 포도나무를 심었었도다. 그 중에 망대를 세웠고 그 안에 술틀을 팠었도다. 좋은 포도 맺기를 바랐더니 들포도를 맺혔도다."(사5:2)

이를 안타깝게 여기신 하나님이 들포도나무인 인류를 참포도나무로 접붙임 하시려고, 당신의 품속에 있던 예수를 처녀 마리아의 몸을 통해 세상의 들포도나무 농장 한가운데 심으셨다. 접붙임을 하기 위한 가지를 얻기 위해서였다.

예수 그리스도가 십자가 위에 매달려 죽을 때에 왜 들포도나무인 강도가 좌편과 우편에 자리를 잡고 같이 죽었는가? 예수의 피로 접붙임 하시려는 하나님의 깊은 뜻이 있었다. 세상 인간 즉, 들포도나무인 강도에게 접붙임 하시려는 하나님의 높은 뜻이었다. 다시 말하면 제2의 창조를 위하여 예수 그리스도와 인류인 강도와 내(我)가 같이 십자가상에서 함께 죽은 것이다.

하나님은 첫 번째 창조 때에 흙에 생기를 불어넣어 아담을 창조하셨다.

두 번째 창조는 당신의 몸속에 계시던 예수 그리스도를 십자가 위에서 죽게 하고, 거기서 나온 피로 죄인들을 접목시킴으로 새하늘 백성으로 개조시키셨다.

새로운 인간으로 개조되어 그리스도의 생명으로 다시 사는 것을 「거듭남」 혹은 「부활」이라고 말한다. 그래서 아담의 후손인 좌우의 강도는 죽어 없어지고, 예수의 피로 접붙임을 받아 예수의 생명으로 다시 사는 것을 「부활신앙」이라고 한다.

증언자 바울 선생은 우리가 예수 그리스도와 십자가 위에서 같이 죽고, 같이 부활(復活)하는 것에 대하여 이렇게 말하고 있다.

"만일 우리가 그의 죽으심을 본받아 연합한 者가 되었으면 또한 그의 復活을 본받아 연합한 者가 되리라."(롬6:5)

"내가 그리스도와 함께 십자가에 못 박혔나니 그런즉 이제는 내가 산 것이 아니요, (접붙임으로 오신 참포도나무가) 오직 내 안에 그리스도께서 사신 것이라. 이제 내가 육체 가운데 사는 것은 나를 사랑하사 나를 위하여 자기 몸을 (가지를 접붙임 하기 위하여) 버리신 하나님의 아들을 믿는 믿음 안에서 사는 것이라."(갈2:20) —괄호 안은 필자 삽입—

이리하여 하나님 품속에 계셨던 예수 그리스도의 피가 십자가에서 흘린 피로 접목되어 우리 인류와 여러분과 나의 안에 오시여 하나 되게 하는 일을 농부인 하나님이 하셨다. 예수께서는 **"내가 하늘에서 온 것은 너희와 하나 되기 위함"**이라고 말씀하신다. 무한한 은혜의 말씀이다. 따라서 여러분과 나는 예수 그리스도와 하나 될 때에 하늘나라에 가게 되는 것이다.

본문 말씀 공부

41,2절 "자기가 하늘로서 내려온 떡이라 하시므로 유대인들이 예수께 대하여 수군거려 ◇가로되 이는 요셉의 아들 예수가 아니냐? 그 부모를 우리가 아는데 제가 지금 어찌하여 하늘로서 내려왔다 하느냐."

"내가 하늘에서 온 떡"(35절)이라는 예수의 말을 들은 유대인들은 "저 사람이 목수 요셉의 아들이라는 것을 우리가 다 아는데 왜 자기가 하늘로서 왔다고 하느냐?"며 수군대고 있다.

성경 말씀에 의하면 예수는 요셉의 아들이 아니다. 그런데도 유대인들은 예수를 요셉의 아들로 알고 있다. 하긴, 마리아의 성령에 의한 잉태를 알지 못하는 당시 사람들로서는 할 수 있는 말일 수도 있다. 그러나 여기서 우리 그리스도인들이 깊이 생각 할 것이 있다. 예수가 요셉의 아들이면 우리 그리스도교(教)는 성립될 수가 없다.

예수님이 아브라함의 혈통인 다윗의 자손 요셉의 아들이면 예수도 우리와 같은 죄인이 되기 때문이다. 이것은 대속의 信仰觀

으로도 그리스도教가 성립될 수가 없다. 죄인이 누구를 대속 할 수 있는가.

"접붙임의 만남" 信仰觀으로도 마찬가지다. 다 같은 들포도나무끼리 접목을 하더라도 결과는 변하지 않기 때문이다. 오직 예수님은 성령에 의한 마리아의 처녀 잉태로만 그리스도教가 성립할 수가 있다.

"아버지 품속에 있는 독생하신 하나님이 나타내셨느니라." (1:18)는 말씀대로 하나님의 품속에 계신 독생하신 하나님이 스스로 나타내셨기에 그리스도教가 성립할 수 있는 것이다.

43,4절 "예수께서 대답하여 가라사대 너희가 서로 수군거리지 말라. ◇나를 보내신 아버지께서 이끌지 아니하면 아무라도 내게 올수 없으니 오는 그를 내가 마지막 날에 다시 살리리라."

요셉의 아들이라고 수군거리는 사람들에게 "너희는 나를 잘 알지 못하면서 뭐라고 수군거리느냐? 수군거리지 말라고 나무라신다. 나는 너희가 알고 있는 요셉의 아들이 아니라는 뜻이 들어 있는 말씀이다.

나를 (이 땅에) 보내신 아버지께서 이끌지 아니하면 너희가 아무리 내게 오고 싶어도 하나님이 너희를 나에게 이끌지 않으시면 즉, 하나님의 뜻이 아니면 내게 올 수 없고 뜻이 있어야 내게 올 것이다. 너희가 나를 요셉의 아들로 여기고 있지만 나를 믿으려면 아버지께서 일을 하셔야 된다는 말씀이다.

하나님의 일은 어떤 일인가? 접붙임으로 인류를 구원받게 하시는 일이다. 십자가상에서의 하나님의 역사가 없다면 어느 누구도 나에게 올 수 없고, 하나님의 나라를 볼 수도 없다는 말씀이다. 하나님의 일은 접붙임의 일이다.

"그를 내가 마지막 날에 다시 살리리라." 하나님의 역사로 내게 오면 마지막 날에 살린다는 말씀이다. 그렇다면 마지막 날이란 언제를 말하는가?

◯ 사람이 죽어 세상을 떠나는 날

◯ 하나님의 심판의 날

또 하나는 '신앙으로 거듭남을 체험 한 날'도 들 수 있겠지만, 체험이 있었다고 하더라도 인간은 연약한 육신에 불과하여 언제든 유혹에 빠질 수 있기 때문에 마지막 날의 범주에는 들지 않는 것으로 보아야 한다.

45,6절 "선지자의 글에 저희가 다 하나님의 가르치심을 받으리라 기록되었은 즉 아버지께 듣고 배운 사람마다 내게로 오느니라. ◇이는 아버지를 본 자가 있다는 것이 아니라 오직 하나님에게서 온 자만 아버지를 보았느니라."

45절은 앞 절의 보충설명이다. 사람이면 누구나 하나님의 가르침을 받을 것이라고 선지자가 예언하고 있다. 하나님의 가르침을 받으면 누구나 예수께 온다는 말씀이다. 체험의 그리스도교(教)를 일컬음이다.

그렇다고 아버지께 배운다고 해서 누구나 아버지를 볼 수 있다는 말이 아니다. 오직 하나님께로서 온 자만 아버지를 보게 된다고 했으니 예수 당신만이 아버지를 보았고 볼 수 있다는 말씀이다.

47,8절 "진실로, 진실로 너희에게 이르노니 믿는 자는 영생을 가졌

나니 ◇내가 곧 생명의 떡이로라."

'믿는 자' 곧 아버지 하나님의 가르침으로 나 예수를 믿는 자는 영생을 갖게 된다. **'나 예수는 생명의 떡'**이라고 하신다.

이 말씀은 '장차 하나님이 십자가 위에서 행하실 접붙임으로 믿는 자들은 영생을 갖게 되니 예수는 곧 생명의 참포도나무'라는 말씀이다.

49,50절 "너희 조상들은 광야에서 만나를 먹었어도 죽었거니와 ◇이는 하늘로서 내려오는 떡이니 사람으로 하여금 먹고 죽지 아니하게 하는 것이니라."

너희 조상들이 광야에서 먹었던 만나는 비록 하나님이 내려주신 것이지만, 굶주림에서 육의 생명을 살리는 떡이기에 이 떡을 먹은 너희 조상들은 다 죽었다.

그러나 내가 주는 떡은 생명의 떡이어서 이를 먹기만 하면 영원히 죽지 않는다는 말씀이다.

51절 "나는 하늘로서 내려온 산 떡이니 사람이 이 떡을 먹으면 영생하리라. 나의 줄 떡은 곧 세상의 생명을 위한 내 살이로라 하시니라."

하늘에서 내려온 영원한 생명의 떡은 바로 나 예수의 살이다. 내가 주는 떡은 광야에서 너희 조상들이 먹었던 만나와는 근본적으로 다른 떡으로, 누구나 이 떡을 먹으면 영생하리라는 말씀이다.

이 말씀은 장차 십자가상에서 자신의 살을 찢어 접붙임할 것임을 예고하신 말씀이다. 이 놀라운 하나님의 은혜를 우리 그리스도인은 어떻게 감당 할 것인가? 오직 감사로 감격으로 받을 뿐이다.

하나님께 은혜를 얻었느니라

"그에게 들어가 가로되 '은혜를 받은 자여 평안할지어다. 주께서 너와 함께 하시는도다.' 하니 처녀가 그 말을 듣고 놀라 이런 인사가 어찌함인고? 생각하매 천사가 일러 가로되 '마리아여, 무서워 말라. 네가 하나님께 은혜를 얻었느니라. 보라 네가 수태하여 아들을 낳으리니 그 이름을 예수라 하라. 저가 큰 자가 되고 지극히 높으신 이의 아들이라 일컬을 것이요, 주 하나님께서 그 조상 다윗의 위를 저에게 주시리니 영원히 야곱의 집의 왕노릇 하실 것이며, 그 나라가 무궁하리라."(누가1:28~32)

위의 말씀과 같이 성령님의 강림으로 예수가 잉태되어 이 땅에 오셨다.

마리아의 처녀잉태를 믿어야 그리스도교(敎)가 성립(成立)한다

일반적으로 생각할 때에 처녀잉태란 논리적으로 이해되지 않는다. 그래서 그리스도교인들은 이것을 '신의 영역에서는 논리를 초월한다'라는 말로 대신해 왔다. 그래서 이제까지 그리스도교에서는 초월이라는 이론이 불문율로 되어 왔나.

그러나 이것은 예수의 인류 구원의 논리를 대속으로 보았기 때문에 초월이라는 논리 아닌 논리가 성립되어 누구도 이의를 제기해서는 안 되는 불문율로 자리 잡은 것이다. 그러나 예수 그리스도의 십자가 사건의 눈을 대속에서 돌려 '접붙임의 만남'으로 보면 마리아의 처녀잉태는 진리의 논리로 서게 된다.

접목은 '만남'이다. 십자가의 사건을 접목으로 보면 예수 그리스도와 함께 죽은 좌우의 강도들도 '접붙임의 만남'이 된다. 즉, 인류의 구원이 만남에서 이루어진다는 것이다.

처음 인류 창조는 만남이다.

제2의 창조인 인류의 구원도 만남이다.

"여호와 하나님이 흙으로 사람을 지으시고 생기를 그 코에 불어 넣으시니 사람이 생령이 된지라."(창2:7) 이 말씀은 곧 흙과 하나님의 생기와의 만남이다.

마리아의 처녀잉태 또한 만남이다. 하나님의 성령이 강림하여 마리아와의 '만남'이 이루어졌다. 그런데 이 '마리아와 성령의 만남'이 논리에 맞지 않기 때문에 초월이라는 논리 아닌 논리가 나왔다. 그러나 씨앗이 땅에 떨어져 '흙과 씨앗의 만남'으로 새싹이 돋아남을 생각하면 이상할 것이 없다. 씨앗이 땅에 떨어져 '흙과 만남'은 보편적인 일이라서 논리로 믿고 마리아의 몸에 성령님의 강림에 의한 잉태는 보편적인 일이 아니기 때문에 이상할 뿐이지만, 이러한 일들이 자주 있게 되면 보편적으로 보일 것이다.

또 우리가 생각 할 것은 하나님이 창조하신 사람 마리아는 주재료가 흙이다. 그러면 처음 창조 때에 흙에 하나님이 생기를 불어넣어 사람을 창조하신 것이나, 흙으로 된 마리아에게 성령님이 임한 예수 잉태는 같은 원리이다.

하나님이 처음 사람을 창조할 때에 흙과 생기의 '만남'이 이루어졌듯 마리아의 몸에 성령이 강림한 것도, 씨앗이 흙과 만나 싹이 돋는 것도 '만남'이다. 이것을 정리하면 다음과 같다.

○ '흙과 생기의 만남'으로 아담 창조

◯ '마리아의 몸과 성령의 만남'으로 예수 그리스도 잉태

◯ '씨앗과 땅의 만남'으로 새싹이 돋아남

◯ '인류를 구원하기 위한 죄인과 예수 그리스도의 피에 의한 접목'

이 모두가 한 가지 '만남'의 논리로 설명이 가능한 것이다.

—이상 요한복음 공부 27과에서—

2011년 9월 10 발표

〈제29과〉
생명의 떡이신 예수 그리스도(4)

본문 말씀 6:52~59

"52이러므로 유대인들이 서로 다투어 가로되, 이 사람이 어찌 능히
제 살을 우리에게 주어 먹게 하겠느냐? 53예수께서 이르시되, 내가 진
실로, 진실로 너희에게 이르노니 인자의 살을 먹지 아니하고, 인자의 피
를 마시지 아니하면 너희 속에 생명이 없느니라. 54내 살을 먹고 내 피
를 마시는 자는 영생을 가졌고, 마지막 날에 내가 그를 다시 살리리니
55내 살은 참된 양식이요, 내 피는 참된 음료로다. 56내 살을 먹고 내
피를 마시는 자는 내 안에 거하고, 나도 그 안에 거하나니 57살아계신
아버지께서 나를 보내시매 내가 아버지로 인하여 사는 것 같이 나를 먹
는 그 사람도 나로 인하여 살리라. 58이것은 하늘로서 내려온 떡이니
조상들이 먹고도 죽은 그것과 같지 아니하여 이 떡을 먹는 자는 영원히
살리라. 59이 말씀은 예수께서 가버나움 회당에서 가르치실 때에 하셨
느니라."

하늘 백성으로의 개조 예고의 말씀

요한복음 기자인 사도 요한은 6장 1절부터 예수를 인류—우리 그리스도인의 생명의 떡으로 기록하고 있다. 그 중에서도 오늘 공부하는 52절부터 59절까지의 '생명의 떡'에 대한 말씀은 절정을 이루는 부분인데, 농부이신 하나님이 장차 십자가 위에서 인류 구원을 위하여 이루어 가실 일을 예수 그리스도 자신이 미리 설명하고 있다. 그 중에서도 54절의 "내 살을 먹고 내 피를 마시는 자는 영생을 가졌고, 마지막 날에 내가 그를 다시 살리리라"는 말씀이 핵심이다. 이 말씀은 **'마지막 날에 내가 그를 거듭나게 하여 하늘 백성이 되게 하신다.'**로 읽어도 될 것이다.

세례 요한은 "영접하는 자, 곧 그 이름을 믿는 자들에게는 하나님의 자녀가 되는 권세를 주셨으니"(요1:12) 라고 하였고, 예수 그리스도 자신은 "내 살을 먹고 내 피를 마시는 者는 영생을 가졌고, 마지막 날에 내가 그를 다시 살리리니"(요6:54) 라고 하였으며, 사도 요한의 입을 통하여 "볼지어다. 내가 문밖에 서서 두드리노니 누구든지 내 음성을 듣고 문을 열면 내가 그에게로 들어가 그로 더불어 먹고, 그는 나로 더불어 먹으리라."(계3:20)고 말씀하고 있다.

모두가 예수 그리스도를 여러분과 나의 생명의 근원으로 받아들이는 믿음의 말씀들이다.

증언자 바울 선생은 '위의 말씀들을 받아들이면 내 안에 오신 그리스도께서 사신다'는 것을 에베소 교회에 보낸 편지에서 역설하고 있다. "또 십자가로 이 둘을 한 몸으로 하나님과 화목하게 하려 하심이라. 원수된 것을 십자가로 소멸하시고"(엡2:16)

여기서 중요한 것은 '십자가로 이 둘을 한 몸으로' 이 부분인데, 풀이하면 예수와 강도가 한 몸으로 된다는 것이다. 즉, 접붙임을 이야기 한 것이다.

또 '원수 된 것을 십자가로 소멸하시고' 이 말씀은 강도가 아담의 자손이기에 죄인임에 분명한데, 죄인이면 하나님과 하나 될 수 없는—즉, 죄인과 하나님은 하나 될 수 없는 원수 관계인데, 강도를 십자가상에서 죽임으로써 '강도의 몸을 소멸하셨다'라는 말로 바울은 증언하고 있는 것이다. 곧, 접붙임을 위하여 '강도의 다리 절단'을 '원수 관계의 소멸'로 본 것이다. 그런데 이 부분의 우리말 공동번역 성경은 이해하기가 참으로 어렵다. 해서, 일본어 성경의 같은 부분을 참고로 올린다.

“十字架を通して両者を一つの体として神と和解させ十字架によって敵意を滅ぼされました”

-십자가를 통해 兩者(예수와 강도가 하나가 되어)를 하나의 몸으로 하나님과의 和解에 따라서 十字架를 통해 적의를 멸하여—

여기서 ‘적의를 멸하여’는 ‘강도를 죽이는 것’을 뜻한다.

이와 같이 예수 그리스도를 영접하든, 예수의 살을 먹든, 예수 그리스도에게 마음의 문을 열든 예수 그리스도가 우리 안에 오심을 말한다.

바울은 증언자로서 ‘우리 그리스도인은 예수와 한 몸으로 하나님 앞에 서 있다’고 한 부분이 우리 안에 예수가 오시는 만남을 말하고 있다. “만남은 창조”이다. 오신 그 예수의 생명이 우리를 거듭나게 함으로 하늘 백성으로의 새로운 창조를 하신다. 이 모두 하나님이 하시는 일이다.

본문 공부

52절 “이러므로 유대인들이 서로 다투어 가로되, 이 사람이 어찌 능히 제 살을 우리에게 주어 먹게 하겠느냐?”

지난 28과 공부에서 보았던 51절의 “나의 줄 떡은 내 살”이라는 예수님의 말씀으로 유대인들 사이에서 쟁론이 일어났다. ‘이 사람이 어떻게 자기 살을 우리에게 주고, 그 살을 우리가 어떻게 먹어?’ 인간의 상식으로는 도저히 이루어질 수 없는 말에 쟁론이 일어난 것이다. 우둔한 인간의 머리로 장차 일어날 일을 어찌 알아들을 수 있겠는가.

53절 "예수께서 이르시되, 내가 진실로, 진실로 너희에게 이르노니 인자의 살을 먹지 아니하고 인자의 피를 마시지 아니하면 너희 속에 생명이 없느니라."

예수님은 중요한 말씀을 하실 때마다 모두에 "진실로, 진실로 너희에게 이르노니"라고 강조하는 말로 시작하신다. 여기에서도 마찬가지이다.

"인자의 살을 먹지 아니하고 인자의 피를 마시지 아니하면 너희 속에 생명이 없다"는 것은 우리가 예수의 생명을 먹고 마시지 않으면 절대로 하늘의 생명이 없다는 것이다.

하나님은 아담을 창조할 때에 흙으로 만든 당신의 형상에 당신의 생기를 불어 넣어 생령이 되게 하셨고, 제2의 창조는 하나님의 품속에 계시다가(1:18) 이 땅에 오신 예수 그리스도가 십자가상에서 흘린 피를 우리 인간들이 받아먹음으로써 이루어지게 된다.

예수께서는 우리 속에 하나님의 생명이 들어와 마지막 날 그 생명이 부활할 때에 하늘 백성이 된다고 하신다. 인자의 살과 피는 우리에게 생명이요, 영생이다.

54절 "내 살을 먹고 내 피를 마시는 자는 영생을 가졌고, 마지막 날에 내가 그를 다시 살리리니"

'영생을 가졌고' '생명의 떡' 말씀에서 최고의 말씀이요, 절정의 말씀이다. 예수의 살과 피를 먹는 자는 '영생'을 갖는다고 하신다. 즉, 예수님의 살과 피를 먹으면 영생의 씨 또는 생명체가 우리 안에 자리하게 된다는 것이다. 그리고 마지막 날에 심판의 권력자인 예수께서 우리를 다시 살린다고 하신다.

55,6절 "내 살은 참된 양식이요 내 피는 참된 음료로다. ◇내 살을 먹고 내 피를 마시는 자는 내 안에 거하고, 나도 그 안에 거하나니"

예수께서는 자신의 피와 살이 인류가 먹어야 하는 생명의 양식이란 것과, 참된 음료임을 재차 강조하는 말씀이다.

이어지는 말씀으로, 우리가 예수의 살을 먹고 예수의 피를 마시면 우리가 당신 안에 있게 된다 하시고, 예수도 우리 안에 있게 된다고 하신다.

57절 "살아계신 아버지께서 나를 보내시매 내가 아버지로 인하여 사는 것 같이 나를 먹는 그 사람도 나로 인하여 살리라."

'떡 이야기'에서 54절 말씀이 절정이라고 하였지만, 이 57절 말씀 또한 참으로 중요하기 때문에 여기에서 재차 설명하고 계신다.

예수님 자신은 하나님이 이 땅에 주신 은혜의 선물로, 예수가 살아계신 아버지의 뜻대로 사는 것처럼 예수 자신의 생명의 떡을 먹는 사람도 '나로 인하여 산다' 고 하신다. 다시 말하면 **'하나님과, 예수 그리스도와, 예수의 피를 받은 者는 하나'**라는 말씀이다. 그래서 죄인이었던 우리지만, 예수의 피를 받으면 마지막 날에 다시 살아날 것이다. 즉, 예수의 생명으로 재창조되어 영원히 살게 된다는 말이다.

58절, "이것은 하늘로서 내려온 떡이니 조상들이 먹고도 죽은 그것과 같지 아니하여 이 떡을 먹는 자는 영원히 살리라."

이어서 예수께서는 6장 31절을 상기하시며 '너희들이 자랑한 너희 조상들이 먹었던 단순한 떡과는 전혀 다르다'고 말씀하고 계신다. 너희 조상들은 만나를 먹고도 죽었지만, 내가 주는 "이 떡을 먹는 자는 영원히 살리라"는 말씀이다. 이 부분은 장차 '예수 그리스도 자신'이 십자가상에서 흘리실 피를 예고하신 말씀이다. 예수가 주는 떡을 믿음으로 먹고, 믿음으로 거듭나면 하늘 백성으로 산다는 말씀이다.

59절 "이 말씀은 예수께서 가버나움 회당에서 가르치실 때에 하셨느니라."

사도 요한은 예수가 인류에게 주시는 '생명 근원의 말씀'을 "가버나움 회당에서 가르치실 때에 하셨다"고 확실하게 기록하고 있다.

예수의 살과 피를 어떻게 먹는가?

예수 그리스도의 살과 피를 먹는 데에는 오직 한 가지 방법이 있다. 십자가상에서 우리 인류 한 사람, 한 사람이 행악者(들포도나무)로서 예수의 좌우에서 예수와 같이 죽임을 당함으로써, 우리 인류 아담의 자손은 자신의 죄를 멸하기 위하여 죽고, 예수는 우리 인류의 몸을 베어낸 곳에 당신의 살과 피를 접붙이기 위하여 참포도나무로 죽는 것이다. 접붙임에 쓰일 참포도나무 가지를 우리에게 수시기 위해서다. 그 일은 농부인 하나님께서 장차 십자가상에서 하신다고 말씀하신다. 참포도나무 가지인 예수의 살과 피로 접붙임 받는 그것이 살과 피를 먹는 것이란 말씀이다.

'마지막 날'이란 우리가 세상을 떠나는 날이다. 그 날에 우리는 심판자 예수 그리스도 앞에 설 것이며, 이때에 예수의 생명이 있는 자는 하늘 백성으로 거듭나 다시 살 것이다.

예수께서는 "너희가 거듭나지 않으면 하늘나라엘 들어가지도 못하고, 보지도 못한다"(요3:3)고 말씀하셨다.

십자가의 사건을 접목으로 본 선인들

성서 안에서 '십자가의 사건'을 '접붙임'으로 본 것은 증언자 바울 선생만이 아니다.

우리나라가 일제의 식민지 시대에 "세계 평화론"을 주창하다가 동경제국대학에서 쫓겨나고, 일본의 패망 후 동경대학교 총장을 두 번이나 하셨던 야나이하라(矢内原忠雄) 先生은 1950년도에 京城(지금의 서울) YMCA 회관에서 닷새 동안 로마서 6장을 강의 하셨는데, 이때 선생은 **'십자가 위에서 예수 그리스도와 좌 · 우의 강도가 함께 죽는 것을 보시고 그것이 洗禮'**라고 하시며 '세례가 곧 접목'이라고 강연하셨다. 마침 그 때의 강연 내용이 기록되어 있어 일부분을 보기로 한다.

その時に 内用は (バプテスマの譬 接ぎ木の譬 訴訟法の譬を引いてキリストを信じて罪の赦を受けた者はキリストに含体したものである キリストと共にキリストの中に生きるものである(キリストの死の中に我々もキリストとイ一緒に死んだのであり徒ってキリストとの復活の中に我々も彼と共に復活する云云) –"籾山民子さんの信仰と生活" 32面–

(籾山民子 선생은 일생 동안 야나이하라 선생의 어록을 기록한 분이다. 필자의 일본어가 부족하여 번역은 피하고 원본만 올린다.)

그런데 위와 비슷한 내용이 나의 저서 "우리가 먹어야 할 생명의 떡"에도 있는데, 나의 책을 보신 김유곤(金裕坤) 선생께서 멀리 울산에서 전화를 주셨다. '그 내용에 공감한다'고 하시며, 이런 말씀도 덧붙이셨다.

"우리가 먹어야 할 생명의 떡"을 보고 이렇게 전화로 공감한다는 말을 하게 된 것은 이유가 있다. 임 선생의 책과 비슷한 내용의 말씀을 일본의 어느 선생이 한국에서의 성서강연회 때에 하셨는데, 그 때 많은 한국 그리스도인들이 반발하고, 격렬하게 공격을 하였다. 그러나 나 자신은 강연 내용에 크게 공감했으면서도 공감했다는 말씀을 그 분께 드리지 못했고, 이제는 하고 싶어도 할 수 없는 처지가 되었다. 그래서 늘 마음의 짐으로 남아있었다. 그런데 임 선생의 책을 읽으면서 공감을 하게 되었다. 그래서 이번에도 공감을 표하지 않으면 또 후회될 것 같아서 전화를 한다"고 하셨다.

김유곤 선생은 日本의 內村鑑三 先生 全集을 韓國語로 飜譯하신 원로 학자이시다. 선생은 전화 말미에 "진리는 늘 양면성이 있다"고 하시며 "임씨가 본 접붙임의 진리가 전부는 아니다. 그러니 마르틴 루터 등 개혁자들의 주장이 진리가 아니라고 하면 절대 안 된다"는 말씀도 덧붙이셨다. 그 말씀에 공감하며 성서 진리는 무한한데 접붙임으로 다 설명이 되겠냐는 말씀에 그저 "아멘!" 할 따름이었다.

세월은 유수 같이 흘러 야나이하라 선생이 세례를 접목의 비유로 말씀하신 지 반 세기가 훌쩍 지난 오늘, 또 십자가의 사건을 접목으로 이야기를 하게 되었는데, 그 때나 지금이나 반발은 같은 것 같다. 그러나 우리는 겸손히 상고하여 본다.

2011년 10월 10 발표

〈제30과〉

생명의 떡이신 예수 그리스도(5)

본문 말씀 6:60~71

"60제자 중 여럿이 듣고 말하되 '이 말씀은 어렵도다. 누가 들을 수
있느냐?' 한대 61예수께서 스스로 제자들이 이 말씀에 대하여 수군거
리는 줄 아시고 가라사대 '이 말이 너희에게 걸림이 되느냐? 62그러면
너희가 인자의 이전 있던 곳으로 올라가는 것을 볼 것 같으면 어찌 하
려느냐? 63살리는 것은 영이니 육은 무익 하니라. 내가 너희에게 이른
말이 영이요 생명이라. 64그러나 너희 중에 믿지 아니하는 자들이 있느
니라.' 하시니 이는 예수께서 믿지 아니하는 자들이 누구며 자기를 팔
자가 누군지 처음부터 아심이러라. 65또 가라사대 '이러하므로 전에 너
희에게 말하기를 내 아버지께서 오게 하여 주지 아니하시면 누구든지
내게 올 수 없다 하였노라.' 하시니라 66이러므로 제자 중에 많이 물러
가고 다시 그와 함께 다니지 아니 하더라. 67예수께서 열 두 제자에게
이르시되 '너희도 가려느냐?' 68시몬 베드로가 대답하되 '주여, 영생의
말씀이 계시매 우리가 뉘게로 가오리이까. 69우리가 주는 하나님의 거
룩하신 자신 줄 믿고 알았삽나이다.' 70예수께서 대답하시되 '내가 너
희 열둘을 택하지 아니하였느냐. 그러나 너희 중에 한 사람은 마귀니
라.' 하시니 71이 말씀은 가룟 시몬의 아들 유다를 가리키심이라. 저는
열둘 중의 하나로 예수를 팔 자러라."

예수 그리스도의 新 십자가복음

요한복음 6장 1절부터 59절까지 떡 다섯 개와 물고기 두 마리로 5천명을 먹이신 후 예수께서는 자신을 '생명의 떡'으로 말씀하신다. 그리고 마지막 부분에서 **"내 살을 먹고 내 피를 마시는 者는 영생을 가졌고, 마지막 날에 내가 그를 다시 살리리니"** (6:54) 라고 하시는데, 제자들은 이 '생명의 떡' 이야기를 알아듣질 못하고 '이 말씀은 어렵다. 누가 알아들을 수 있느냐?'고 서로에게 묻는다.

이처럼 직제자들조차 스승의 **'생명의 떡'** 말씀을 알아듣지 못하고 서로에게 묻고 있었으니 모여든 사람들이 알아듣지 못하는 것도 당연한 일일 것이다. 그렇다. 예수 그리스도가 십자가 위에서 당신의 몸을 **'생명의 떡'**으로 나누어 주신 지 이천년이 지난 지금까지도 제대로 이해하는 사람은 없다. 성경과 관련한 많은 주해서가 있지만, 어느 누구의 주해서에도 **'생명의 떡'** 이야기를 장차 십자가상에서 있을 '접붙임의 예고'로 보지 않았다.

어거스틴, 존 칼빈, 마르틴 루터, 내촌감삼 같은 내로라하는 분들에게도 하나님은 당신의 인류 개조의 일들을 보이지 않으셨기 때문이다.

그러나 하나님의 은혜로 **'생명의 떡'**을 오늘 새로운 **'접붙임의 만남'**의 시각으로 보게 되었으니 백번 천번 감사할 따름이다.

본문 말씀 공부

60절 "제자 중 여럿이 듣고 말하되 '이 말씀은 어렵도다. 누가 들을 수 있느냐?' 한대"

'생명의 떡인 내 살을 먹으면 영원히 산다'(58절)는 말씀에 제자들이 말하였다. '이 말씀은 참으로 어렵다. 나는 모르겠는데 너는 알아들을 수 있겠느냐?' 이렇게 서로가 서로에게 묻고 있다. 장차 예수 자신이 겪게 될 십자가 사건에 대한 예고의 말씀인데 알아듣지 못하는 것은 당연하다. 십자가상에서 그 일들이 있었던 이후 2000년이 지난 지금도 제대로 이해하지 못하고 있는데, 하물며 일어나지도 않은 사건의 예고 말씀을 알아들었다면 그 것이 이상한 일일 것이다. 참으로 어려운 말씀이다.

61절 "예수께서 스스로 제자들이 이 말씀에 대하여 수군거리는 줄 아시고 가라사대 '이 말이 너희에게 걸림이 되느냐?'"

'생명의 떡' 말씀을 알아듣지 못하고 수군거리는 제자들에게 스승은 "이 말이 너희에게 어려워서 걸림이 되느냐?"고 물으신다. 예수님의 제자 사랑이 얼마나 따뜻한가를 알게 하는 부분이다. **'아버지께서 내게 주시는 자는 다 내게로 올 것이요, 내게 오는 자는 결코 내어 쫓지 아니하리라'**(6:37)고 하신 말씀을 떠올리며 하신 말씀이다.

62,3절 "그러면 너희가 인자의 이전 있던 곳으로 올라가는 것을 볼 것 같으면 어찌 하려느냐? ◇살리는 것은 영이니 육은 무익 하니라. 내가 너희에게 이른 말이 영이요 생명이라."

스승의 말을 알아듣지 못하고 수군거리는 제자들에게 '내 살을 너희에게 나누어 준다는 말을 너희가 믿지 못하는데, 그러면 내가 이전에 있던 하늘로 올라가면 그 때는 믿겠느냐?'고 물으신다. 이는 장차 있을 승천의 예언이다.

예수께서는 이어서 "살리는 것은 영이니 육은 무익 하다"고 하신다. 내가 나누어 주는 것을 너희가 먹으면 너희 영은 살고, 육에는 무익하다는 말씀이다.

나의 살을 먹고 나를 하나님의 아들—이 세상에 속하지 않은 영원한 생명의 근원이신 하나님의 아들로 받아들이면 너희는 마지막 날 그 생명으로 산다는 말이다.

'육은 무익하다'는 말씀은 영원히 사는 영이 중요하고 육은 죽으면 흙으로 돌아가는 것이므로 무익하다는 것이다. '내가 너희에게 이른 말이 영과 생명'이라는 말은 '내가 너희에게 가르친 말을 믿으면—즉, 나 예수를 영접하면 나의 영으로 너희가 산다'는 말씀이다.

64절 "그러나 너희 중에 믿지 아니하는 자들이 있느니라 하시니 이는 예수께서 믿지 아니하는 자들이 누구며 자기를 팔자가 누군지 처음부터 아심이러라."

예수 그리스도는 인성과 신성을 갖고 오신 하나님의 아들이므로 세상 모든 일을 다 아시는 분이다. 즉, 제자들의 생각까지 꿰뚫어 보시며, 앞날의 일들도 알고 계신다. 그래서 장차 누가 당신을 배반하고, 누가 당신의 복음을 위해 앞장 설 것인가도 처음부터 알고 계셨다는 말씀이다.

65절 "또 가라사대 '이러하므로 전에 너희에게 말하기를 내 아버지께서 오게 하여 주지 아니하시면 누구든지 내게 올 수 없다 하였노라' 하시니라"

지난 날 말씀하셨던 내용을 상기하시며 말씀하신다. "너희가 나를 믿고 나를 따르는 것은 하나님이 오게 하시고, 알게 하셔야 믿게 된다."는 말씀이다. 곧, 하나님의 영이 우리 마음의 문 밖에서서 늘 문을 두드려 속삭임으로 깨닫고 알게 되어 믿게 된다는 말씀이다. '아버지께서 내개 주시는 자는 다 내게로 올 것이요, 내게 오는 자는 결코 내어 쫓지 아니하리라'(6:37)고 하신 말씀을 떠올리며 하신 말씀이다.

66절 "이러므로 제자 중에 많이 물러가고 다시 그와 함께 다니지 아니 하더라."

'많은 제자들'이란 이제까지 예수를 따르던 사람들로, 이들이 예수 곁을 물러갔다는 말이다. 다시 말하여 예수님의 '천국 백성이 예정되어 있다'는 말에 대다수 사람들은 '우리가 따라 다녀도 결국에는 하늘나라에 갈 사람은 따로 있고, 하나님께서 허락하지 않은 사람은 갈 수 없다고 하니 예수를 따라다녀도 천국에 갈 수가 없겠구나.' 생각하고 물러간 것이다. 그런데 여기에는 오해가 있었을 것이다.

예수 그리스도가 **'하나님께서 내게 오게 해주신다.'**는 말씀은 앞으로 있을 십자가상에서의 접붙임의 일을 말씀하신 것이다. 곧 **'너희가 내 생명을 받는 길은 앞으로 하나님이 십자가상에서 너희의 죄된 몸—즉 들포도나무를 멸하고, 나의 참포도나무 가지로 접붙임의 일을 하실 때에만 너희가 나와 하나 될 수 있고 하늘 백성으로 거듭날 수 있다'**고 하신 말씀인데, 천국에 갈 사람이 예정 되어 있다는 것으로 오해를 하고 떠나간 것으로 보인다.

67~9절 "예수께서 열 두 제자에게 이르시되 '너희도 가려느냐?' ◇시몬 베드로가 대답하되 '주여, 영생의 말씀이 계시매 우리가 뉘게로 가오리이까. ◇우리가 주는 하나님의 거룩하신 자신 줄 믿고 알았삽나이다."

예수의 가르침을 이해하지 못한 사람들이 떠나가므로 예수께서는 열두제자들에게 물으신다. '너희도 가려느냐?' 라고.

스승의 묻는 말씀에 베드로가 대답한다. '주여 무슨 말씀입니까? 영생할 근본이 여기 계시는데 우리가 누구에게 가겠습니까.'

'영생의 말씀이 계시매' 이 말은 우리가 예수의 살을 먹고, 예수를 우리의 생명의 근원으로 영접하면 하나님의 자녀가 된다는 말씀이다(요한1:12).

십자가 사건은 이천년 전에 일어난 과거사지만 현재(現在)에도 진행 중이다. 그래서 성서 말씀은 모두가 현재 진행형이다. 예수님과 함께 매달린 강도처럼 현재의 나도 십자가상에서 죽고, 내 안에 생명의 근원이신 예수를 영접하면 마지막 날 그 생명으로 산다는 말씀이기 때문이다. 그 생명의 말씀이 곧 예수이시다. 그래서 베드로가 '우리가 누구에게로 가겠습니까!' 하는 말로 제자들의 의지를 나타낸 것이다.

베드로의 답변이 계속된다. '主는 하나님의 거룩하신 분임을 알았고, 또한 그렇게 믿고 있습니다.' 진정으로 중요한 말을 하고 있다. 主! 나의 주는 하나님! 예수를 거룩하신 하나님으로 알았다고 고백하고 있다.

70,1절 "예수께서 대답하시되 '내가 너희 열둘을 택하지 아니하였느냐. 그러나 너희 중에 한 사람은 마귀니라' 하시니 ◇이 말씀은 가룟 시몬의 아들 유다를 가리키심이라. 저는 열둘 중의 하나로 예수를 팔 자러라."

'예수 당신을 거룩하신 하나님으로 알았다'는 제자들의 말에, 예수께서 **'내가 너희 열둘을 택했지만, 너희 중에서 한 사람은 마귀'**라고 말씀하신다.

71절은 앞 절에 대한 보충설명이다. 하나님 아들 예수 그리스도가 인류를 구원하기 위해 열두 사람의 제자를 삼았지만, 그 중에서도 스승을 팔아넘긴 제자가 나왔다는 것은 우리 인간이 얼마나 사악한가를 보여주는 대목이라고 하겠다.

2011년 11월 10 발표

〈제31과〉
때를 기다리는 예수 그리스도

본문 말씀 7:1~13

“[1]이 후에 예수께서 갈릴리에서 다니시고 유대에서 다니려 아니하심
은 유대인들이 죽이려 함이러라. [2]유대인의 명절인 초막절이 가까운지
라. [3]그 형제들이 예수께 이르되 ‘당신의 행하는 일을 제자들도 보게
여기를 떠나 유대로 가소서. [4]스스로 나타나기를 구하면서 묻혀서 일하
는 사람이 없나니 이 일을 행하려 하거든 자신을 세상에 나타내소서.’
하니 [5]이는 그 형제들이라도 예수를 믿지 아니 함이러라. [6]예수께서 가
라사대 ‘내 때는 아직 이르지 아니하였거니와 너희 때는 늘 준비되어
있느니라. [7]세상이 너희를 미워하지 못하되 나를 미워하나니 이는 내가
세상의 행사를 악하다 증거함이라.’ [8]‘너희는 명절에 올라가라. 나는 내
때가 아직 차지 못하였으니 이 명절에 아직 올라가지 아니하노라.’ [9]이
말씀을 하시고 갈릴리에 머물러 계시니라. [10]그 형제들이 명절에 올라
간 후 자기도 올라가시되 나타내지 않고 비밀히 하시니라. [11]명절 중에
유대인들이 예수를 찾으면서 ‘그가 어디 있느냐?’ 하고 [12]예수께 대하
여 무리 중에서 수군거림이 많아 혹은 좋은 사람이라 하며, 혹은 아니
라 무리를 미혹하게 한다 하나 [13]그러나 유대인들을 두려워하므로 드러
나게 그를 말하는 자가 없더라.”

때를 기다리는 예수 그리스도

요한복음 6장 전체에서의 ‘생명의 떡’ 이야기는 인류역사에서 아담의 혈통이 아닌 예수 그리스도의 혈통으로 십자가상에서의 접붙임에 대한 예고의 말씀이다. 예수님이 장차 자신의 생명을 갈기갈기 찢어 나누어 줄 생명의 떡을 인류가 받아먹어야(영접하여야) 생명이 있고, 그 생명으로 마지막 날에 다시 산다는 가르침이다.

그런데 7장에서는 예수님의 육의 형제들이 예수께 이르되 “당

신의 행하는 일을 제자들도 보게 여기를 떠나 유대로 가소서." 하고 권한다. 예수의 형제들이 예수의 능력이 뛰어나다는 것을 알았지만, 그것을 드러내지 않으려는 예수를 이해하지 못했던 것이다. 세상의 이치대로라면 당연히 많은 사람들에게 자신을 보여야 인기를 얻을 것이 아니겠는가.

그렇지만 예수 그리스도는 자신의 때를 기다리고 있었다. 십자가에 매달려 죽을 그 때를.

하나님이 장차 십자가상에서 아들인 예수의 살과 피를 갈기갈기 찢어(피를 흘려) 인류에게 생명의 떡으로 접붙임 하실 그 때를 기다리고 있는데, 그 형제들은 능력을 세상에 나타내려면 여기를 떠나 유대—즉, 예루살렘 성전이 있는 곳으로 가라고 한다. 예수는 자신을 세상에 나타내 보이라는 형제들의 말에 "아직 나의 때 곧, 내 살과 피를 흘려 죽을 때가 되지 않았다"고 하시며 **"너희 때는 늘 준비되어 있으니 너희는 언제든지 올라가라"**고 하신다.

여기서 **'너희 때'**란 무슨 말인가? 유대인들은 종교 절기를 철저히 지키는 사람들이다. 그런데 마침 큰 절기인 '초막절'이 눈앞에 다가와 있었다. 그래서 '너희의 때가 준비되어 있다'고 하신 것이다. 오늘날에도 종교단체에서는 절기를 중요시한다. 성탄절, 부활절, 추수감사절, 오순절에 심지어 교회당 신축기념일 등 무슨 날, 무슨 날 하면서 온 정신을 행사준비에 쏟아 붓는다. 이 백성이 각종 종교 행사를 통해 **"입으로는 나를 가까이하며 입술로는 나를 존경하나, 그 마음은 내게서 멀리 떠났나니 그들이 나를 경외함은 사람의 계명으로 가르침을 받았을 뿐이라"**(사 29:13)는 말씀처럼 마치 절기의 행사를 신앙생활로 착각한 것 같다. 하나님에 대한 진리와 더불어 감사의 마음과 상관이 없는 행사에 진력하는 것이다. 그래서 예수께서는 **"나는 너희의 초막절과는 상관없이 나의 아버지 하나님이 나의 살—곧 생명의 떡을 너희에게 나누어 주실 때가 아직 오지 않았다. 그 때가 오면 예루살렘으로 죽으러 갈 것"**이라고 하신다.

본문 말씀 공부

1절 "이 후에 예수께서 갈릴리에서 다니시고 유대에서 다니려 아니하심은 유대인들이 죽이려 함이러라."

예수께서는 6장에서의 '생명의 떡' 가르침 이후 유대인을 피하여 갈릴리에 머물고 계셨다. 그것은 예수님의 바른 말씀이 유대교 대제사장이나 위정자들은 받아들일 수 없는 것이었기에 예수님을 미워하게 되었고, 거기에다 미움의 도를 넘어 죽이려는 생각까지 갖게 되었지만, 아직은 때가 오지 않았기 때문이었다.

2~4절 "유대인의 명절인 초막절이 가까운지라. ◇그 형제들이 예수께 이르되 당신의 행하는 일을 제자들도 보게 여기를 떠나 유대로 가소서. ◇스스로 나타나기를 구하면서 묻혀서 일하는 사람이 없나니 이 일을 행하려 하거든 자신을 세상에 나타내소서 하니"

갈릴리에 계시는 사이에 유대인의 명절인 '초막절'이 다가왔다. 이때가 되면 유대인들은 예루살렘으로 올라가 초막절을 보내는데, 전례대로라면 예수와 그의 형제들도 당연히 예루살렘으로 올라가야 할 때였다.

형의 능력을 아는 예수의 육신의 형제들이 말한다. '당신의 행하는 일을 제자들도 볼 수 있도록 여기를 떠나 유대로 가소서' 라고.

예루살렘 성전의 대제사장이나 종교 위정자들을 악하다고 했다 하여 대제사장들의 눈 밖에 난 관계로 그들을 피하여 갈릴리에 머물러 있는 예수에게 형제들은 '갈릴리를 떠나 유대로 가라'고 한다. 대제사장들과의 정면 돌파를 말하고 있는 것이다.

예수 그리스도께서는 예루살렘의 대제사장들이 패악하여 책망했던 것인데 세상 사람들의 눈에는 예수가 지도자의 꿈이 있어 비판한 것으로 비쳤고, 형제들도 오해를 하고 있었던 것이다.

5절 "이는 그 형제들이라도 예수를 믿지 아니함이러라"

육으로는 예수의 형제들이지만 장차 인류를 구원하실 예수 그리스도의 근본을 모르는 데에서 이러한 오해를 하고 있다. 세상에서 흔히 말하는 겉에 드러난 것만을 보았던 것이다.

그러나 예수 그리스도께서는 자신의 몸을 던져 아담 혈통의 사람들을 하나님 혈통으로 바꾸기 위한 꿈을 꾸면서 그 때를 기다리던 중이셨지만, 저들이 어찌 알겠는가.

6절 "예수께서 가라사대 내 때는 아직 이르지 아니하였거니와 너희 때는 늘 준비되어 있느니라."

십자가상에서 자신의 살과 피를 세상 모든 사람에게 나누어 주실 때를 기다리는 예수께 **'유대로 가서 당신을 나타내소서.'** 하는 형제들의 말에 '내 때는 아직 이르지 아니하였거니와 너희 때는 늘 준비되어 있다' 고 하신다. 여기서 너희 때란 유대인들이 철저히 지키는 큰 절기를 말한다.

그래서 예수께서는 유대인들에게 '너희들은 절기를 중요시 하지 않느냐. 너희는 절기나 의식 지키는 일을 하나님 섬기는 일로 생각하지만, 하나님은 당신의 마음을 너희가 알기를 원하신다'고 하셨다. 하나님은 인류를 예수로 인하여 하늘 백성이 되게 하시려는 것이다.

7절 "세상이 너희를 미워하지 못하되 나를 미워하나니 이는 내가 세상의 행사를 악하다 증거함이라."

여기서 세상은 종교지도자들을 가리키는 말이다. 종교지도자들은 너희—즉, 일반 유대인들을 미워하지 않는다. 왜? 너희는 종교지도자들에게 바른 말을 하지 않았기 때문이다. 그러나 나는 그들에게 패악하다고 하였다. 그 때문에 그들은 나를 미워함을 넘어 죽이려고까지 하고 있다.

8,9절 "너희는 명절에 올라가라. 나는 내 때가 아직 차지 못하였으니 이 명절에 아직 올라가지 아니하노라. ◇이 말씀을 하시고 갈릴리에 머물러 계시니라."

명절에 유대로 올라가라고 채근하는 형제들에게 너희는 명절에 올라가 초막절을 기념하여 지키고 즐겨라. 나는 **'나의 때'**가 되면 올라갈 것이라고 예수님은 말씀하신다. **'나의 때'** 즉 '내가 죽을 때가 되면 올라가 죽을 것'이니 채근하지 말라는 뜻이다.

형제들에게 말씀을 마친 예수께서는 갈릴리에 머물러 계셨다.

10절 "형제들이 명절에 올라간 후 자기도 올라가시되 나타내지 않고 비밀히 하시니라."

형제들이 유대로 올라간 뒤에 예수께서도 비밀리에 올라가신다. 그런데 왜 예루살렘에 올라가서도 자신의 모습을 숨기고 계셨을까? 아직은 자신이 십자가상에서 죽을 때가 되지 않았기 때문에 숨어서 명절 행사를 지켜보셨던 것이다.

11~13절 "명절에 유대인이 예수를 찾으면서 그가 어디 있느냐 하고, ◇예수께 대하여 무리 중에서 수군거림이 많아 혹은 좋은 사람이라 하며, 혹은 아니라 무리를 미혹하게 한다 하나 ◇그러나 유대인들을 두려워하므로 드러나게 그를 말하는 자가 없더라."

예수께서 숨어 유대인들의 초막절 행사 진행을 보자니 그들은 초막절 행사 진행에는 관심이 없고, 오로지 예수를 찾으면서 요란하게 다니는 게 보였다.

민중들 사이에서는 수군거림이 많았는데, 그들은 예수를 가리켜 혹은 좋은 사람, 혹은 사람을 미혹하는 사람으로 평가하고 있었다.

그러나 민중들은 예수에 대하여 드러나게 말을 못하였다고 하였다. 그것은 유대인 즉, 제사장 등 종교지도자들이 무서워 말을 못한 것이다. 유대인들은 이미 예수를 죽이기로 하고, 예수를 그리스도로 인정하는 사람은 다 출교시키기로 하였기 때문이다.

2011년 12월 10 발표

〈제32과〉
하나님께로부터 오고, 하나님의 말씀을 한다

본문 말씀 7:14~24

"14이미 명절이 중간이 되어 예수께서 성전에 올라가사 가르치시니
15유대인들이 기이히 여겨 가로되 이 사람은 배우지 아니하였거늘 어떻
게 글을 아느냐? 하니 16예수께서 대답하여 가라사대 내 교훈은 내 것
이 아니요, 나를 보내신 이의 것이니라. 17사람이 하나님의 뜻을 행하
려 하면 이 교훈이 하나님께로서 왔는지 내가 스스로 말함인지 알리라.
18스스로 말하는 자는 자기 영광만 구하되 보내신 이의 영광을 구하는
자는 참되니 그 속에 불의가 없느니라. 19모세가 너희에게 율법을 주지
아니하였느냐. 너희 중에 율법을 지키는 자가 없도다. 너희가 어찌하여
나를 죽이려 하느냐? 20무리가 대답하되 당신은 귀신이 들렸도다. 누가
당신을 죽이려 하나이까? 21예수께서 대답하여 가라사대 내가 한 가지
일을 행하매 너희가 다 이를 인하여 괴이히 여기는도다. 22모세가 너희
에게 할례를 주었으니 (그러나 할례는 모세에서 난 것이 아니요 조상
들에게서 난 것이라) 그러므로 너희가 안식일에도 사람에게 할례를 주
느니라. 23모세의 율법을 폐하지 아니하려고 사람이 안식일에도 할례를
받는 일이 있거든 내가 안식일에 사람의 전신을 건전케 한 것으로 너희
가 나를 노여워하느냐?! 24외모로 판단하지 말고 공의의 판단으로 판단
하라 하시니라."

하나님께로부터 오고, 하나님이 하신 말씀을 한다

초막절에 예루살렘 성전에서 많은 유대인들이 예수의 가르침을 듣고 "이 사람은 배우지도 않았거늘 어떻게 글을 아느냐?"고 하니 예수께서 대답하신다. "내 교훈은 내 것이 아니요, 나를 보내신 이의 것"이라고. 즉, **"나는 하나님께로부터 오고(1:18) 하나님이 하신 말씀을 듣고 그 말씀을 한다"**는 말씀이다.

이스라엘 역사에서 많은 선지자들이 하나님의 말씀을 받아 하나님의 대언자로서 예언해 왔다. 그러나 예수의 말씀은 대언자의 말이 아니다, 하나님의 품속에서 하나님과 같이 살던 독생자의 말씀이다. 뿐만 아니라 예수로 인하여 인류 역사에 새로운 구원관(救援觀)을 보이는 말이다.

이스라엘 민족이 지금까지는 모세의 교훈이나 조상들에게서 나온 할례의 행위로 선민(選民)으로 구원 된다고 믿었다면, 이제부터는 예수 그리스도의 몸에서 나온 생명의 떡으로 구원의 길이 열린 것이라고 말씀하신다.

예수께서는 "너희는 스스로 판단하여 보라. 내가 여러분에게 말한 것이 내가 스스로 하는 것이 아니라는 것을 잘 알 것이다. 나는 오직 하나님께서 가르쳐 주신 대로 말할 뿐"이라고 하신다. 즉, 예수의 말씀을 하나님의 말씀으로 받으라는 가르침이다. 그런데 유대인들은 그 말씀을 믿지 못하고 예수를 미워하다가 나중에는 죽이기까지 하니 당시의 유대인들이나 지금의 우리들이나 진리를 받아들이지 못하는 것은 마찬가지라고 하겠다.

본문 공부

14절 "이미 명절이 중간이 되어 예수께서 성전에 올라가사 가르치시니"

예수님은 갈릴리에서 자신의 형제들에게 먼저 올라가라는 말씀을 하시고 당신은 명절 중간에 올라가셨다. 예수 그리스도가 예루살렘에 올라간 것은 형제들이나 다른 유대인들처럼 절기를 지키기 위해 올라간 것이 아니었다.

예수께서는 공생애에 나오셔서 십자가에 매달리실 때까지 예루살렘 성전에 세 차례 올라가시는데, 갈 때마다 목적이 달랐음을 알 수 있다. 여기에서 그 목적들을 들여다보기로 하자.

첫번째 예루살렘 방문(요한복음 2:13)에서는 장사꾼들을 성전에서 몰아내는 성전확청을 감행하시고, 여기에 항의하며 증거를 보이라는 유대인들에게 말씀하신다.

"너희가 이 성전을 헐라. 내가 사흘 동안에 세우리라."(2:19)

여기에서 **"너희가 이 성전을 헐라"**는 말씀으로 유대교는 끝이며, **"내가 사흘 동안에 세우리라"**는 말씀은 그리스도교의 시작이다.

3장 1~15절에서는 새 성전(聖殿)의 주추가 되는 말씀인 **"거듭남"**에 대하여 말씀하신다(공부 제10과 참조).

예수님의 첫 번째 예루살렘 성전 방문의 목적은 '**묵은 예루살렘 성전을 헐고 새 성전을 세우시는 것**'이었다. 이는 곧 유대교의 끝을 이야기하는 것이다. 그런데 이 부분을 통상 성서 공부하는 사람들은 개신교 500년 동안 예루살렘 성전(聖殿)의 '정화나 개혁'으로 보았으나 아니다. 완전한 철거 즉, 묵은 성전을 헐어 없애는 것이다.

새로운 성전 건축을 위해서는 형식에만 치우친 기존의 성전을 헐어 없애야 한다. 그런 다음에야 사람들의 마음(心)에 예수 그리스도의 생명으로 접붙임하여 새로운 성전을 하나님이 지으신다. 그런데 이때의 방문 목적을 묵은 예루살렘 성전의 정화나 개혁으로만 (개혁자 루터이래) 보려하니 성전은 다시 더러워지고 말았다.

오늘 공부하는 두번째 예루살렘 성전 방문은 인류 구원의 근본을 분명히 하려는 데에 목적이 있다. 이 방문에서 예수는 당시 유대인들 사이에서 행해지는 형식에 치우친 할례의 규범과 율법 사이의 모순점을 적나라하게 비판하시고, 인류 구원의 새로운 방향을 제시하신다. 곧, '하나님께로부터 오고, 하나님이 하신 말씀을 한다'는 말씀이다.

세 번째 예루살렘 성전에 올라간 목적은 첫번째 방문에서 헐어버린 성전(聖殿)을 대신할 참된 하나님의 성전(聖殿)을 예수 그리스도 자신의 생명으로 접붙임하여 세우기 위함이었다. 곧 십자가상에서 자신의 몸을 갈기갈기 찢어 인류에게 접붙임의 가지(枝)를 주시려고 올라가셨던 것이다.

이에 대하여 증언자 바울은 **'너희 몸이 그리스도의 지체인줄 알지 못하느냐?'**(고전6:15), **"너희 몸은 너희가 하나님께로부터 받은 바 너희 가운데 계신 성령의 전(殿)인 줄을 알지 못하느냐?"**(고전 6:19)고 했다. 이는 곧, '십자가상에서 하나님이 접붙임 하실 때에 받은 예수 그리스도의 생명의 가지(枝)가 우리 마음밭에 심어졌다'는 말씀이다.

15,6절 "유대인들이 기이히 여겨 가로되 이 사람은 배우지 아니하였거늘 어떻게 글을 아느냐? 하니 ◇예수께서 대답하여 가라사대 내 교훈은 내 것이 아니요 나를 보내신 이의 것이니라."

예수님의 말씀을 듣고 유대인들이 기이히 여겼다고 한다. 기이(奇異)하다는 말은 기적 같은 일이란 뜻이다. '기이히 여겼다'는 것은 배우지 아니한 사람이 어떻게 저토록 깊은 뜻의 말씀을 할 수 있을까? 하는 감탄의 말이다.

예수는 자신을 기이하게 생각하는 사람들을 향해 말씀하신다. "내 교훈은 내 것이 아니요 나를 보내신 이의 것"이라고. 즉, **"내가**

하는 말은 내 것이 아니라 나를 보내신 하나님의 말씀"이란 말이다.

인류역사에서 하나님의 말씀을 대언하는 선지자들이 많이 있었다. 그러나 그들은 다 아담의 자손으로, 죄인들이다. 하지만, 예수께서는 '나는 하나님께로부터 오고, 하나님이 하신 말씀을 듣고, 그 말씀을 한다'고 하신다.

요한은 증언하고 있다. "본래 하나님을 본 사람이 없으되 아버지 품속에 있는 독생 하신 하나님이 나타내셨느니라"(1:18) 라는 말씀처럼 하나님의 품속에 있던 하나님의 아들! 또는 하나님의 말씀이라고.

17,8절 "사람이 하나님의 뜻을 행하려 하면 이 교훈이 하나님께로서 왔는지 내가 스스로 말함인지 알리라. ◇스스로 말하는 자는 자기 영광만 구하되, 보내신 이의 영광을 구하는 자는 참되니 그 속에 불의가 없느니라."

너희들이 하나님을 진정으로 알고 경외하고 믿는다면 나의 말이 어디에서 왔는지를 알아들었을 것이다.

자기 입장에서 이야기 하는 사람은 자신을 드러내고, 자신의 이로움만 구한다. 그렇지만 나는 하나님의 입장에서 하나님의 영광과 하나님이 하신 일들을 말하고 있으니 그 속에 불의가 없다고 하신다.

나에게서 잘 못된 것을 찾지 말라

19,20절 "모세가 너희에게 율법을 주지 아니하였느냐. 너희 중에 율법을 지키는 자가 없도다. 너희가 어찌하여 나를 죽이려 하느냐?

◇무리가 대답하되 당신은 귀신이 들렸도다. 누가 당신을 죽이려 하나이까?"

예수의 말씀과 병 고침을 책잡아 죽이려하는 유대인들을 예수가 크게 나무라신다. 모세가 율법을 지키라고 너희에게 주었는데, 너희 중에는 율법을 지키는 자는 없고, 어찌 나를 죽이려 드느냐고 하는 책망이다.

예수의 책망을 받은 유대인들이 뿔이 나서 묻는다. '당신은 미쳤어! 누가 당신을 죽이려 한단 말이요?'

21,2절 "예수께서 대답하여 가라사대 내가 한 가지 일을 행하매 너희가 다 이를 인하여 괴이히 여기는도다. ◇모세가 너희에게 할례를 주었으니 (그러나 할례는 모세에서 난 것이 아니요 조상들에게서 난 것이라) 그러므로 너희가 안식일에도 사람에게 할례를 주느니라."

한 가지 일이란 예수께서 안식일에 병 고친 일이다. 예수께서 말한다. "내가 안식일에 병 고친 일 때문에 너희가 나를 죽이려 하느냐? 너희는 내가 행한 일을 괴이하게 보면서 나의 잘못을 찾으려고만 한다.

너희가 할례를 행하는 것은 모세의 율법에만 적혀있을 뿐, 실인 즉 조상으로부터 내려온 하나의 전통이다. 안식일에는 아무런 일도 안해야 하지만, 너희 조상들과 너희는 그 할례를 안식일에도 행하고 있다.

23,4절 "모세의 율법을 폐하지 아니하려고 사람이 안식일에도 할례를 받는 일이 있거든 내가 안식일에 사람의 전신을 건전케 한 것으로 너희가 나를 노여워하느냐?! ◇외모로 판단하지 말고 공의의 판단

으로 판단하라 하시니라."

할례는 안식일에도 주어야 한다는 모세의 율법을 지키려고 너희는 안식일 날 할례를 행하는데 하물며, 하나님이 창조하신 사람의 병을 안식일에 고치면 아니 된다는 것이냐?! 이러한 일로 너희는 나를 노여워하느냐?! 라시며 책망을 하신다.

'외모'란 겉모습이다. 겉모습만 보고 가볍게 생각하여 판단하지 말고 공정하고 의로운 판단을 하라는 말씀이다. 적어도 사람을 죽이려고 한다면 안식일 날의 할례와 안식일 날 병 고치는 일을 공평하게 생각하라는 말씀의 뜻도 들어있다고 하겠다.

그리스도敎는 1인 독립교회

그리스도敎는 한 사람, 한 사람이 교회인 독립신앙의 敎이다. 예수를 믿는 사람이라면 누구나 그리스도에게서 받은 가지의 생명이 있다. 하여 사람마다 독립된 신앙이요, 독립된 교회다. 교인들이 만나면 쪼개지고, 또 쪼개지는 이유가 여기에 있다. 독립된 신앙생활이 정상적인 생활인데, 교회라는 형식적인 틀 안에 잡아가두니 견디지 못하고 탈출하면서 교회가 갈라지는 것이다.

그리스도인은 개개인이 스스로 하나님을 모시고, 각자 선 자리에서 최선으로 사는 것이 신앙의 길이다. 하나님은 만인의 위에 계시는 하나님이요, 내 안에 계시는 一人 교회의 하나님이다.

그리스도인은 신앙생활만 독립이 아니다. 경제적 독립을 포함한 모든 삶에서 독립으로 서는 것이다. 내 안에 교회란 오직 그리스도만 하나님만을 생명의 근원으로 하늘나라의 왕으로 믿는 독립신앙을 이야기하는 것이다.

2012년 1월 10 발표

〈제33과〉
어디에서 오신 것을 알지 못한 유대인들

본문 말씀 7:25~36

"25예루살렘 사람 중에서 혹이 말하되 '이는 저희가 죽이고자 하는
그 사람이 아니냐? 26보라. 드러나게 말하되 저희가 아무 말도 아니하
는도다. 당국자들은 이 사람을 참으로 그리스도인줄 알았는가. 27그러
나 우리는 이 사람이 어디서 왔는지 아노라. 그리스도께서 오실 때에는
어디서 오시는지 아는 자가 없으리라' 하는지라. 28예수께서 성전에서
가르치시며 외쳐 가라사대 '너희가 나를 알고 내가 어디서 온 것도 알
거니와 내가 스스로 온 것이 아니로라. 나를 보내신 이는 참이시니 너
희는 그를 알지 못하나 29나는 아노니 이는 내가 그에게서 났고, 그가
나를 보내셨음이니라' 하신대 30저희가 예수를 잡고자 하나, 손을 대
는 자가 없으니 이는 그의 때가 아직 이르지 아니 하였음이러라. 31무
리 중에 많은 사람이 예수를 믿고 말하되 '그리스도께서 오실지라도 그
행하실 표적이 이 사람의 행한 것보다 많으랴?' 하니 32예수께 대하여
무리의 수군거리는 것이 바리새인들에게 들린지라. 대제사장들과 바리
새인들이 그를 잡으려고 하속들을 보내니 33예수께서 이르시되 '내가
너희와 함께 조금 더 있다가 나를 보내신 이에게로 돌아가겠노라. 34너
희가 나를 찾아도 만나지 못할 터이요. 나 있는 곳에 오지도 못하리라.'
하신대 35이에 유대인들이 서로 묻되 '이 사람이 어디로 가기에 우리가
저를 만나지 못하리요. 헬라인 중에 흩어져 사는 자들에게로 가서 헬라
인을 가르칠 터인가. 36나를 찾아도 만나지 못할 터이요. 나 있는 곳에
오지도 못하리라 한 이 말이 무슨 말이냐?' 하니라."

어디에서 오신 것을 알지 못한 유대인들

본문에서 유대인들은 자신들이 예수 그리스도를 잘 아는 것처럼 말하고 있다. "우리는 이 사람이 어디서 왔는지 아노라. 그리스도께서 오실 때에는 어디서 오시는지 아는 자가 없으리라 하는지라." (7:27) 위의 말을 바꾸면 **"이 사람은 나사렛에서 온 예수가 아니**

냐. 그리스도는 소리 없이 와야 하는데 저런 사람이 어떻게 그리스도일 수 있겠느냐?" 라는 말이 될 것이다. 그러나 저들은 예수님이 어디에서 오신 분인지 잘 알지 못하고 한 말이다.

유대인들의 말처럼 "그리스도가 오실 때에는 어디서 왔는지를 아는 자가 없어야 한다"고 되어 있는가는 알 수 없다. 하지만 유대인들은 겉에 보이는 예수가 살던 곳만 알고 있을 뿐, 정말 중요한 "**성령이 동정녀 마리아에게 임하여 태어난 하나님의 아들!**"이라는 사실을 알지 못하면서 아는 것처럼 이야기하고 있다. 마리아의 성령에 의한 "**처녀 잉태**"를 분명히 하여야 한다. 만약 이를 분명히 하지 않으면 "대속의 신앙관"으로나 "접붙임의 신앙관"으로나 예수 그리스도教는 바로 서지 못하게 된다.

유대인들은 자기네들이 아브라함의 자손이라고 자랑을 한다. 그러나 아브라함의 자손들도 아담의 자손이므로 모두가 죄인이어서 다른 사람의 죄를 대속 할 수 없다. 죄인이 죄인을 어떻게 대속 한다는 말인가? 접붙임도 같은 원리이다. 들포도나무끼리 접붙임을 하면 아무런 의미가 없다. 들포도나무 즉, 죄인은 오직 참포도나무로서 오신 예수 그리스도에 의해서만 접붙임이 성립되어진다. 대속의 신앙관으로나 접붙임의 신앙관으로나 "성령에 의한 마리아의 동정녀 잉태"로만 예수 그리스도인(人)이 있을 뿐이다. 유대인들은 위에서 살펴본 대로 예수 그리스도의 겉에 나타난 것만 알고 있을 뿐, "성령에 의한 동정녀 마리아의 잉태"는 알지 못한 저들이다.

본문 공부

25,6절 "예루살렘 사람 중에서 혹이 말하되 이는 저희가 죽이고자

하는 그 사람이 아니냐? ◇보라. 드러나게 말하되 저희가 아무 말도 아니하는도다 당국자들은 이 사람을 참으로 그리스도인줄 알았는가."

여기서 '저희'는 예수 그리스도를 죽이고자 하는 자들로, 유대교의 대제사장들과 바리새인, 서기관 등 지배계층의 당국자들이다. 그런데 예수가 예루살렘 시내에 나타나 여러 사람들에게 이야기 하고 있어도 죽이려고 하던 자들이 잠자코 있으므로 어떤 사람은 '당국자들이 예수를 그리스도로 인정하는가?' 추측하기도 했다.

27절 "그러나 우리는 이 사람이 어디서 왔는지 아노라. 그리스도께서 오실 때에는 어디서 오시는지 아는 자가 없으리라 하는지라"

유대인들은 '당국자들이 설령 예수를 그리스도로 인정한다고 해도, 우리는 이 사람이 나사렛에서 왔다는 것을 알고 있다'고 말하고 있다. 그리스도께서 오실 때에는 어디서 오시는지 아는 자가 없다고 하였으니 예수는 그리스도가 아니라는 것이다.

28,9절 "예수께서 성전에서 가르치시며 외쳐 가라사대 '너희가 나를 알고 내가 어디서 온 것도 알거니와 내가 스스로 온 것이 아니로라. 나를 보내신 이는 참이시니 너희는 그를 알지 못하나 ◇나는 아노니 이는 내가 그에게서 났고 그가 나를 보내셨음이니라' 하시대"

예수 그리스도는 自身을 알고 있다는 자들을 향해 '너희가 나를 알고 내가 어디서 온 것도 알고 있다고 하는데, 그 말이 맞다고 하자. 그러나 내가 온 것은 나 스스로 온 것이 아니다. 나를 보내신 이는 참된 분이신데 너희는 그 분을 알지 못하지만, 나는 알고 있다'고 말하고 있다. 이 말을 간단히 줄이면 '나를 보내신 이는 따로 계신다. 그러나 너희는 그 분을 알지 못한다.'는 말이 되겠다.

'나는 아노니' 이하의 말씀은 **"이는 내가 그 품속에 있다 왔고. 그분에게서 낳고, 그분이 나를 보내셨음"**이라(1:18)는 말씀을 간추렸다고 하겠다.

30절 "저희가 예수를 잡고자 하나 손을 대는 자가 없으니 이는 그의 때가 아직 이르지 아니하였음이러라."

예수께서 '나는 그분의 품속에 있었으며, 그분이 나를 보내서 왔다'고 하시는데도 예수를 잡으려 드는 자가 없음은 예수의 잡힐 때가 이르지 않았던 때문이다. 예수 그리스도는 아직 죽을 때가 아니었던 것이다. 왜? 앞으로 인류의 심판과 구원에 대하여 말씀을 하셔야 했고, 십자가상에서 농부인 하나님이 죄악으로 찌든 인류(예수님 좌 · 우의 두 강도)를 죽이고, 하나님 품속에 계시던 생명으로 접목하시는—즉 천국 복음을 선포하는 일이 남아 있기 때문이었다.

요한복음 6장 전체에서 '생명의 떡'으로 오신 당신이 하려는 인류 심판은 단순한 심판이 아니요, 심판을 통해 아담의 자손인 죄인들을 십자가상에서 죽이고, 그 자리에 당신의 새 생명의 떡과 살과 피로 접목하시여 다시 살리시려는 복음을 전파하고 계신다.

이리하여 강도가 예수 그리스도와 함께 십자가상에서 죽는 것은 강도 자신의 생명은 멸하여 없어지고(온 인류와 같이 죽는 것이 인류 심판임), 즉 세례 과정에서 죽기 위하여 물속에 들어가고 물속에서 나올 때는 예수 그리스도가 십자가상에서 찢기고 흘린 살과 피로 접붙임을 받아 부활하여 새 생명으로 살게 되는 데에 세례의 의미가 있다. 세례는 죄된 몸이 죽고, 죄가 없는 하늘의 새 생명으로(그리스도의 몸으로) 산다는 의미이다. 이래서 접붙임의 논리로만 세례가 설명될 수 있다.

기성 교회에서 세례의식을 베풀 때는 물을 머리에 붇는다. 이것도 인간은 죄인! 아담의 자손인 自身이 죽는 의미이다. 그런데 세례 의식으로 죄를 씻는 것으로 생각하는 기독교 신앙도 있다. 그러나 아니다. 검은 고양이를 수십 년을 씻겨도 절대로 흰 고양이가 될 수 없듯 죄를 씻는 세례의식만으로는 죄를 벗을 수 없고, 오직 십자가상에서 믿음으로 그리스도 예수와 같이 죽고(나, 우리가 죽었다는 것을 믿어야 한다), 예수 그리스도가 부활 할 때에 우리가 그리스도의 생명을 받아 다시 사는 것이다. 곧 세례! 물속에 들어갈 때는 내가 들어가고, 물속에서 나올 때는 그리스도의 생명으로 산다는 것을 믿는 것이 신앙이다.

이 복음을 전하시기 위해 시간이 필요하므로 '지금은 죽을 때가 아니다'라고 요한은 기록하고 있다.

31절 "무리 중에 많은 사람이 예수를 믿고 말하되 '그리스도께서 오실지라도 그 행하실 표적이 이 사람의 행한 것보다 많으랴' 하니"

옛날이나 지금이나 민중은 하늘의 소리를 듣게 된다. 그래서 옛날이나 지금이나 '민중의 소리는 하늘의 소리'라는 소박한 진리도 있다. 말씀에 나오는 많은 유대인들도 예수의 능력을 믿었는데, 그 표적이 인간들의 생각을 뛰어 넘는 많은 기적을 보이시는 데에 있었던 것이다. '그리스도께서 오실 지라도 그 행하실 표적이 이 사람의 행한 것보다 많겠느냐' 고 한 것을 보아도 알 수 있다.

그런데 이 말은 예수 그리스도의 '너희가 나의 말을 못 믿으면 나의 행한 표적을 보고 믿으라'는 말씀과 같은 뜻의 말이다.

32절 "예수께 대하여 무리의 수군거리는 것이 바리새인들에게 들린지라 대제사장들과 바리새인들이 그를 잡으려고 하속들을 보내니"

민중의 소리! 민중들이 예수를 그리스도로 인정하는 소리가 바리새인, 대제사장 등 당국자들에게도 들렸다. 그래서 예수를 잡아들이기 위해 하속들을 보냈는데, 이는 종교 지도자들인 소위 당국자들이 하늘의 소리를 두려워하여 예수를 잡으려고 한 것이 아니다. 민중의 소리를 듣고, 민중이 예수를 그리스도로 인정하면 자신들의 자리가 위태해지므로 사전제거의 의미로 잡으려 했던 것이다.

33,4절 "예수께서 이르시되 '내가 너희와 함께 조금 더 있다가 나를 보내신 이에게로 돌아가겠노라. ◇너희가 나를 찾아도 만나지 못할 터이요, 나 있는 곳에 오지도 못하리라' 하신대"

나사렛의 예수가 민중들에게 그리스도로 인정받게 되면 바리새인 등 종교지도자들의 자리가 불안해지므로 예수를 잡아오라고 하속들을 보냈는데, 예수께서는 미리 알고 유대인들에게 "조금 더 있다가 나를 보내신 이에게로 돌아가겠노라"고 하신다.

예수께서 유대인들에게 계속 말씀하신다. '너희가 나를 찾아도 만나지 못할 터이요, 나 있는 곳에 오지도 못하리라' 고.

35절 "이에 유대인들이 서로 묻되 이 사람이 어디로 가기에 우리가 저를 만나지 못하리요, 헬라인 중에 흩어져 사는 자들에게로 가서 헬라인을 가르칠 터인가."

유대인들이 서로 서로 묻는다. 예수가 '나를 찾아도 만나지 못할 터이요. 나 있는 곳에 오지도 못하리라' 고 한 이 말이 대체 무슨 말인가? 저 예수가 대체 어디로 가기에 우리가 저를 만나지 못한다는 말인가? 헬라인 중에 흩어져 사는 자들에게 가서 가르칠 것인가?' 일반 유대인들로서는 궁금하기 짝이 없는 수수께끼가 아닐 수 없다.

36절 "나를 찾아도 만나지 못할터이요. 나 있는 곳에 오지도 못하리라 한 이 말이 무슨 말이냐? 하니라"

유대인들은 35절과 36절의 예수의 말씀에 대하여 '이 말이 무슨 말이냐?'고 물었는데, 이 말은 예수 그리스도를 전혀 알지 못함을 스스로 고백하는 말이다.

유대인들이 예수 그리스도를 알고 있다고 하였지만, 예수 그리스도가 하나님께 속한 생명의 복음의 씨를 뿌리시고, 하나님 아버지께 돌아가실 것에 대하여 알지 못하였음을 본다.

○ 하나님 품속에 계셨던 분임을 알지 못했다.

○ 그 분 예수 그리스도가 처녀 잉태로 오심을 알지 못하였다.

○ 그 분 예수 그리스도가 인류에게 하늘의 새 생명을 접붙임으로 주고, 접붙임으로 인류를 개조(改造)하신 후에 하나님께 돌아가실 것임을 알지 못하였다.

2012년 2월 10 발표

〈제34과〉

생수가 江 같이 흘러나리라

본문 말씀 7:37-44

"37명절 끝날 곧, 큰 날에 예수께서 서서 외쳐 가라사대 '누구든지 목마르거든 내게로 와서 마시라! 38나를 믿는 자는 성경에 이름과 같이 그 배에서 생수의 강이 흘러나리라' 하시니 39이는 그를 믿는 자의 받을 성령을 가리켜 말씀하신 것이라. (예수께서 아직 영광을 받지 못하신 고로 성령이 아직 저희에게 계시지 아니하시더라.) 40이 말씀을 들은 무리 중에서 혹은 '이가 참으로 그 선지자'라 하며, 41혹은 '그리스도'라 하며 어떤 이들은 '그리스도가 어찌 갈릴리에서 나오겠느냐. 42성경에 이르기를 그리스도는 다윗의 씨로, 또 다윗의 살던 촌 베들레헴에서 나오리라 하지 아니하였느냐.' 하며 43예수를 인하여 무리 중에서 쟁론이 되니 44그 중에는 그를 잡고자 하는 자들도 있으나 손을 대는 자가 없었더라."

제자들에게는 아직 예수의 생명이 없었다

오늘 공부는 유대인들의 큰 명절인 초막절의 마지막 날 예수께서 유대인들에게 "누구든지 목마르거든 내게로 와서 마셔라. 나를 믿으면 배에서 '생수의 강'이 흘러나리라."고 외치시는 대목이다. 여기에서 '생수의 강'은 예수를 믿으면 받게 될 성령을 가리키는 말(39절)이다.

그런데, 사도요한의 위대함을 여기서 또 보게 된다. 상반절 끝에 이어지는 하반절 (**예수께서 아직 영광을 받지 못하신 고로 성령이 아직 저희에게 계시지 아니하시더라**) 이 부분은 요한이 삽입한 말인데, 이 말을 뜯어보면 농부인 전능자 하나님이 아직은 예수에게 (인류의 접붙임을 위하여) 십자가상에서 죽는 영광을 주시지 않으셨으므로 제자들과 믿는 사람들에게도 아직 성령이 계시지 않더라는 말이다. 그래서 예수의 **'누구든지 목마르거든 내게로 와서 마시라'**는 말씀도 제자들이 아직 깨닫지 못했다는 말이다.

다시 말하면, 처음 하나님이 아담을 창조 하실 때에 "흙에 하나님의 생기를 불어 넣어" 사람이 되었고, 두 번째 하늘 백성 창조는 들포도나무 인류를 하나님의 분신인 참포도나무 가지로 접붙임하여야 하나, 아직은 십자가 사건이 이루어지지 않았으므로 제자들에게는 성령! 곧 예수 그리스도의 생명의 유전자(遺傳子)가 임하지 않았다는 말이 되겠다.

또, 이 말을 뒤집어보면 예수가 십자가상에서 죽는 사건을 통해 하나님의 생명을 받게 되고, 그 받은 생명이 성령의 가르치심으로 깨달음으로 살아나 그 사신 생명이 생수 같이 흘러나온다는 뜻이 담겨있다고 하겠다. 이 점에서 사도요한의 위대함을 다시 새겨보는 것이다.

본문 공부

37,8절 "명절 끝날 곧 큰 날에 예수께서 서서 외쳐 가라사대 '누구든지 목마르거든 내게로 와서 마시라!' ◇'나를 믿는 자는 성경에 이름과 같이 그 배에서 생수의 강이 흘러나리라' 하시니"

초막절이 끝나는 날 군중이 해산하기 전에 예수 그리스도께서 큰 소리로 외쳐 말하였다. "누구든지 목마르거든 내게로 와서 마셔라!" 이 말씀은 곧 너희가 목마르거든 나의 말을 생명의 물로 영접하여 너희 마음밭에 심어라. 그리하면 장차 거기에서 나올 생명수로 영원히 목마르지 않게 된다는 말씀이다.

예수를 생명의 근원으로 **"영접하고 믿는 자들"**(요1:12)은 이미 "성경에 이름과 같이 그 배(사람 마음)에서 생명수가 강 같이 흘러"(38) 나오게 된다. 또한 이사야가 **"너희가 기쁨으로 구원(救援)의 우물에서 물을 길으리라"**(사12:3)고 한 것처럼 구약 시대나 신약 시대에도 예수 그리스도의 생명수를 마시라고 하였으며, 6장에서는 생명의 떡을 먹으라고 하였다.

그런데 예수 그리스도의 생명이 우리 안에 오시는 길은 십자가상에서 우리 인류는 강도의 모습으로 같이 죽고, 그리스도께서 흘린 피를 접붙임 받는 길이다. 그렇게 부활하면 우리는 예수 그리스도의 생명으로 영원히 살게 된다.

39절 "이는 그를 믿는 자의 받을 성령을 가리켜 말씀하신 것이라. (예수께서 아직 영광을 받지 못하신 고로 성령이 아직 저희에게 계시지 아니하시더라.)"

상반절은 앞 절에 이어지는 말씀으로, 예수 그리스도를 생명수로 마시거나 생명의 떡으로 받아들여 믿으면 장차 저들이 받을 성령을 가리켜 하신 말씀이다.

괄호 안의 하반절은 요한이 덧붙인 말이다. 그런데 여기에는 중요한 의미가 있다. 예수께서 "내게로 와서 생명수를 마시라"고 하였지만, 아직 자신의 생명을 인류에게 나누어 주는 영광을 받지 않았으므로 제자들에게는 아직 예수의 생명 즉, 성령이 없다는 말이다. 바꾸어 말하면 오직 예수 그리스도께서 죽음을 통해 이루어질 접붙임이 아직 없음을 말하고 있다. 만일 접붙임이 없었다면 제자들뿐만 아니라 우리 인류가 예수 그리스도의 생명을 받지 못하였을 것이다.

'예수께서 아직 영광을 받지 못했다'는 말은 무슨 말인가? 예수가 십자가상에서 죽는 것이 영광을 받는 일이다. 그렇다면 왜 그럴까? 예수 그리스도가 십자가상에서 피 흘려 죽으므로 온 인류가 새 생명을 받아서 새사람으로 만들어지기 때문이다. 인류가 아담의 자손 죄인에서, 하나님의 아들 예수 그리스도의 피 흘림으로 접붙임을 받았으니 하늘 백성이 되었다. 그 하늘 백성에게 영광을 받으실 길을 여신 것이다.

40~42절 "이 말씀을 들은 무리 중에서 혹은 '이가 참으로 그 선지자'라 하며 ◇혹은 '그리스도'라 하며 어떤 이들은 '그리스도가 어찌 갈릴리에서 나오겠느냐. ◇성경에 이르기를 그리스도는 다윗의 씨로, 또 다윗의 살던 촌 베들레헴에서 나오리라 하지 아니하였느냐' 하며"

"이가 참으로 그 선지자라" 옛날이나 지금이나 민중 속에는 하늘의 소리를 듣는 이들이 있다. 유대인들 가운데서도 예수 그리스도를 "참으로 이 세상을 새롭게 하실 그 선지자"—곧, 메시야로 본 사람들이 있다는 말이다.

예수 그리스도께서 외친 소리를 들었던 사람들이 예수를 가리켜 '메시아'로 본 사람도 있는 반면, '그리스도가 어찌 갈릴리에서 나오겠느냐' 며 지역(地域)적인 이유를 들어 '그리스도가 아니라'고 하는 사람도 보인다.

아니라고 하는 사람들의 주장은 성경을 근거로 하고 있다. '성경에 이르기를 그리스도는 다윗의 씨로, 다윗이 살았던 촌 베들레헴에서 나오리라' 고 된 부분을 들이대면서 자신의 성서지식을 자랑하고 있는 것이다.

이들의 지적은 맞는 말이다. 예수 그리스도는 유년시절을 갈릴리에서 보냈지만, 태어나신 곳은 다윗의 마을 베들레헴임을 알지 못하는 사람들이 성서의 기사를 들어 아니라고 한 사람들은 성서를 잘 알고 있다 하겠다. 그러나 그들은 성서는 알아도 예수를 알아보지 못함으로 인간적으로는 자신들 스스로 소경이라는 것을 말하고 있다.

다윗의 고향 베들레헴의 뜻은 「떡집」이다. 예수 그리스도는 떡집에서 떡집의 아들로 오신 것이다. 인류에게 주는 새로운 생명의 떡이다. 하나님 품속에 계시던 분이 생명의 떡으로 오신 것이다. 6장에서 **'이 떡을 먹으면 영원히 산다.'** 하시고, 다시 생명수로 비유를 들어 말씀하신다. **'누구든지 목마르거든 내게로 와서 마셔라.'** 생명의 떡으로 비유하신 말씀이든 생명수로 비유하신 말씀이든 다 영원한 생명의 양식으로 먹고 마시라고 하신다. 먹으면! 마시면! 그 생명으로 산다는 말씀이다.

43,4절 "예수를 인하여 무리 중에서 쟁론이 되니 ◇그 중에는 그를 잡고자 하는 자들도 있으나 손을 대는 자가 없었더라."

예수로 인한 앞 절에서의 쟁론을 말하고 있다.

쟁론을 하는 무리 중에는 지역적인 일들로 열변을 토하는 무리도 있었고, 예수를 잡고자 하는 자들도 있었다. 그러나 예수께서는 앞으로도 천국 복음을 말씀하실 시간이 필요하기 때문에 아직은 죽을 때가 아니었던 것이다. 잡히는 날이 오면 죽는 날도 가까워진다는 말이다.

2012년 3월 10 발표

사진 : 신장용 작가

〈공부 3주년 특집〉

바람으로 계시는 創造主 하나님(1)

—성경 말씀 창세기 1장 1-2절, 요한복음 1장 1-3절 말씀을 중심으로—

요한복음 공부를 시작하게 된 데에는 특별한 연유가 있다. 천우 모임에서 성경공부를 하던 중 '진리의 새로운 줄기 세 개'를 발견하고, 그 줄기를 밝히고자 시작한 것이 요한복음 공부요, 그 공부한 내용을 여러분과 함께 나누고 있는 것이다.

그렇게 시작한 공부가 어느새 3년을 넘어서고 있다. 해서 이번에는 그동안 했던 공부를 모아서 복습하는 시간을 갖고자 한다.

1. 천지 창조(天地 創造)

(창세기 1장)

1절 "太初에 하나님이 천지를 창조하시니라."

2절 "땅이 혼돈하고 공허하며 흑암이 깊음 위에 있고, 하나님의 靈은 수면에 운행하시니라."

창세기 1장 1절은 "태초에 하나님이 천지를 창조"하셨다고 하였으며, 2절은 땅이 혼돈하고 공허하며 흑암이 깊음 위에 있고, 하나님의 靈이 수면 곧, 물 위에 운행하셨다고 하였다. 그런데 이와 비슷한 말씀이 요한복음 첫머리에도 있다.

(요한복음 1장)

1절 "太初에 말씀이 계시니라. 이 말씀은 하나님과 함께 계셨으니 이 말씀은 곧 하나님이시니라."

2절 "그(로고스, 곧 그리스도)가 태초에 하나님과 함께 계셨고,"

3절 "만물이 그(로고스, 곧 그리스도)로 말미암아 지은바 되었으니 지은 것이 하나도 그(로고스, 곧 그리스도)가 없이는 된 것이 없느니라." —2,3절의 괄호 안은 필자 삽입—

여기서 '로고스'는 하나님의 말(언어)이란 뜻도 있지만, 더 나아가면

— "하나님"

— "하나님의 형상"

— "하나님의 장자" 등의 뜻(「박수암 요한복음 주해서」 45쪽) 이라고 한다.

창세기와 요한복음서의 비교

창세기는 창조 당시의 모습과 말씀(로고스)으로 창조하셨다는 것을 기록하였고, 요한복음은 그 때(창조 당시)에 예수 그리스도가 하나님과 함께 계셨던 것을 기록하였다. 즉, 예수가 하나님과 함께 세상을 창조 하셨다는 말씀이다.

2. 새로운 진리의 줄기

서누에서 밝힌 "새로운 진리의 줄기 세 개"를 살펴보자.

첫 번째 줄기는 「접붙임과의 만남」이다. 인류는 아담의 자손이기에 모두가 들포도나무인데, 하나님 품속에 계시던 예수 그리스도와의 만남이 그 것이다. 즉, 십자가상에서 그분의 살과 피로 접붙임을 받기 위해 강도—곧 나와 여러분이 함께 죽음으로써 예수 그리스도라는 참포도나무를 만나 새로운 생명으로 태어나는

「접붙임과의 만남」이다.

「접붙임과의 만남」에 관해서는 2주년 기념으로 다룬 바 있다.

두 번째 줄기는 「靈과의 만남」이다. 곧 하나님과 바람이 함께 있고, 사람과 바람이 함께 있고, 사람은 하나님이 창조하신 빛, 물, 소리, 바람들과 늘 함께 있음을 본 것이다. 바람은 본디 **'하나님의 영'**이라고 한다. 이 영이 만물과 늘 함께 있음을 새삼 보게 되었다. 곧 하나님이 창조하신 모든 것에 바람이 함께 있음이다.

세 번째 줄기는 「해체와 합체」다. 이 줄기는 아직 공부하지 않았지만 인류가 만들어 가는 모든 것에 하나님의 靈인 바람이 함께 있음이 「해체와 합체」의 이론이다. 이 「해체와 합체」에 관하여 공부할 내용의 범위는 무한정임을 밝혀둔다(**해체와 합체의 새 이론은 요한복음 공부 4년 기념 특집에서 기사화 할 예정임**).

오늘 정리할 부분은 그 두 번째 줄기인 「靈과의 만남」에 관해서다. 앞에서도 말하였지만 바람은 본디 靈이라고 하였다. 바람이 불어 부딪히는 힘을 신앙이 없는 사람들은 '기운'이라고 하였을 것이다. '기운'의 사전적 의미는 "하늘과 땅 사이에 가득히 차서 만들어 나고 자라는 힘의 근원"이라고 한다. 나는 이 '기운'을 "하나님의 영!" "바람의 힘"이라고 정의하고 싶다. 헬라어에서도 바람은 "하나님의 영"으로 되어 있고, 그 하나님의 영이 '기운'으로 알려져 이제까지 '창조 힘의 근원'으로 말하여 온 것으로 보인다.

3. 생명유지의 4대 요소(要素)

사람과 동식물이 살아가는 데에는 4대 요소(要素)가 필요하다. 빛과 물, 바람, 불이 그것이다. 물과 바람은 생명 유지에 없어서는 안 될 부분이요, 빛 또한 자양분이다. 이러한 상태에서 인류는 불을 발견하여 이용함으로 불은 오늘날의 인류문화를 여는 데에 중요한 역할을 하였다. 이리하여 불이 중요한 요소에 들어가 4대 요소가 되었고, 이 4대 요소 중에서도 하나님의 분신인 바람은 어디에나 함께 있다. 심지어 하나님과도 함께 있고, 사람에게도 호흡으로 함께함으로써 살아 있게 한다.

바람은 본디 하나님의 靈으로, 하나님은 만물 위에 바람으로 존재하신다.

4. 하나님과 바람은 하나

창세기 첫머리에 하나님의 영은 수면에 운행하셨다고 하였다. 靈은 본디 '바람'이라고 하였으니 수면에 운행하신 영이 곧 바람이다. 이 부분은 '수면에 바람이 불었다' 또는 '다니시다'로 읽어도 좋겠다. 어떻든 성서는 분명히 하나님의 靈이 운행하신다고 기록하고 있다. 이 '운행'은 영으로 있는 '바람이 불었다', 또는 '바람 소리가 있었다'는 말이다. 그 바람 소리는 "로고스"의 소리로 하나님의 말씀이었다. 그 "로고스" 소리는 바람으로 세상 창조의 말씀이었다. 그 소리는 아래와 같은 말씀이었다. "하나님이 가라사대 '빛이 있으라!' 하시매 빛이 있었고, ◇그 빛이 하나님의 보시기에 좋았더라. 하나님이 빛과 어두움을 나누사 ◇빛을 낮이라 칭하시고 어두움을 밤이라 칭하시니라. 저녁이 되며 아침이 되니 이는 첫째 날이니라."(창1:3~5)

5. 사람과 바람도 하나

사람은 바람과 뗄 수 없는 관계에 있다. 바람(공기)으로 호흡하여야 살 수 있기 때문이다. 바람을 들이마시고 내쉬지 않으면 생명이 연장될 수 없다. 그렇다면 사람의 생명은 어떻게 생겨났는가? "**흙으로 사람을 지으시고 생기를 그 코에 불어 넣으시니 사람이 생령이 되었다**"(창2:7)고 하였다. 하나님께서 처음 사람을 창조하시는 과정에서 흙으로 빚은 형상에 生氣를 불어 넣으신 후 사람이 生靈이 되었다는 말이다. 여기서 生靈은 두 가지 의미로 생각할 수 있다.

生靈의 生은 生命이고

生靈의 靈은 바람으로, 사람이 호흡하며 살고 있다.

흙이 하나님의 생기를 만나면서 살아있는 사람이 되었다. 마치 불을 피울 때에 불쏘시개에 불씨를 넣고 입으로 바람을 불어 넣어 불을 피우는 것처럼 하나님이 생명의 바람을 코에 불어 넣어 사람을 창조하신 것이다. 그래서 사람은 바람으로 숨을 쉬며 살아가고 있다.

"반복되는 말이지만, 숨은 생명의 바람이다. 바람이 사람 안으로 들어왔다 나갔다 하는 들숨과 날숨을 반복하며 사람을 살아있게 한다. 하나님의 영은 바람으로 되어 있고, 사람의 목숨 또한 바람을 들여 마시고 내쉬어야 살아있는 생명이 되는 것이다. 사람 안에 바람이 들어오지 못하면 영은 하나님께 돌아가고, 육신은 송장이 되어 흙으로 돌아가는 것이다."

—요한복음 공부 25과에서—

바람이 사람으로 하여금 숨만 쉬게 하는 것은 아니다. 바람은 소리를 낸다. 소리를 냄으로써 말(言을) 하고, 시나 노래를 읊을 수도 있다. 그래서 말은 생명이라고도 하며, 성서말씀을 생명의 말씀이라고 한다. 바람이 생명의 근원이라고 하는 이유가 여기에 있다.

"홀연히 하늘로부터 급하고 강한 바람 같은 소리가 있어 저희 앉은 온 집에 가득하며 불의 혀같이 갈라지는 것이 저희에게 보여 각 사람 위에 임하여 있더라."(행2:2-4) 이처럼 성령의 임함도 바람과 같다.

"하나님이 가라사대 물 가운데 궁창이 있어 물과 물로 나뉘게 하리라 하시고, ◇하나님이 궁창을 만드사 궁창 아래의 물과 궁창 위의 물로 나뉘게 하시매 그대로 되니라. ◇하나님이 궁창을 하늘이라 칭하시니라. 저녁이 되며 아침이 되니 이는 둘째 날이니라."(창1:6~8)고 한 것처럼 태초에 하나님의 영이 천지 창조를 말씀으로 하셨는데, 그 말씀은 곧 바람이다. 우리 사람의 말속에 바람이 있어 말을 하고, 시나 노래를 읊는 것처럼 바람 소리로 천지 창조의 말씀을 하셨다. 곧, 바람 소리에 하나님의 靈의 말씀이 함께 하셨다는 말씀이다. 그런데 바람 소리에 하나님의 말씀이 계셨을 뿐만 아니라, 모든 동식물들도 바람으로 소리를 낸다. 공중을 날아가는 새도, 들의 짐승들도 바람으로 호흡하며 소리를 내어 노래한다. 바람이 있음으로 풀벌레의 노래 소리를 들을 수 있고, 귀뚜라미의 노래도 들을 수 있다. 하나님이 바람의 령으로 말씀을 하셨고, 동식물들도 바람으로 호흡하며, 바람으로 소리를 내어 하나님을 찬양하며 춤을 춘다.

6. 불과 바람도 하나

불 또한 바람이 있음으로 존재한다.

사람이 발견하였다는 불의 발달사를 보면 맨 처음에는 자연적으로 발생한 불을 보면서 불의 효용을 생각하게 되었고, 돌과 돌이 부딪힐 때 튀기는 불똥을 보게 된다. 그 후, 돌과 나무를 비벼서 불을 만들어 내기도 하고, 부싯돌을 부시로 쳐서 불똥이 튀면 마른 쑥에 붙여 불을 피우기도 하였다.

그런데 무엇을 이용하여 불씨를 만들든 분명한 것은 바람이 있어야 불씨가 살아날 수 있다는 것이다. 즉, '불과 바람의 만남'이다.

만남은 창조다. '만남이 창조'라는 진리는 불씨를 만들어 내는 것도, 불씨를 살아나게 하는 즉, 타게 하는 것도 예외는 아니니다. 이 불의 생성으로 인류는 토기와 철기를 사용하는 문화에 살게 되었다. 이리하여 인류 과학 발전의 토대가 놓이게 된 것이다.

불은 불씨만으로 타지 못한다. 불씨가 있는 곳에 하나님의 靈인 바람이 있어야 하는 것이다. 불은 바람이 함께 있을 때에서야 제 힘을 발휘한다. 제아무리 활활 타던 불도 바람을 차단하면 이내 사그라지고 만다.

불도 말을 하고 소리를 낸다. 불꽃 소리라고도 하고, 불이 타는 소리라고도 하는데 이 또한 바람에 의한 소리다. 중복되는 말이지만, 불이 바람과 함께 있지 않으면 불은 탈 수 없고 소리를 낼 수 없다. 인류가 발전시킨 과학의 뿌리인 불에 하나님의 영인 바람이 함께 함으로써 타오르는 것이다.

이렇게 인간의 문화를 열었던 불의 발견도 알고 보면 하나님의 영이 함께했기 때문에 가능했다. 곧 하나님의 은혜로 불을 발견하였다는 말이겠다.

7. 물과 바람은 하나

생명의 근원이라는 물도 역시 바람과 더불어 있다. 수증기는 보통 물보다 가볍긴 하지만 바람이 있어야 오를 수 있고, 이곳저곳으로 옮겨갈 수도 있다. 또한 높은 수증기가 창공에서 찬바람이나 더운 바람과 만남으로 비나 눈이 만들어져 내린다. 이렇게 물과 바람은 천지 창조 때부터 하나님 말씀과 함께 있었다.

우주 만물 창조주 하나님은 神과 靈과 바람으로 우주 만물의 모든 것을 運行하신다. 바람이 크게 뭉치면 태풍이 되고, 이 태풍이 계절을 순환하도록 운행하신다. 남태평양에서 강한 바람이 발원하여 북쪽으로 올라가 북쪽 냉기류와 만나 되돌아오는 것이 북서풍이나 북동풍이다. 이것이 진하게 불면 가을이 차쯤 북으로부터 온다. 북서풍이 점점 진하게 불어오면 한 겨울이 되고 더욱 세찬 바람이 불어 그 북서풍이 남쪽의 따뜻한 기류와 만나 오는 바람이 남서풍 또는 남동풍이다. 이 남동풍이 계속 불면 봄이 남쪽으로부터 북상한다. 이렇게 바람으로 사계절을 뚜렷하게 운행하시는 하나님이시다.

8. 소리와 바람은 하나

소리는 물체의 진동에 의하여 일어나는 음파가 바람을 타고 퍼지면서 귀청을 울림으로 느끼게 되는 청각이다.

소리에도 여러 형태가 있다. 사람이 만들어 작동하는 기계류의 소리가 있고, 천둥소리도 있다. 풀빌레들의 노래 소리가 있는가 하면 새들의 지저귐도 있다.

소리는 동물들만 내는 건 아니다. 만물의 생명의 근원인 물도 여러 가지 소리를 낸다. 크게는 파도치는 소리부터 작게는 우리들의 목줄기를 넘어가는 소리도 있다. 이처럼 소리는 수를 셀 수 없을 정도로 많은 종류가 있다. 그렇지만 모든 종류의 소리는 하나님께서 불어 넣어 창조하신 바람의 능력이다.

하나님을 찬양하는 말(言)도 바람이 있어야 가능하며, 그 말로 찬송과 영광을 돌릴 수도 있다. 이처럼 하나님은 인간에게 입을 통하여 말할 수 있는 능력을 주셨지만, 우리 인간들은 더러는 하나님을 찬양한 입으로 이웃 사람을 욕하고 비방하는 죄를 범하기도 한다. 그러나 인류의 조상 아담과 하와가 처음 에덴동산에서 살 때에는 욕이나 비방을 하지 않았을 것이다. 그러나 죄를 범하면서 에덴동산에서 내쫓긴 후로 다른 사람을 미워하고 욕하고 비방하게 되었을 것이다.

처음 에덴동산에서 들리는 소리들은 온갖 짐승과 새들과 벌레들이 창조주 하나님을 찬양하고 감사하며 기쁨과 환희와 희락의 노래만 불렀을 것이다. 이런 세상에 우는 소리가 들리게 된 것은 인류에게 죄가 들어온 후부터다. 죄로 인하여 인간은 늘 슬픔에 젖어있음으로 마음에 슬픔이 가득 차 있어 감사와 찬미 대신 울음이 가득 차게 되었다. 인간의 마음들이 그렇다 보니 새들이나 곤충들의 노래마저 슬픈 소리로 들려 개구리가 운다, 매미가 운다, 귀뚜라미가 운다는 등 '운다'는 말이 떠나질 않게 되었다. 하지만, 이제는 영과 바람으로 말도 문자도 소리도 모두 하나님께 찬미의 노래가 되어야 하겠다.

이제는 운다는 시각에서 돌아와서 예수 그리스도의 십자가상에서 예수의 생명을 받아 다시 사는 그리스도인들은 하나님을 찬양하는 노래 소리로 듣고 말하고 보아야 올바른 세계관이 서게 될 것이다.

9. 바람은 하나님의 뜻으로 분다

"바람이 임의로 불매 네가 그 소리를 들어도 어디서 오며 어디로 가는지 알지 못하나니"(요한3:8)라는 말씀처럼 바람은 바람의 생각대로 분다. 그런데 바람은 하나님의 영이라고 했으니 곧 하나님의 뜻대로 부는 것이다.

만물의 하루는 일출(日出)과 더불어 시작된다. 낮에는 햇볕으로 영양분을 받으므로 모든 동식물들이 생장활동을 하고, 해가 높이 솟으면서 뜨거운 햇볕이 내려오면 땅의 습기가 더워지면서 수증기가 발생하여 바람을 타고 높은 공간에 오르는데 이것이 구름이 된다. 밤이 되면 수증기가 하강 기류를 타고 땅으로 내려와 작은 물방울이 되어 물체의 표면에 붙는 것이 이슬이다. 이 이슬이 방울방울 생기므로 미생물들이 목을 적시고 살아가게 된다. 만일 이슬이 맺히지 않는다면 미생물들은 상당수가 갈증을 해소하지 못하여 존재하지 못할 것이다.

일출로 수증기가 공간에 오르고, 일몰로 습기가 내려와 이슬이 되게 하는 일들 모두가 물과 바람이 있음으로 하나님의 뜻대로 되어진다는 것이다.

하나님은 "하나님의 神(靈)은 水面(萬物) 위에서 運行하시니라"(창1;2)는 말씀대로 우주 만물을 말씀 곧 바람으로 창조하신 그 때 그 모습으로 오늘도, 또 내일도 바람의 령으로 萬物 위에 다니시며, 하늘 백성을 거두어들이시는 일을 하신다. 이 위대한 창조주 하나님 神! 靈에 감사와 찬미를 영원히 돌린다.

10. 「존 칼빈」의 창세기 註解

과연 바람은 하나님의 영인가? 이에 대한 물음은 중세 이전부터 신학 연구가 활발해지면서 계속되었다. 우리는 이를 이해하기 위하여 중세시대의 신학자인 「존 칼빈」의 창세기 주해를 발췌하여 살펴보기로 하자.

창세기1:2절 *"하나님의 신(Spirit) 해석자들은 이 말을 여러 가지 방법으로 외곡하였다. 그리고 그 말이 '바람'을 의미한다고 말하는 자들의 의견은 너무나 냉혹하기 때문에 지지를 받지 못하고 있다. 그러나 그것은 '하나님의 영원한 영'으로 이해하는 자들은 실제로 올바로 해석하고 있다. 그러나 아직도 모세가 그 이야기를 통해 의미하고 있는 것을 충분히 납득하지 못하고 있다. 메라케펫(מרחפת : 운행하고 있는)이라는 분사를 여러 가지로 해석할 수 있기 때문에 나는 먼저 모세가 의도했던 것을 (나의 판단대로) 언급하려고 한다."* —존 칼빈의 창세기 주해서(1:2부분) 한국어판 49쪽에서—

우리는 여기서 세 가지를 깊이 생각해 볼 수 있다.

◯ 오백년 전에도 '하나님의 신(Spirit)'을 '바람'으로 본 학자가 있었다.

◯ '바람'을 '하나님의 영원한 영'으로 이해하는 것을 올바른 해석으로 간주했다.

◯ מרחפת(메라케펫)이라는 분사는 원어의 어형상 여러 가지로 해석할 수 있어 일괄적인 해석이 불가능하다는 것이다(원어학자들도 같은 의견임).

이상으로 "바람을 하나님의 영"으로 보는 시각은 나만의 생각이 아니라 중세 유럽에서부터 있어 왔다는 것을 밝히면서 요한복음공부 3년 특집을 마친다.

2012년 4월 10 발표

〈제35과〉
그 사람처럼 말한 사람은 없었다

본문 말씀 7:45-53

"[45]하속들이 대제사장들과 바리새인들에게로 오니 저희가 묻되 '어찌하여 잡아오지 아니하였느냐?' [46]하속들이 대답하되 '그 사람의 말하는 것처럼 말한 사람은 이때까지 없었나이다.' 하니 [47]바리새인들이 '대답하되 너희도 미혹되었느냐? [48]당국자들이나 바리새인 중에 그를 믿는 이가 있느냐? [49]율법을 알지 못하는 이 무리는 저주를 받은 자로다.' [50]그 중에 한 사람 곧 전에 예수께 왔던 니고데모가 저희에게 말하되 [51]'우리 율법은 사람의 말을 듣고 그 행한 것을 알기 전에 판결하느냐?' [52]저희가 대답하여 가로되 '너도 갈릴리에서 왔느냐? 상고하여 보라. 갈릴리에서는 선지자가 나지 못하느니라 하였더라.' [53]다 각각 집으로 돌아가고"

그 사람처럼 말한 사람은 없었다

대제사장과 바리새인들의 하속들이 예수를 잡아오라는 임무를 받고 갔다가 빈손으로 돌아오니 그들을 보낸 사람들이 왜 예수를 잡아오지 않았느냐며 질책을 한다. 이에 하속들은 "그 사람이 말하는 것처럼 말한 사람은 이때까지 없었나이다." 하며 본 대로 들은 대로 보고를 한다. 그런데 옛날이나 오늘날이나 종교 위정자, 소위 종교지도자들은 진실된 말을 듣지도 보지도 않으려 한다. 들었다 하여도 자기들의 생각이나 의견과 다르면 일부러 외면하며 본문에서처럼 말 꼬리를 잡으려고 한다.

당시의 예루살렘 위정자들은 예수 그리스도의 말을 직접 들었다 하더라도 못 들은 척 하였을 것이다. 왜? 듣고도 가만히 있으면 자신들이 먼저 출교 대상이 될 수 있고, 비판이 무서웠을 테니까. 이런 일은 옛날이나 지금이나 같다. 본론에서 벗어나지만, 우리가 공부하는 「新 요한복음 공부」의 내용을 긍정한다고 격려를 해오는 분들이 상당히 있다. 그러나 대중이 모인 자리에서 긍정한다고 말하는 사람은 아직 없다. 왜? 여론상 민감한 부분에 대하여 공개석상에서 자신의 의견을 말했다가는 자칫 비판의 여론에 휘말릴 수 있다는 생각 때문일 것이다. 그러나 세월이 흘러서 먼 훗날에 필자를 알지 못하는 사람들이 「新 요한복음 공부」를 접하고 수긍한다면 공개적으로 자신들의 마음을 밝혀 알릴 것이고, 그럼으로써 진리는 세상에 전해질 것이다.

본론으로 돌아가자. 알아듣고 말하는 위정자가 설령 있다고 하여도 그 깨닫지 못하는 위정자들의 힘에 압제되어 자신들의 의견을 관철시키지 못하고, 스쳐가는 소리뿐일 때가 종종 있다. 이것을 분명하게 보여 주는 말이 "우리 율법은 사람의 말을 듣고 그 행한 것을 알기 전에 판단하느냐?"라는 니고데모의 절규에도 불구하고 그 소리는 스쳐가는 소리로 끝나고 있다. 그러나 하속들이 보여준 것처럼 민중은 소리를 들어 알고 있다. "그 사람이 말하는 것처럼 말한 사람은 이때까지 없었나이다."라는 말 가운데는 '왜 그 사람을 잡아오라고 하느냐?'는 항의성 불만이 들어있다.

그렇다. 진리의 말은 민중이 듣고, 민중 속에서 진리의 말이 나오는 것이다. 인류에게 하늘의 생명을 주실 하나님의 생명으로 오신 예수 그리스도도 다윗의 동네 베들레헴에서 탄생하셨는데, 베들레헴의 뜻은 떡집이라고 하였으니 하나님의 아들 예수 그리스도가 성령의 잉태로 떡집에서 생명의 떡으로 오신 것이다. 예수라는 떡은 인류를 개조(改造)하는 생명의 떡이다. 인류를 개조하는 생명으로 오신 예수 그리스도의 탄생 소식을 천사로부터 처음 전해들은 사람들도 종교지도자가 아닌, 들에서 양을 치는 목자들이였다(눅2:8~14).

종교 지도자들에게서는 절대적으로 진리가 발견되지 않는다. 왜 진리를 보지 못하는가? 그것은 조직 사회이기 때문이다. 제사장이 있고, 장로가 있고, 집사가 있기에 이들의 뜻을 맞추어 조직을 이끌어가야 하기 때문이다. 이러한 교회라는 조직에서 직함을 탈피하여 나 혼자 설 때에 하나님의 은혜는 임하는 것이다. 신앙은 하나님과 나와의 직접관계이기 때문이다.

본문 공부

45절 "하속들이 대제사장들과 바리새인들에게로 오니 저희가 묻되 '어찌하여 잡아오지 아니하였느냐?'"

심부름을 갔던 하속들이 돌아왔다. 그런데 잡아오라는 예수는 보이지 않고, 빈손으로 돌아온 것을 본 대제사장들과 바리새인들이 "어찌하여 잡아오지 아니하였느냐?" 하면서 언성을 높인다.

46절 "하속들이 대답하되 '그 사람의 말하는 것처럼 말한 사람은 이때까지 없었나이다' 하니"

목소리를 높이며 다그치는 상전들에게 심부름을 갔던 하속(下屬)들이 대답한다. '그 사람의 말하는 것처럼 말한 사람은 이때까지 없었나이다' 라고. 〈창세(創世)이후로 지금까지〉 이분처럼 말한 사람은 없었는데, 어찌하여 잡아오라고 하느냐는 질문형의 대답이다.

47,8절 "바리새인들이 대답하되 '너희도 미혹되었느냐?' ◇ '당국자들이나 바리새인 중에 그를 믿는 이가 있느냐?' "

하속들의 말을 듣고, 화가 난 바리새인들이 '너희도 미혹되었느냐?' 고 책망형의 질문을 한다. 너희는 우리 편이 아니냐? 그런데 '너희들마저 미혹되었느냐'고 언성을 높인다.

'당국자들이나 바리새인' 여기서 두 집단이 구분되어 나온다. 곧 '당국자들'과 '바리새인'이다. "참 종교"란 당국자—즉, 정치와는 분리되어야 한다. 그런데 여기서 당국자들과 유대교회 지도자들이 한 통속이 되어 있음을 자신들 스스로 보이고 있다. 예나 지금이나 당국자들이 종교인과 한 통속이 되면 서로가 상대의 부정을 눈감아주며 각종 부조리를 저지르게 된다. 예수를 잡아 죽이는 데에도 두 집단의 협력이 있었지 않았는가.

두 집단이 예수를 그대로 둔다면 어떤 일이 일어날까?

우선, 유대는 로마의 식민지였으므로 당국자들은 지배국인 로마제국으로부터 심한 질책을 받게 된다.

다음으로는 예수를 추종하는 사람들이 많아지면서 유대교회의 바리새인들이나 제사장들은 정치적으로나 종교적으로 신분의 위협을 받게 된다. 그래서 그들은 예수를 제거의 대상으로 삼았던 것이다. 그렇기 때문에 두 집단 사람들은 예수를 잡아오지 않은 하속들에게 "당국자들이나 바리새인 중에 그를 믿는 이가 있느냐?" 고 힐난성 질문을 던진 것이다.

49절 "율법을 알지 못하는 이 무리는 저주를 받은 자로다"

위에서 본 대로 두 집단! 곧 당국자들과 바리새인들은 예수를 죽이기 위해서 잡아오라고 보낸 하속들이 잡아 오지는 않고, 오히려 "그 사람의 말하는 것처럼 말한 사람은 이때까지 없었나이다." 하므로 하속들에게 "율법을 알지 못하는 이 무리는 저주를 받은 자로다." 욕을 한다.

그런데 여기서 우리는 이 말을 생각해 보아야 한다. 곧 "율법을 알지 못하는 이 무리는 저주를 받은 자"라고 한 이 말은 위정자들과 바리새인이 자기네 시각(視覺)의 잣대로 심판의 말을 한 것이다. 참으로 두려운 말이다. 누가 종교 위정자들에게 심판의 권한을 주었는가? 저들은 심판의 권한을 받지 않았어도 자신들이 심판관인 하나님이 되어있다. 하나님의 아들로 오신 예수 그리스도도 간음한 여인에게 **"나도 너를 정죄하지 않겠다"**고 하셨는데 예루살렘 위정자들은 함부로 심판을 한 것이다.

50,1절 "그 중에 한 사람 곧 전에 예수께 왔던 니고데모가 저희에게 말하되 ◇우리 율법은 사람의 말을 듣고 그 행한 것을 알기 전에 판결하느냐?"

평소에 예수를 메시아 그리스도로 믿었고, 그래서 예수님을 찾은 적이 있던 니고데모가 동료들의 말에 대하여 한 마디 말을 한다.

"우리 율법은 사람의 말을 듣고 그 행한 것을 알기 전에 판결하느냐?"

예수 그리스도의 말씀을 들어보지도 않고 판단하여 예수를 잡아오라고 한 바리새인들에게 "너희가 예수의 말을 들어보지도 않고 판단하는 것은 옳지 못하다."고 말하고 있다. 그러나 니고데모의 바른 지적은 바리새인들에게 먹혀들지 않고 오히려 공격을 받는다.

52,3절 "저희가 대답하여 가로되 '너도 갈릴리에서 왔느냐? 상고하여 보라. 갈릴리에서는 선지자가 나지 못하느니라 하였더라.' ◇다 각각 집으로 돌가고"

니고데모의 지적을 받은 당국자들과 바리새인들이 '너도 갈릴리에서 왔느냐? 생각해 봐라. 갈릴리에서는 선지자가 나오지 못한다고 하였다.'며 지역적인 말로 니고데모를 공박한다. 메시아는 베들레헴에서 나온다고 했지, 갈릴리에서 나온다는 말은 없다는 말이다. 결국 외로운 니고데모의 말은 아무 힘도 발휘하지 못한 채 각자 집으로 돌아간다.

2012년 5월 10 발표

〈제36과〉
인류! 우리 모두는 죄인이라는 고백

본문 말씀 8:1~11

"1예수는 감람산으로 가시다 2아침에 다시 성전으로 들어오시니 백
성이 다 나아오는지라. 앉으사 저희를 가르치시더니 3서기관과 바리새
인들이 간음 중에 잡힌 여자를 끌고 와서 가운데 세우고 4예수께 말하
되 '선생이여 이 여자가 간음하다가 현장에서 잡혔나이다. 5모세는 율
법에 이러한 여자를 돌로 치라 명하였거니와 선생은 어떻게 말하겠나이
까?' 6저희가 이렇게 말함은 고소할 조건을 얻고자 하여 예수를 시험
함이더라. 예수께서 몸을 굽히사 손가락으로 땅에 쓰시니 7저희가 묻기
를 마지아니하는지라. 이에 일어나 가라사대 '너희 중에 죄 없는 자가
먼저 돌로 치라' 하시고 8다시 몸을 굽히사 손가락으로 땅에 쓰시니 9
저희가 이 말씀을 듣고 양심의 가책을 받아 어른으로 시작하여 젊은이
까지 하나씩 하나씩 나가고 오직 예수와 그 가운데 섰는 여자만 남았더
라. 10예수께서 일어나사 여자 외에 아무도 없는 것을 보시고 이르시되
'여자여, 너를 고소하던 그들이 어디 있느냐? 너를 정죄한 자가 없느
냐?' 11대답하되 '주여 없나이다.' 예수께서 가라사대 '나도 너를 정죄
하지 아니하노니 가서 다시는 죄를 범치 말라' 하시니라."

인류! 우리 모두는 죄인

요한복음의 저자 사도요한의 위대함이 다시 돋보이는 부분이다. 사도요한은 8장 1절 이하의 기사에서 예수께서 "성전으로 들어오시니 백성이 다 나아오는지라"라고 기록하고 있다. 여기서 백성은 온 인류를 뜻하는 말이다. 즉, 온 인류가 예수 앞에 서있다고 보아도 좋겠다.

온 인류가 예수 앞에 서 있을 때에 서기관들과 바리새인들이 '간음 중에 잡힌 여자'를 끌고 와서 예수 앞에 세우고 "이 여자가 간음 중에 현장에서 잡혔다. 모세는 율법에서 이런 여자를 돌

로 치라고 하였는데, 당신은 이 여자를 어떻게 처리하겠는가?"(5절) 하고 묻는다.

서기관들과 바리새인들이 이렇게 물은 것은 예수의 판단을 듣고 율법에 어긋난 부분이 있으면 책을 잡아 고소하려는 술수가 들어있다. 저들의 생각을 간파하신 예수께서는 '너희 중에 죄 없는 자가 먼저 돌로 치라'고 하신다. 참으로 명답이 아닐 수 없다. "간음한 여인은 죄인임에 분명하지만, 너희 중에서 티끌만한 죄도 없이 떳떳한 사람이 먼저 저 간음한 여인을 돌로 치라"고 한 것이다. 이 세상에서 죄가 없는 사람이 몇이나 될까. 이 말을 듣고 많은 유대백성이 양심에 가책을 받아 어른으로부터 시작하여 청년까지 하나 둘씩 돌아갔다는 기사다.

여기서 "인류는 모두가 죄인"이라는 사실이 명확해진다. 선견자 이사야가 본 그대로 인류는 처음 지음을 받을 때에는 극상품 포도나무였으나 아담의 죄악으로, 거기에다 가인이 동생 아벨을 죽임으로 인류의 조상은 죄인이 되었고, 따라서 가인의 후손인 우리들 모두가 죄인일 수밖에 없다. 그래서 예수를 시험하려던 사람들 스스로가 부끄러워 물러간 것이다.

예수를 시험하려고 간음(姦淫) 중에 있는 여자를 잡아 예수 앞에 세웠지만, 간음한 여자만 죄인이 아니라 너나 할 것 없이 인류 모두가 죄인이라는 것을 스스로 고백하게 한 사건이다. 그런데 이 땅의 백성은 모두가 절대자 예수 그리스도 앞에 고개를 숙이며 돌아가고, 오직 간음 중에 잡힌 여자와 그리스도 예수만 남는다. 인류—곧, 우리는 들포도나무 죄인이 아니라며 낯을 들고 있을 수 없는 것이다.

본문 공부

1,2절 "예수는 감람산으로 가시다 ◇아침에 다시 성전으로 들어오시니 백성이 다 나아오는지라 앉으사 저희를 가르치시더니"

7장 53절에서 이어지는 기사로, 예수로부터 가르침을 받던 사람들과 예수를 잡으러 왔던 사람들이 **"다 각각 집으로 돌아가고"**, **"예수는 감람산으로 가시다."** 로 쓰인 것으로 보아 감람산에 기도하러 가신 것으로 보인다.

감람산에서 기도하시고 이튿날 아침에 다시 성전으로 들어오시니 '백성이 다 나아오는지라' 앉아서 저희를 가르치셨다고 되어 있다. 요한은 여기서 왜 백성이라고 표현하였을까? 백성—인류 즉, 모두가 이사야가 말하는 죄인인 들포도나무 모두를 표현한 말이다. "백성이 다 나아오는지라 앉으사 저희를 가르치시더니" 이 부분을 바꾸어 읽는다면 "들포도나무만 무성한 농장 한 가운데에 유일한 참포도나무 예수 그리스도가 앉아서 하늘 복음을 가르치셨다"라고 할 수도 있겠다.

3~5절 "서기관과 바리새인들이 간음 중에 잡힌 여자를 끌고 와서 가운데 세우고 ◇예수께 말하되 '선생이여 이 여자가 간음하다가 현장에서 잡혔나이다. ◇모세는 율법에 이러한 여자를 돌로 치라 명하였거니와 선생은 어떻게 말하겠나이까?"

예수가 성전에서 백성들을 가르치실 때에, 서기관과 바리새인들이 간음 중에 잡힌 여인을 끌고 와서 예수와 백성 사이에 세웠다.

그리고는 서기관과 바리새인들이 예수를 향해 묻는다. "간음을 하다가 잡힌 여자를 끌고 왔는데, 모세는 율법에서 이렇게 간음한 여자를 돌로 쳐 죽이라고 하였다. 예수 당신이라면 이 여자를 어떻게 하겠는가?" 하고 묻고 있다.

6절 "저희가 이렇게 말함은 고소할 조건을 얻고자하여 예수를 시험함이더라. 예수께서 몸을 굽히사 손가락으로 땅에 쓰시니"

서기관과 바리새인들이 예수께 간음한 여자의 처벌의 판단을 요구하였지만, 이는 간음한 여자를 처벌하기 위함이 아니라 예수를 책잡으려는 꼼수가 숨어있는 말이다. 비록 율법에 있다곤 하지만, 하나님의 사랑을 가르치는 예수가 간음 중에 잡힌 여자를 과연 죽이라고 할까? 죽이라고 한다면 예수의 품격이 떨어질 것이요, 만일 죽이지 말자고 한다면 율법을 범하는 것이 된다. 그렇다면 고소할 수 있는 조건이 되는 것이다.

'예수께서 몸을 굽히사 손가락으로 땅에 쓰시니' 서기관과 바리새인들의 의중을 간파하신 예수는 아무 말씀도 안하시고 몸을 굽혀 손가락으로 땅에 무언가를 쓰셨다. 침묵의 시간이 흐른다. 예수의 입에서는 과연 어떤 대답이 나올까? 백성들의 눈이 예수에게 집중되고 있다.

7,8절 "저희가 묻기를 마지아니하는지라. 이에 일어나 가라사대 '너희 중에 죄 없는 자가 먼저 돌로 치라.' 하시고 ◇다시 몸을 굽히사 손가락으로 땅에 쓰시니"

한참이 지나도 예수님의 대답이 없자 서기관과 바리새인들이 어서 답을 내놓으라고 재촉을 한다. 그제야 예수께서는 일어나 답을 하신다. "너희 중에 죄 없는 자가 먼저 돌로 치라"고.

"죄 없는 자가 먼저 돌로 치라"는 말을 마친 예수가 몸을 다시 굽혀 손가락으로 땅에 무언가를 쓰신다. 정말 무거운 침묵의 시간이다. 죄 없는 자(者)가 먼저 돌로 치라는 대답에 그곳에 있던 백성 모두가 생각에 빠진다. 즉, 온 인류가 깊이 생각하는 시간이다. 결국 백성의 마음은 하나같이 자신(自身)을 돌아보고 답을 내린다. **"나는 죄인"**이라고.

여기서 온 백성—인류는 두 번 침묵하며 깊이 생각한다.

◯ 모든 백성의 마음이 하나같이 예수의 대답에 주목한다.

◯ 온 백성의 마음이 하나로 된다. "나는 죄인"이라고.

9,10절 "저희가 이 말씀을 듣고 양심의 가책을 받아 어른으로 시작하여 젊은이까지 하나씩 하나씩 나가고 오직 예수와 그 가운데 섰는 여자만 남았더라. ◇예수께서 일어나사 여자 외에 아무도 없는 것을 보시고 이르시되 '여자여, 너를 고소하던 그들이 어디 있느냐? 너를 정죄한 자가 없느냐?'"

인류 역사에서 기적이 일어났다. "너희 중에 죄 없는 자가 먼저 돌로 치라"는 한마디 말씀에 양심의 가책을 받은 백성들이 어른으로 시작하여 젊은이까지 모두 고개를 숙이고 물러간 것이다. "나는 죄인입니다!" 라고 고백하는 소리가 들리는 것 같다.

시간이 얼마나 흘렀을까. 무언가를 쓰시던 예수께서 눈을 들어보니 혈기 당당하던 서기관과 바리새인과 그들을 따르는 사람들은 다 가고, 여자만 남은 것을 보시자 여인에게 물으신다. "여자여 너를 고소한 그들이 어디 있느냐?" 라고.

11절 "대답하되 '주여, 없나이다.' 예수께서 가라사대 '나도 너를 정죄하지 아니하노니 가서 다시는 죄를 범치 말라' 하시니라."

여인이 '주여, 없나이다' 라고 대답한다. 여인은 율법에서 금한 간음을 하다가 끌려왔으니 당연히 돌에 맞아 죽을 것으로 생각했을 것이다. 그러나 자기를 끌고 온 사람들은 메시아로 추앙받는 예수라는 분의 한 마디 말에 모두들 가고, 이제는 자기와 예수라는 분만 남았는데, 과연 저 분의 입에서는 무슨 말이 나올지 여인은 귀를 기울이고 기다렸을 것이다.

그런데 예수께서도 '나도 너를 정죄하지 않겠다' 고 하신다. 이 말을 듣는 여인의 심정은 어땠을까?

'나도 너를 정죄하지 아니하노니' 이 말씀은 무슨 말씀인가? '나도 너에게 죄 있다고 하지 않겠다'는 말이다. 왜? 이미 그 자리에 있던 온 백성—인류 모두가 **"나는 죄인"**이라고 고백했기 때문에 따로 정죄하지 않겠다는 말씀이다.

오늘 공부는 서기관과 바리새인들이 예수 그리스도를 죽이기 위한 죄를 만들려 했으나 그리하지 못하고, 오히려 몰려온 자들까지 마음을 돌이키어 온 백성—온 인류가 "우리 모두는 죄인입니다." 하며 스스로 죄를 고백한 사건이다. 그런데 예수께서는 인류, 온 백성에게 죄 있다 하시지 않으셨다. 왜? 예수께서는 인류를 원래의 모습으로 회귀(回歸)시키시려고, 즉 당신의 새 생명을 주시려고 오셨기 때문이다. 하지만, 그곳에 나왔던 온 백성—온 인류가 스스로 죄 있다고 고백하고 있다. **"빛이 세상에 왔으되 사람들이 자기(自己) 행위가 악하므로 빛보다 어두움을 더 사랑한 것이니라."**(요한3:19)는 말씀대로 인간은 스스로 하나님의 빛의 세계를 떠나 어둠의 세계로 들어갈 수밖에 없다. 자신들이 다 죄인이기 때문이다. 죄인은 하나님을 볼 수도 없고 천국에 들어 갈 수도 없다. 오직 십자가상에서 좌 · 우의 강도(인류)에게 예수 그리스도가 흘린 피를 받아 그 생명으로 다시 살 때에만 하나님께 속하는 하늘 백성이 되는 것이다.

증언자 바울 선생은 **"우리가 알거니와 우리 옛 사람이 예수와 함께 십자가에 못 박힌 것은 죄의 몸이 멸하여 다시는 우리가 죄에게 종노릇 하지 않게 하려 함이니 이는 죽은 者가 죄에서 벗어나 의롭다 하심을 얻었음이니라."**(롬 6: 6-7)고 하였다. 여기서 우리 그리스도인이 깊이 생각 할 일이 있다. **"죽은 者가 죄에서 벗어나 의롭다 하심을 얻었음이니라"**의 **'죽은 者가 죄에서 벗어나다'**는 말은 이렇게 생각할 수 있다. 예수 그리스도를 믿지 않는 사람은 아담의 죄로 온 인류가 죄인인데, 그 죄인은 예수 그리스도가 십자가상에서 죽을 때에 같이 죽었고, 이제는 죽음에서 벗어났다는 말이다. **'의롭다 하심을 얻었음이니라'**는 말은 예수 그리스도의 부활을 힘입어 부활 신앙으로 다시 살 때에는 예수 그리스도의 생명을 얻어 그 생명으로 산다는 말이다.

2012년 6월 10 발표

〈제37과〉
나는 세상에 빛이다

본문 말씀 8:12~20

"12예수께서 또 일러 가라사대 '나는 세상의 빛이니 나를 따르는 자
는 어두움에 다니지 아니하고 생명의 빛을 얻으리라.' 13바리새인들이
가로되 '네가 너를 위하여 증거하니 네 증거는 참되지 아니하도다.' 14
예수께서 대답하여 가라사대 내가 나를 위하여 증거하여도 내 증거가
참되니, 나는 내가 어디서 오며 어디로 가는 것을 앎이어니와 너희는
내가 어디서 오며 어디로 가는 것을 알지 못하느니라. 15너희는 육체를
따라 판단하나 나는 아무도 판단치 아니하노라. 16만일 내가 판단하여
도 내 판단이 참되니 이는 내가 혼자 있는 것이 아니요 나를 보내신 이
가 나와 함께 계심이라. 17너희 율법에도 두 사람의 증거가 참되다 기
록하였으니 18내가 나를 위하여 증거하는 자가 되고 나를 보내신 아버
지도 나를 위하여 증거하시느니라. 19이에 저희가 묻되 '네 아버지가
어디 있느냐?' 예수께서 대답하시되 '너희는 나를 알지 못하는도다. 나
를 알았더면 내 아버지도 알았으리라.' 20이 말씀을 성전에서 가르치실
때에 연보궤 앞에서 하셨으나 잡는 사람이 없으니 이는 그의 때가 아직
이르지 아니하였음이러라."

내 증거는 참되다

예수께서는 요한복음 6장부터 오늘 공부하는 8장까지의 말씀에서 자신을 스스로 증거 하신다. 6장에서는 자신을 인류에게 주는 하늘의 생명의 떡—곧, 하나님의 몸으로 **"내가 진실로, 진실로 너희에게 이르노니 인자의 살을 먹지 아니하고 인자의 피를 마시지 아니하면 너희 속에 생명(나의 생명)이 없느니라."** (6:53)고 말씀하신다. 즉, 예수의 생명의 진액을 받아야 우리에게 생명이 있다는 말씀이다.

7장에서는 **"나를 믿는 자는 성경에 이름과 같이 그 배에서 생수의 강이 흘러나리라"**(7:38)고 하셨다. '생명의 떡인 나를 먹고, 그 생명을 믿으면 그 믿음으로 인하여 배에서 생수가 강물처럼 흘러나리라'는 말씀이다.

이어서 8장에서는 **"나는 세상의 빛이니 나를 따르는 자는 어두움에 다니지 아니하고 생명의 빛을 얻으리라."**(8:12)고 하신다. 그런데 여기서 **"생명의 빛을 얻으리라"**는 무슨 말인가? 생명의 떡! 하나님의 생명을 먹으면 하늘에 속하는 눈, 곧 영의 눈으로 세상의 사물을 보게 된다는 말씀이다. 하늘에 속한 예수 그리스도를 먹으면—즉, 그리스도를 영접하면 우리들의 눈이 밝아져 다음처럼 잘 보인다는 말씀이다.

○ 예수 그리스도를 바로 보는 눈!

○ 하늘의 진리를 보는 마음의 밝은 눈!

○ 세상의 사물을 밝게 보는 눈!

그리스도를 영접하면 육안으로 보이지 않는, 하늘나라의 진리와 세상 사물을 밝게 보는 눈을 얻으리라는 말씀이다.

이번 공부에서 예수께서는 "나를 너희가 먹으면 하늘의 생명을 얻으리라." 증거 하시고, 또한 나의 생명을 먹은 사람은 그 생명으로 인하여 배에서 진리의 생수가 강같이 흘러나리라고 하셨다. 이어서 "나는 세상의 빛"이라 증거 하시므로, 바리새인들이 "당신 스스로 자신을 증거하니 그 증거는 참다운 증거가 아니다"고 열변을 토하며 공격을 하고 있다. 그러나 예수께서는 "내 증거가 참되다"고 말씀하신다. 왜 예수께서는 자신의 증거가 참되다고 하시는가? 그것은 자신은 태초부터 하나님과 함께 하신—곧, 하나님이시기 때문이다.

본문 공부

12절 "예수께서 또 일러 가라사대 나는 세상의 빛이니 나를 따르는 자는 어두움에 다니지 아니하고 생명의 빛을 얻으리라."

예수께서 일러 가르쳐 주셨다. '나는 세상의 빛'이라 하시고, '나를 따르는 자는 어두움에 다니지 아니하고 생명의 빛을 얻으리라' 하셨다. '나를 따르는 者'란 무슨 말인가? 장차 예수 그리스도께서 십자가 위에서 피 흘려주신 그 생명을 먹은 자—즉, 영접하여 따르는 자에게 생명이 있기 때문에 그 생명이 우리 믿는 자들의 눈을 밝게 하시여 믿는 자들이 어두움과 밝음을 분별하여 산다는 말이다. 바꾸어 말하면 '생명의 떡'이라고 하는 '예수의 생명'이 빛이다. 이 빛이 우리 영의 눈과 육의 눈을 밝게 하신다는 말씀이다.

13절 "바리새인들이 가로되 네가 너를 위하여 증거 하니 네 증거는 참되지 아니하도다."

예수께서 자신을 세상의 빛이라고 하시니 바리새인들은 '네가 너를 증거 하는 그런 증거는 참되지 않다'고 한다. 예수 본인이 자신을 증거하는 말을 누가 믿겠느냐는 말이다. 결국 바리새인들은 '당신의 말은 참되지 못하다'고 결론을 내린다. 그러면 바리새인들이 예수 그리스도 즉, 메시아에 대한 모세의 기록이나, 세례요한의 말은 믿었던가? 아니다. 모세의 기록이나 세례요한의 증거도 믿지 못한 바리새인들이다(1:29).

14절 "예수께서 대답하여 가라사대 내가 나를 위하여 증거 하여도 내 증거가 참되니, 나는 내가 어디서 오며 어디로 가는 것을 앎이어니와 너희는 내가 어디서 오며 어디로 가는 것을 알지 못하느니라."

예수께서는 자신의 말을 믿지 못하여 "스스로를 위한 증거는 참되지 못하다"고 하는 바리새인들에게 "나는 너희와 확연히 생리적으로 다르다. 그래서 나의 증거는 참되다."고 하시며 그 이유로 "나는 내가 어디서 와서 어디로 가는가를 알지만, 너희는 내가 어디서 와서 어디로 가는가를 알지 못한다"고 하신다. 즉, 땅의 사람은 하늘의 일을 알지 못한다는 말씀이다.

15,6절 "너희는 육체를 따라 판단하나 나는 아무도 판단치 아니하노라. ◇만일 내가 판단하여도 내 판단이 참되니 이는 내가 혼자 있는 것이 아니요 나를 보내신 이가 나와 함께 계심이라."

예수께서는 땅의 사람 곧, 인간과 다름을 구체적으로 말씀하신다. "너희는 겉모습을 보고 판단하지만, 나는 아무도 판단하지 않는다. 왜? 너희를 다 알고 있기 때문"이라는 말씀이다.

예수께서는 덧붙여 말씀하신다. "만일 내가 나를 판단하여도 내 판단은 참되다. 그것은 내가 혼자 있는 것이 아니라 나를 보내신 아버지가 나와 함께 계시기 때문이다." 이 말씀은 곧 하나님과 하나임을 나타내신 말씀이다. 하나님은 조물주 되시므로 모든 것을 판단하시며 알고 계신다는 말씀이기도 하다. 곧 자신은 창조자라 피조물에 대하여 판단하여도 참되게 판단하신다는 말씀이다.

17,8절 "너희 율법에도 두 사람의 증거가 참되다 기록하였으니 ◇내가 나를 위하여 증거하는 자가 되고, 나를 보내신 아버지도 나를 위하여 증거하시느니라."

13절에서 바리새인들의 '네가 너를 증거 하는 그런 증거는 참되지 않다'는 말에 대하여 예수께서 율법을 예를 들어 말씀하신다. **"너희 율법에는 두 사람이 증거를 하면 참되다고 기록하였으니 내 말은 율법대로 보아도 증거로써 성립한다."**고 하시며 그 이유를 말씀하신다.

첫째, 내가 나를 위하여 증거하고 둘째, 나를 보내신 아버지도 나를 위하여 증거하신다고 하면서 자신과 하나님을 구분하여 두 증거자로 내세우신다. 즉, 율법상 증거의 조건이 충족되어 있으니 예수 자신의 증거가 참되다는 말씀이다.

19절 "이에 저희가 묻되 '네 아버지가 어디 있느냐? 예수께서 대답하시되 너희는 나를 알지 못하는도다. 나를 알았더면 내 아버지도 알았으리라."

질문과 답변이 불꽃을 튀긴다.

예수께서 자신을 보낸 아버지가 자신을 증거한다 하시므로, 바리새인들이 네 아버지가 어디 있느냐고 묻는다. 예수께서 대답하신다. "너희는 나를 알지 못한다. 나를 알았다면 내 아버지도 알았을 것이다." 바꾸어 말하면 **"너희가 나를 알지 못하니 내 아버지도 알지 못 한다"**는 말이다. 예수께서는 여기에서 하나님과 자신이 하나임을 강조하신다. 이 말의 결론은 '너희가 나를 알면 하나님과 내가 하나라는 것도 알았을 것'이라는 말씀이다.

20절 "이 말씀을 성전에서 가르치실 때에 연보 궤 앞에서 하셨으나 잡는 사람이 없으니 이는 그의 때가 아직 이르지 아니하였음이러라."

요한복음을 기록한 요한은 늘 중요한 기사마다 예수께서 말씀하신 장소를 기록하였는데, 오늘 공부에서도 '이 말씀을 성전에서 가르치실 때에 연보 궤 앞에서 하셨으나 잡는 사람이 없었다' 고 쓰고 있다. 예수를 잡는 사람이 없다는 것은 아직 '그의 때' 즉, 예수 그리스도의 죽을 때가 이르지 아니하였다는 점을 분명히 기록하고 있다.

2012년 7월 10 발표

〈제38과〉

너희는 아래에서 났고, 나는 위에서 왔다

본문 말씀 8:21~30

"21다시 이르시되 내가 가리니 너희가 나를 찾다가 너희 죄 가운데
서 죽겠고, 나의 가는 곳에는 너희가 오지 못하리라. 22유대인들이 가
로되, 저가 '나의 가는 곳에는 너희가 오지 못하리라' 하니 저가 자결
하려는가? 23예수께서 가라사대 너희는 아래서 났고 나는 위에서 났으
며, 너희는 이 세상에 속하였고 나는 이 세상에 속하지 아니하였느니라.
24이러므로 내가 너희에게 말하기를 '너희가 너희 죄 가운데서 죽으리
라' 하였노라. 너희가 만일 내가 그인 줄 믿지 아니하면 너희 죄 가운
데서 죽으리라. 25저희가 말하되 네가 누구냐? 예수께서 가라사대 나는
처음부터 너희에게 말하여 온 자니라 26내가 너희를 대하여 말하고 판
단할 것이 많으나 나를 보내신 이가 참되시매 내가 그에게 들은 그것을
세상에게 말하노라 하시되 27저희는 아버지를 가리켜 말씀하신 줄을 깨
닫지 못하더라. 28이에 예수께서 가라사대 너희는 인자를 든 후에 내가
그인 줄을 알고, 또 내가 스스로 아무 것도 하지 아니하고 오직 아버지
께서 가르치신 대로 이런 것을 말하는 줄도 알리라. 29나를 보내신 이
가 나와 함께 하시도다. 내가 항상 그의 기뻐하시는 일을 행하므로 나
를 혼자 두지 아니하셨느니라. 30이 말씀을 하시매 많은 사람이 믿더
라."

하나님은 왜 아담과 하와를 에덴에서 추방하였는가?

처음 요한복음을 공부 할 때에 하나님과 인류의 조상 아담과의 관계를 아래와 같이 말하였다.

"자신의 새끼를 애지중지 하는 것이 모든 생명체의 본능이다. 하물며 하나님이 당신의 손으로 만드신 아담과 하와를 사랑하는 마음이 오죽하셨겠는가? 그러나, 하나님도 죄악으로 물들어 있

는 당신의 창조물인 아담과 하와를 추방하지 않으면 그들은 살 수 없게 되어있었다. 이미 그들은 죄로 물들어 사탄에게 귀속되었기 때문이다. 그들을 에덴에 두어도 될 사정이었으면 하나님은 그들을 계속 그곳에 두었을 것이다. 그러나 안타깝게도 그곳에 두면 그들은 죽게 되어 있었다."

그렇다. 물고기가 예쁘다고 사람의 손에 오래 둔다면 그 물고기는 죽고 만다. 마찬가지로 아무리 하나님이 아담과 하와를 사랑해도 이미 죄인이 된 그들이 하나님을 보면 죽게 되어있다. 하나님은 거룩하고 거룩한 빛의 근원이라 죄인이 보면 죄인은 죽게 되어 있다. 결국, 에덴에서 내보내야 그들이 살 수 있었다. 비록 죄인의 몸이지만, 살려보려는 하나님의 큰 배려가 있었던 것이다.

아담은 하나님의 낯을 피해야 살 수 있었고,
하나님은 아담을 추방하여야 그를 살릴 수 있었다.

에덴에서 추방

에덴! 곧 하늘나라와, 세상 땅의 경계

세상! 죄로 물든 사람들이 사는 땅

도망과 추방이라는 두 면을 다 가지고 에덴의 바깥 땅, 곧 세상으로 나온 아담과 하와는 죄로 물들어 하나님과 단절된 이분화(二分化) 사회에서 살게 되었다.

이 이분화 상태를 예언자 이사야는 "극상품(極上品) 포도나무를 심었도다. 좋은 포도 맺기를 바랐더니 들포도를 맺혔도다"(사 5:2)라고 탄식하였다.

또 증언자 바울 사도는 로마서 3장 23절에서 "모든 사람이 죄를 범하였으매 하나님의 영광에 이르지 못하더니…"라고 이분화 상태로는 하나님 앞에 이르지 못하는 이유를 말하고 있다.

—제1과에서—

오늘 공부할 제38과에서 예수는 **'너희는 아래서 났고, 나는 위에서 왔다'**고 말씀하고 계신다. 유대인들은 하나님의 강림! 예수 그리스도의 오심의 뜻은 단 하나도 생각하지 않고 '아래서 났다'는 예수의 말씀대로 '이분화 상태'를 행동하며 말하고 있다.

본문 공부

21절 "다시 이르시되 내가 가리니 너희가 나를 찾다가 너희 죄 가운데서 죽겠고, 나의 가는 곳에는 너희가 오지 못하리라."

이 말씀은 지난 과에서 공부한 19절의 **'너희는 나를 알지 못하고 내 아버지도 알지 못하도다. 나를 알았더면 내 아버지도 알았으리라'**는 말씀에 이어서 하신 말씀이다.

앞의 말씀과 연결 지으면 **'나는 너희가 알지 못하는 내 아버지께 갈 텐데, 그러면 너희는 나를 찾다가 너희 죄 가운데 죽겠고, 너희는 내가 가는 곳에 오지 못한다'**는 말씀이다. 이 말씀을 간추린다면 "나는 나의 아버지! 조물주 하나님께 가지만, 너희는 죄 가운데서 죽는다"는 말씀이라고 하겠다.

22절 "유대인들이 가로되, 저가 '나의 가는 곳에는 너희가 오지 못하리라' 하니 저가 자결하려는가?"

예수께서는 유대인들에게 **'너희가 죄 가운데 죽으리라'**(21절)고 하셨는데, 반대로 유대인들은 '저 사람이 자결하려는가?' 하는 생각을 한다.

여기에서도 땅에 속한 유대인들과 하늘에 속한 예수 그리스도의 커다란 시각 차이를 본다.

23절 "예수께서 가라사대 너희는 아래서 났고 나는 위에서 났으며, 너희는 이 세상에 속하였고 나는 이 세상에 속하지 아니하였느니라."

앞절에서의 뚜렷한 시각 차이의 이유(理由)를 말씀하신다. '너희는 아래서 났고, 나는 위에서 났으므로 너희는 세상 이야기를 하고, 나는 하늘나라에 속하여 하나님의 말씀을 들은 대로 이야기 한다고 하신다. 즉 '이분(二分)화'를 분명히 보여주는 말씀이다.

24절 "이러므로 내가 너희에게 말하기를 너희가 너희 죄 가운데서 죽으리라 하였노라. 너희가 만일 내가 그인 줄 믿지 아니하면 너희 죄 가운데서 죽으리라."

이분(二分)화 되어 있으므로 "너희가 너희 죄 가운데서 죽으리라"고 하는, 인간으로서는 도저히 살 수 없음을 말씀하시고, 곧 이어 새로운 말씀을 하신다. "너희가 만일 내가 그인 줄 믿지 아니하면 너희(가) 죄 가운데서 죽는다"는 말씀이다. '내가 그인 줄 믿지 아니하면' 곧 예수 나를 그리스도로 믿지 아니하면 너희는 죽는다는 말씀이다.

뒤집어 생각하면, 인류와 하나님의 아들 예수 그리스도가 이분(二分)화 되어 있지만 하나님과 인류—곧, 우리가 하나 되어 만나면 구원이 있다는 말씀이다. 하나 되는 그 만남의 길은 장차 예수 그리스도와 함께 십자가상에서 우리가 좌우(左右) 강도의 모습으로 죽고, 다시 살아 부활할 때에는 예수 그리스도가 흘려주신 피의 생명을 접붙임 받는 '생명의 부활'을 믿으면 그리스도 예수의 피의 생명으로 산다는 것이다.

"너희가 만일 내가 그인 줄 믿지 아니하면 너희 죄 가운데서 죽으리라." 우리가 십자가상에서 접붙임을 받았으므로 우리에게는 예수 그리스도의 생명이 있다는 것을 믿어야, 예수 그리스도와 하나 될 수 있다는 말씀이다. 믿지 못하면 접붙임을 받았던 생명이라도 서지 못하는 것이다.

이와 관련하여 누가는 누가복음 23장에서 이렇게 쓰고 있다.

"39달린 행악자 중 하나는 비방하여 가로되 네가 그리스도가 아니냐? 너와 우리를 구원하라 하되 40하나는 그 사람을 꾸짖어 가로되 네가 동일한 정죄를 받고서도 하나님을 두려워 아니하느냐! (41절 생략) 42가로되 예수여 당신의 나라에 임하실 때에 나를 생각하소서! 하니 43예수께서 이르시되 내가 진실로 네게 이르노니 오늘 네가 나와 함께 낙원에 있으리라."(눅23:39~43)

십자가상에서 같이 접붙임을 받고도 한 강도는 예수를 의지하여 믿음으로 낙원에 함께 있는 강도가 되었던 것이다. 증언자 바울은 믿음의 중요함을 아래와 같이 적고 있다. **"옳도다. 저희는 믿지 아니하므로 꺾이우고 너는 믿으므로 섰느니라."**(롬11:20)

25~7절 "저희가 말하되 '네가 누구냐?' 예수께서 가라사대 '나는 처음부터 너희에게 말하여 온 자니라.' ◇'내가 너희를 대하여 말하고 판단할 것이 많으나 나를 보내신 이가 참되시매 내가 그에게 들은 그것을 세상에게 말하노라' 하시되 ◇저희는 아버지를 가리켜 말씀하신 줄을 깨닫지 못하더라."

예수께서 '나를 믿지 아니하면 너희 죄 가운데 죽겠다' 하시므로, 유대인들이 '도대체 네가 누구냐' 고 묻는다. 이에 예수께서는 "나는 처음부터 너희에게 말하여 온 자" 라고 대답을 하신다. 여기에는 구약시대의 예언자와 세례요한이 말한 것처럼 **"나는 하나님의 아들"**이라는 뜻이 함축되어 있다.

예수께서 말씀하신다. 너희에 대하여 여러 가지 판단 할 것이 많으나 나의 판단은 접어 두고, 나를 보내신 이가 참되시매 그분이 하신 말씀을 그대로 너희에게 말하였다.

26절에서 '나를 보내신 이' 를 예수께서 말씀하셨지만 십자가상의 접붙임—곧, 예수 그리스도의 생명을 받을 길이 아직 열리지 않았으므로 그들은 '나를 보내신 이' 는 "아버지를 가리켜 말씀하신 줄을 깨닫지 못하더라"는 기사다.

십자가 사건! 예수 그리스도가 높이 들린 후에야 알게 될 일들이다.

28절 "이에 예수께서 가라사대 너희는 인자를 든 후에 내가 그인 줄을 알고, 또 내가 스스로 아무 것도 하지 아니하고 오직 아버지께서 가르치신 대로 이런 것을 말하는 줄도 알리라."

예수께서는 저희가 당신의 말을 알아듣지 못하므로 앞으로 십자가상에서 있을 일들을 말씀하신다. **"너희가 인자! 즉 나 예수를 십자가상에 달아 든 후에서야 내가 그인 줄 알 것이다. 또 내가 스스로 아무 것도 하지 아니하고 오직! 하나님이 가르치신 대로만 말하는 줄도 알 것이다."** 즉, 하나님이 하시는 일임을 알게 될 것이라는 말씀이다. 예수가 처음으로 말한 '인류에게 자신의 생명을 주기위해 죽는다'는 예고라고 하겠다.

'인자가 든 후'는 '인자가 들린 후'—곧, 십자가상에서의 접붙임이 이루어진 후'라는 말씀이다. 왜 그럴까? 그것은 농부인 하나님이 십자가상에서 강도를 죽이고, 그 곳에 예수 그리스도께서 흘린 피로 접붙임을 하시기 때문에 우리 안에 접목으로 와 계실 예수의 생명이 살아 내 주인으로 와서 속삭임—즉, 가르침으로 알게 된다는 말씀이다. 이는 십자가의 도를 깨닫게 된다는 말이다.

성서 말씀은 현재분사(現在分詞)로 기록되어 있다. 2000년 전에 있었던 일이지만 십자가상에서의 만남은 현재 우리에게도 영접 또는 접붙임이 됨으로써 깨달아 알게 하는 말씀이다.

29,30절 "나를 보내신 이가 나와 함께 하시도다. 내가 항상 그의 기뻐하시는 일을 행하므로 나를 혼자 두지 아니하셨느니라. ◇이 말씀을 하시매 많은 사람이 믿더라."

예수께서 자신을 보내신 이! 곧 '하나님이 함께 하시도다' 하시며 '내가 항상 그분 하나님께서 기뻐하실 일을 행하므로 나를 혼자 두지 아니하시고 늘 함께 하심'을 말씀하심으로 하나님과 예수 자신은 하나임을 설명하시는 대목이다.

예수께서 당신은 하나님과 하나임을 말씀하시자 그제서야 많은 사람이 믿더라고 하였다.

하나님과 예수 그리스도가 하나이시고, 우리 인류도 십자가상에서 좌 · 우의 강도와 같이 죽음으로 우리의 옛 사람은 죽고, 새로운 그리스도 예수의 생명을 받아 살 때에 예수 그리스도와 하나의 생명으로 하늘 백성이 되어 새 하늘과 새 땅의 도래! 곧 계시록의 예언이 도래하게 된다(계21:1).

2012년 8월 10 발표

〈제39과〉

진리가 너희를 자유케 하리라

본문 말씀 8: 31~47

"31그러므로 예수께서 자기를 믿은 유대인들에게 이르시되 너희가 내 말에 거하면 참 내 제자가 되고, 32진리를 알찌니 진리가 너희를 자유케 하리라. 33저희가 대답하되, 우리가 아브라함의 자손이라 남의 종이 된 적이 없거늘 어찌하여 우리가 자유케 되리라 하느냐? 34예수께서 대답하시되 진실로, 진실로 너희에게 이르노니 죄를 범하는 자마다 죄의 종이라. 35종은 영원히 집에 거하지 못하되 아들은 영원히 거하나니 36그러므로 아들이 너희를 자유케 하면 너희가 참으로 자유하리라. 37나도 너희가 아브라함의 자손인줄 아노라. 그러나 내 말이 너희 속에 있을 곳이 없으므로 나를 죽이려 하는도다. 38나는 내 아버지에게서 본 것을 말하고, 너희는 너희 아비에게서 들은 것을 행하느니라. 39대답하여 가로되 '우리 아버지는 아브라함이라' 하니 예수께서 가라사대 너희가 아브라함의 자손이면 아브라함의 행사를 할 것이어늘 40지금 하나님께 들은 진리를 너희에게 말한 사람인 나를 죽이려 하는도다. 아브라함은 이렇게 하지 아니하였느니라. 41너희는 너희 아비의 행사를 하는도다. 대답하되 우리가 음란한데서 나지 아니하였고, 아버지는 한 분 뿐이시니 곧 하나님이시로다. 42예수께서 가라사대 하나님이 너희 아버지였으면 너희가 나를 사랑하였으리니 이는 내가 하나님께로 나서 왔음이라. 나는 스스로 온 것이 아니요 아버지께서 나를 보내신 것이니라. 43어찌하여 내 말을 깨닫지 못하느냐. 이는 내 말을 들을 줄 알지 못함이로다. 44너희는 너희 아비 마귀에게서 났으니 너희 아비의 욕심을 너희도 행하고자 하느니라. 저는 처음부터 살인한 자요, 진리가 그 속에 없으므로 진리에 서지 못하고 거짓을 말할 때마다 제 것으로 말하나니 이는 저가 거짓말쟁이요 거짓의 아비가 되었음이니라. 45내가 진리를 말하므로 너희가 나를 믿지 아니하는도다. 46너희 중에 누가 나를 죄로 책잡겠느냐. 내가 진리를 말하매 어찌하여 나를 믿지 아니하느냐? 47하나님께 속한 자는 하나님의 말씀을 듣나니 너희가 듣지 아니함은 하나님께 속하지 아니하였음이로다."

진리가 너희를 자유케 하리라

8장 31절 이하의 말씀을 많은 사람들이 주해(註解)하면서 하나님의 아들 예수와 땅의 사람 사이의 상반된 대화로 보고 있다. 그러나 예수께서는 인류에게 최고의 말씀을 하고 계신다. 곧 "진리를 알찌니 진리가 너희를 자유케 하리라" 이 말씀에 인류 구원의 진리가 들어있다. 인류가 구원되는 것은 진리를 아는 일이다. 진리를 알게 되면 그 진리가 너—곧, 인류를 자유케 하신다는 말씀이다.

자유(自由)란 무슨 말인가?

결론부터 말하면 하늘나라의 시민! 예수 그리스도와 하나가 된다는 말이다. '진리를 알찌니' 이 말은 도대체 무슨 진리를 알아야 한다는 것인가? 예수 그리스도와 우리 인류! 나 자신이 하나 되는 참된 이치를 알게 되면 하늘의 시민권자가 되므로 세상적인 아담의 뿌리에서 벗어나 죄의 종에서 자유자가 된다는 말이다. 즉, 죄악의 세상에서 벗어나 하늘나라 하나님의 아들이 된다는 결론이다.

인류! 우리가 아담의 혈통인 죄악의 몸에서 벗어 나려면 어떻게 하여야 할까? 과연 벗어날 수 있을까? 아담의 자손인 죄인은 십자가상에서 들포도나무로 죽고, 참포도나무인 예수 그리스도의 생명을 접붙임 받아 참포도나무로 다시 살 때 죄인의 몸에서 벗어나게 된다. 바로 이 길이 진리이다. 이것을 우리는 믿음으로 받아야 한다.

이어지는 예수님의 말씀은 듣는 사람을 참으로 놀랍게 하신다. "저는 처음부터 살인한 자요, 진리가 그 속에 없으므로 진리에 서지 못하고 거짓을 말할 때마다 제 것으로 말하나니 이는 저가 거짓말쟁이요, 거짓의 아비가 되었음이니라"(44절)고 결론을 내리고 있다. '인류! 아담의 자손은 진리가 그 속에 없으므로 진리에 서지 못하고 진리를 듣지도 못한다'고 하신다. 진리가 그 속에 있어야 진리의 말을 들을 수 있다는 말씀이다. 진리가 없는 너희 마음에 거짓만 가득 차 있다. 이래서 거짓말쟁이요 거짓의 아비가 되었다. 그 속! 너희 마음속에 진리를 심어주기 위해 내가 십자가상에서 죽는다고 하신다.

본문 공부

31,2절 "그러므로 예수께서 자기를 믿은 유대인들에게 이르시되 너희가 내 말에 거하면 참 내 제자가 되고, ◇진리를 알찌니 진리가 너희를 자유케 하리라."

예수께서 정말 중요한 말씀을 하신다. '너희가 내 말에 거하면' 예수의 말씀 안에 우리가 살면, 즉 예수님 말씀과 내 마음이 하나가 되면 참 제자가 된다는 말씀이다.

'진리를 알찌니' 참으로 어려운 말씀이다. '진리를 안다'는 말은 곧 예수 그리스도를 바르게 알게 된다는 말이다. 예수 그리스도를 바르게 알면 그 알게 된 예수 그리스도가 '너희를 자유케 하리라'고 하신다. 우리가 예수님 말씀 안에 살면 참 제자가 되어 진리를 알게 되고, 그 진리가 우리를 자유케 한다는 말씀이다.

인류! 우리가 예수 그리스도와 같이 십자가상에서 믿음으로 죽고, 다시 사는 것을 통해 우리를 죄 된 몸에서 해방시키시고, 하늘의 진리! 곧 하늘의 진리가 있는 생명으로 자유로운 몸으로 다시 살게 하신다는 말씀이다.

33,4절 "저희가 대답하되 우리가 아브라함의 자손이라 남의 종이 된 적이 없거늘 어찌하여 우리가 자유케 되리라 하느냐? ◇예수께서 대답하시되 진실로, 진실로 너희에게 이르노니 죄를 범하는 자마다 죄의 종이라."

예수님의 '자유케 하리라'는 말씀에 유대인들이 외친다. '우리가 아브라함의 자손이라서 남의 종 된 적이 없었는데 어찌 우리에게 자유케 된다고 헛소리를 하는가?' 하는 물음이다.

유대인들의 물음에 예수께서는 중요한 말씀을 하실 때마다 반복하시는 '진실로, 진실로'를 이번에도 반복하신다.

'죄를 범하는 자마다 죄의 종이라' 인류는 누구를 막론하고 '죄를 짓는 자는 죄의 종'이라고 선언하신 말씀이다.

35,6절 "종은 영원히 집에 거하지 못하되 아들은 영원히 거하나니 ◇그러므로 아들이 너희를 자유케 하면 너희가 참으로 자유하리라."

35절은 종—즉, 죄의 종인 너희는 아버지 집에 영원히 살지 못하지만, 아들은 영원히 살게 된다는 말씀이다. 이 말씀은 곧, 아담의 자손 인류와 하나님의 아들인 예수 자신과의 이분화(二分化) 상태를 나타내신 말씀이다.

36절은 종의 상태에 있는 너희를 **'아들이 자유케 하면 너희가 죄의 굴레에서 벗어나리라'**는 말씀이다.

'아들이 너희를 자유케 한다'는 말은 무슨 말인가? 성자(聖子)인 예수가 십자가에서 죽고, 성부(聖父)인 하나님이 십자가에서 흘린 아들의 피로 인류의 대표 강도에게 접붙임을 하면 강도는 새로운 생명으로 살아 자유스러운 하늘 백성이 된다는 말씀이다.

인류와 성자 예수가 이분화 상태에서 예수 그리스도와 하나 되는 길을 아들이 이루어 가신다는 말씀이다.

37,8절 "나도 너희가 아브라함의 자손인줄 아노라. 그러나 내 말이 너희 속에 있을 곳이 없으므로 나를 죽이려 하는도다. ◇나는 내 아버지에게서 본 것을 말하고 너희는 너희 아비에게서 들은 것을 행하느니라."

예수께서 유대인들이 외친 '우리가 아브라함의 자손이라 남의 종이 된 적이 없거늘 어찌하여 우리가 자유케 되리라 하느냐?'는 말을 상기하며 하신 말씀이다. "나도 너희가 아브라함의 자손인 줄 안다. 그러나 너희는 내 말을 받아들이질 않고 오히려 나를 죽이려 하고 있다"고 안타까워하신다.

'내 아버지에게서 본 것' 내가 지금까지 너희에게 한 말은 모두가 내 아버지에게서 본 것들이다. 그러나 '너희는 너희 아비에게서 들은 것을 행한다' 고 하시며 이분화 상태를 재차 강조하신다.

39절 "대답하여 가로되 우리 아버지는 아브라함이라 하니 예수께서 가라사대 너희가 아브라함의 자손이면 아브라함의 행사를 할 것이어늘"

여기서 유대인들은 '우리 아버지는 아브라함'이라고 자랑스럽게 말한다. 이 말에 예수께서는 '너희가 아브라함의 자손이면 당연히 아브라함다운 행사를 해야 할 것 아니냐' 고 논박을 하신다. 여기서 성서를 배우는 우리가 오해를 하는 부분이 있다. '아브라함의 행사를 할 것이거늘' 이란 말로 아브라함이 예수와 이분화 상태에 있지 않다고 보면 안 된다는 것이다. 아브라함이 예수 그리스도와 이분화 상태에 있었어도 믿음의 조상으로 하나님께 부름을 받아 하나님께 순종한 사람인데, 너희는 아브라함의 자손이라고 하면서도 하나님의 아들의 말을 믿지 않음을 책망하는 말이다. 아브라함의 자손이라고 하면서도 아브라함의 행위는 본받지 않는 저들을 나무라신 것이다.

40,1절 "지금 하나님께 들은 진리를 너희에게 말한 사람인 나를 죽이려 하는도다. 아브라함은 이렇게 하지 아니하였느니라. ◇너희는 너희 아비의 행사를 하는도다. 대답하되 우리가 음란한 데서 나지 아니하였고, 아버지는 한 분 뿐이시니 곧 하나님이시로다."

39절의 책망의 말에 이어지는 말씀이다. "나는 하나님께 들은 진리를 너희에게 전하고 있는데, 너희는 나를 죽이려 하는구나. 아브라함은 이렇게 하지 않았다"고 하신다.

예수께서는 이어서 '너희는 너희 조상인 살인자 가인의 행사를 하고 있다'고 하시니 유대인들이 '우리가 음란한데서 나지 아니하였고, 아버지는 한 분 뿐이시니 곧 하나님'이라고 대답한다. 저들은 아브라함의 자손이라고 하였다가 책망을 받자 이제는 더 나아가 '아버지는 한 분 뿐이신 하나님'이라고 한다. 그런데 자신들이 '음란한 데서 나지 아니하였다'고 하면서 자신들의 선대 가인이 살인 행위를 하였던 사실을 외면하고 있다.

42,3절 "예수께서 가라사대 하나님이 너희 아버지였으면 너희가 나를 사랑하였으리니 이는 내가 하나님께로 나서 왔음이라. 나는 스스로 온 것이 아니요, 아버지께서 나를 보내신 것이니라. ◇어찌하여 내 말을 깨닫지 못하느냐? 이는 내 말을 들을 줄 알지 못함이로다."

자신들의 아버지가 아브라함보다도 더욱 높으신 '한 분 뿐인 하나님'이라고 하는 유대인들에게 예수께서 말씀하신다. '하나님이 너희 아버지라면 너희가 나를 사랑하였을 것이다. 그 이유는 내가 하나님께로 나서 왔기 때문이다. 나는 스스로 오지 않고, 아버지께서 나를 보내신 것'이라고 말씀하신다. 하나님이 너희 아버지라고 하면서도 하나님께로부터 온 나를 알아보지 못하느냐?!는 질책의 말씀이다.

'내 말을 들을 줄 알지 못함이로다' 예수 그리스도의 말을 깨닫지 못하는 유대인들에게 '너희에게는 내 말을 받을 진리의 마음밭이 없으며, 들을 줄도 모른다'고 하신다. 왜? 그 이유는 다음절에서 말씀하신다.

44절 "너희는 너희 아비 마귀에게서 났으니 너희 아비의 욕심을 너희도 행하고자 하느니라. 저는 처음부터 살인한 자요, 진리가 그 속에 없으므로 진리에 서지 못하고 거짓을 말할 때마다 제 것으로 말하나니 이는 저가 거짓말쟁이요 거짓의 아비가 되었음이니라."

예수께서는 에덴에서 이브를 미혹하여 선악과를 따먹게 한 뱀을 마귀로 이야기 하신다. 너희는 너희 아비 마귀에게서 났다. 마귀의 속임수에 넘어간 아담의 자손이라 마귀에 속해 있고, 그의 아들 가인은 동생 아벨을 죽인 자(者)로, 처음부터 진리가 그 속에 없으므로 진리에 서지 못하고 모두가 거짓말쟁이라는 말씀이다.

45,6절 "내가 진리를 말하므로 너희가 나를 믿지 아니하는도다. ◇ 너희 중에 누가 나를 죄로 책잡겠느냐. 내가 진리를 말하매 어찌하여

나를 믿지 아니하느냐."

예수께서 유대인들이 자신을 믿지 않는 이유를 말씀하신다. 예수께서 진리를 말하지 않았다면 저들은 예수를 그리스도로 영접하였을 것이다. 왜? 자신들과 생각이 같기에 그리스도로 맞아 들였을 것이다. 그러나 예수는 진리로서 저들의 아픈 곳을 말하므로 저들은 믿지 아니하였다.

예수 그리스도는 아담의 혈통이 아니다. 오직 하늘에 속한 하나님의 아들로서 성령의 잉태로 마리아를 통해 오셨다. 그런데 유대인들은 예수 그리스도에게서 죄를 찾아내어 죽이려 하고 있다. 이를 아시는 예수께서는 '누가 나를 죄로 책잡겠느냐!?' 하시며 자신을 죽이려 하는 유대인들에게 '죄의 종이요, 죄악의 원형인 너희들이 나에게서 죄를 찾아 죽이려 하느냐?'고 책망하신다. 이어서 '나는 진리를 말하는데 어째서 너희는 믿지 않느냐' 고 안타까워하신다.

47절 "하나님께 속한 자는 하나님의 말씀을 듣나니 너희가 듣지 아니함은 하나님께 속하지 아니하였음이로다."

예수가 자신의 말을 믿지 아니하는 유대인들에게 말씀하신다. '하나님께 속한 자는 하나님의 말씀을 듣는다. 그런데 너희가 하나님의 말씀을 전하는 나의 말을 듣지 않는 것은 너희가 하나님께 속하지 아니하였다는 증거'라는 논박이다.

2012년 9월 10일 발표

〈제40과〉

아브라함이 나기 전부터 내가 있었다

본문 말씀 8:48~59

"48유대인들이 대답하여 가로되 우리가 너를 사마리아 사람이라, 또
는 귀신이 들렸다 하는 말이 옳지 아니하냐? 49예수께서 대답하시되
나는 귀신 들린 것이 아니라 오직 내 아버지를 공경함이어늘 너희가 나
를 무시하는도다. 50나는 내 영광을 구치 아니하나 구하고 판단하시는
이가 계시니라. 51진실로, 진실로 너희에게 이르노니 사람이 내 말을 지
키면 죽음을 영원히 보지 아니하리라. 52유대인들이 가로되 지금 네가
귀신 들린 줄을 아노라. 아브라함과 선지자들도 죽었거늘 네 말은 '사
람이 내 말을 지키면 죽음을 영원히 맛보지 아니하리라' 하니 53너는
이미 죽은 우리 조상 아브라함보다 크냐? 또 선지자들도 죽었거늘 너
는 너를 누구라 하느냐? 54예수께서 대답하시되 내가 내게 영광을 돌
리면 내 영광이 아무 것도 아니어니와 내게 영광을 돌리시는 이는 내
아버지시니 곧 너희가 너희 하나님이라 칭하는 그이시라. 55너희는 그
를 알지 못하되 나는 아노니 만일 내가 알지 못한다하면 나도 너희 같
이 거짓말쟁이가 되리라. 나는 그를 알고 또 그의 말씀을 지키노라. 56
너희 조상 아브라함은 나의 때 볼 것을 즐거워하다가 보고 기뻐하였느
니라. 57유대인들이 가로되 네가 아직 오십도 못되었는데 아브라함을
보았느냐? 58예수께서 가라사대 진실로, 진실로 너희에게 이르노니 아
브라함이 나기 전부터 내가 있었느니라 하시니 59저희가 돌을 들어 치
려하거늘 예수께서 숨어 성전에서 나가시니라."

아브라함이 나기 전부터 내가 있었다

오늘 말씀에서도 지난번 공부한 대로 하늘에 속한 예수와 땅의 사람인 유대인 사이에 상반된 이야기가 계속된다. 그런 중에 유대인들은 예수님으로부터 기절초풍할 말씀을 듣게 된다. "아브라함이 나를 보고 즐거워하였다."(56절)

그러자 유대인들은 "네 나이가 아직 오십도 못되었는데 아브

라함을 보았느냐?"(57절)고 묻는다. 이에 예수께서 대답한다. "아브라함이 나기 전부터 내가 있었다."(58절) 이 한 마디 말씀은 예수 그리스도 자신이 우주 만물의 조물주(造物主) 되심을 나타내고 있다.

아브라함은 누구인가?

아브라함은 창세기 12장 1절부터 하나님이 아브람을 선택하여 부르시는 기사가 나온다.

"내가 너로 큰 민족을 이루고 네게 복을 주어 네 이름을 창대케 하리라. 너는 복의 근원이 될찌라. ◇여호와께서 아브람에게 이르시되 너는 너의 본토 친척 아비 집을 떠나 내가 네게 지시할 땅으로 가라."

이 말씀은 곧 하나님이 세상 창조 이후 인류의 시조(始祖) 아담으로부터 가인이 아벨을 죽이는 거짓됨과 살인을 계속하므로 '노아'의 방주를 통해 인류를 대표한 노아의 가족과 종족 번식만을 위한 각종 동물을 한 쌍씩만 구원하고, 그 외에는 다 멸하신 후에 노아의 후손 중에서 아브람을 택하여 이스라엘 민족의 믿음의 조상으로 삼았는데, 예수는 '아브라함이 나기 전부터 내가 있었다'고 말씀하신다. 이는 곧, 예수 자신이 '하나님과 함께 하는 조물주'라는 말씀이다.

본문 공부

48절 "유대인들이 대답하여 가로되 우리가 너를 사마리아 사람이라. 또는 귀신이 들렸다 하는 말이 옳지 아니하냐?"

유대인들이 지난 과에서 공부했던 41절에서 '우리가 음란한

데서 나지 아니하였고, 아버지는 한 분 뿐이시니 곧 하나님이시로다' 하므로 예수께서는 대답하신다. **'하나님께 속한 자는 하나님의 말씀을 듣나니 너희가 듣지 아니함은 하나님께 속하지 아니하였음이로다'**(47절)

예수님의 대답을 들은 유대인들이 48절에서 대뜸 '너는 사마리아 사람이거나 귀신이 들려 헛소리를 하는 정신병자가 아니냐'고 비아냥댄다.

이스라엘 사람들이 바벨론에 포로로 잡혀갈 때에 '사마리아' 지방 사람들은 잡혀가지 않고 남아 살면서 여호와 유일신 신앙을 잃고, 이방인과 혼인도 하였다 하여 유대인들은 사마리아 사람들을 죄인 보듯 하여 왔다. 그래서 유대인들이 예수께 '너는 사마리아 사람'이라고 비아냥댄 것이다.

49,50절 "예수께서 대답하시되 나는 귀신 들린 것이 아니라 오직 내 아버지를 공경함이어늘 너희가 나를 무시하는도다. ◇나는 내 영광을 구치 아니하나 구하고 판단하시는 이가 계시니라."

유대인들의 비아냥거림에 예수께서는 "나는 내 아버지 하나님을 공경하면서 하나님께 보고 들은 것을 이야기하였는데, 너희가 나를 무시하고 있다"고 나무라신다. 그리고는 이어서 말씀하신다.

나는 내 자신의 영광을 위하여 일하지 않았다. 그러나 이를 판단하시는 이가 계시는데, 그 분은 바로 너희가 아버지라고 하는 하나님이시며, 그 하나님은 너희들과 같이 나를 귀신 들렸다고 판단하시지 않는다.

51절 "진실로, 진실로 너희에게 이르노니 사람이 내 말을 지키면 죽음을 영원히 보지 아니하리라."

'내 말' 곧 우리가 '예수님의 말씀'을 지키면 우리가 죽음을 보지 않고 영원히 살게 된다고 말씀하신다. 이 말씀은 곧 **'너희를 참포도나무로 되살려서 하늘 백성이 되게 하려고 왔다'**는 말씀과 뜻이 통하는 말씀이라고 하겠다.

52,3절 "유대인들이 가로되 지금 네가 귀신 들린 줄을 아노라. 아브라함과 선지자들도 죽었거늘 네 말은 '사람이 내 말을 지키면 죽음을 영원히 맛보지 아니하리라' 하니 ◇너는 이미 죽은 우리 조상 아브라함보다 크냐? 또 선지자들도 죽었거늘 너는 너를 누구라 하느냐?"

유대인들은 예수가 자신들에게 '내 말을 지키면 영원히 죽음을 보지 않는다'고 하자 예수께 공박을 한다. '아브라함과 선지자들도 죽었거늘 어찌 네 말을 들으면 죽지 않는다는 말이냐? 그래서 너는 정말 귀신이 들었다'고 한다.

유대인들의 예수께 대한 공박이 계속된다. '너는 이미 죽은 우리 조상 아브라함이나 선지자들보다 큰 척 하는데, 너는 도대체 너 자신을 누구라 하느냐?'고 묻는다.

54,5절 "예수께서 대답하시되 내가 내게 영광을 돌리면 내 영광이 아무 것도 아니어니와 내게 영광을 돌리시는 이는 내 아버지시니 곧 너희가 너희 하나님이라 칭하는 그이시라. ◇너희는 그를 알지 못하되 나는 아노니 만일 내가 알지 못한다하면 나도 너희 같이 거짓말쟁이가 되리라. 나는 그를 알고 또 그의 말씀을 지키노라."

유대인들이 '도대체 너는 너 자신을 누구라 하느냐?'고 묻자 예수께서는 '내가 내게 영광을 돌린다면 그것이 내 영광이겠느냐? 내게 영광을 돌리는 분은 내 아버지신데, 이 분은 너희가 하나님이라고 부르는 그 분' 이시라고 대답하신다. 바꾸어 말하면 예수가 인류 구원의 일을 하므로 하나님께 영광을 돌리고, 하나님은 또한 아들 예수에게 영광을 돌리신다는 말씀이다.

'너희는 그 분을 알지 못하지만 나는 그 분을 잘 안다. 만일 내가 그 분을 알지 못하면서 그 분의 말을 한다면 나는 거짓말쟁이에 지나지 않는다.

'그의 말씀을 지키노라' 나는 장차 인류 구원의 길! 십자가상에서 죽기 위해 그 분의 말씀에 순종한다는 말씀이다.

56,7절 "너희 조상 아브라함은 나의 때 볼 것을 즐거워하다가 보고 기뻐하였느니라. ◇유대인들이 가로되 네가 아직 오십도 못되었는데 아브라함을 보았느냐?"

'너희는 나를 알지 못하고 귀신 들렸다'(48절)고 하지만, '너희 조상 아브라함은 장차 나의 때가 되면 그 때 아브라함이 나를 볼 것을 즐거워하고 있으며, 보고 난 후에는 기뻐하였다'고 예수께서 말씀하신다.

예수님의 '아브라함이 나를 보고 즐거워하고, 기뻐하였다'는 말에 유대인들이 네가 '아직 오십도 못되었는데 아브라함을 보았다는 말이냐?' 하며 펄쩍 뛴다.

58,9절 "예수께서 가라사대 진실로, 진실로 너희에게 이르노니 아브라함이 나기 전부터 내가 있었느니라 하시니 ◇저희가 돌을 들어

치려하거늘 예수께서 숨어 성전에서 나가시니라."

예수 그리스도 자신이 조물주이심을 말씀하시는 대목이다. "아브라함이 나기 전부터 내가 있었다." 창세기 12장 1절부터 아브라함의 기사가 나오는데, 예수 자신은 아브라함이 나기 전부터 우주 만물의 창조자(創造者)로 있었다고 하신다.

예수님이 자신은 "아브라함이 나기 전부터 존재했었다"고 하시자 유대인들이 화가 나서 돌을 들어 그리스도 예수를 치려 한다. 그러자 예수께서는 아직 때가 이르지 않음을 아시고 성전에서 피하신다.

2012년 10월 10 발표

〈제41과〉
내가 세상의 빛이라.
세상은 나의 하는 일을 보리라

본문 말씀 9:1~12

"1예수께서 길 가실 때에 날 때부터 소경된 사람을 보신지라. 2제자
들이 물어 가로되 랍비여! 이 사람이 소경으로 난 것이 뉘 죄로 인함이
오니이까? 자기오니이까, 그 부모오니이까? 3예수께서 대답하시되, 이
사람이나 그 부모가 죄를 범한 것이 아니라 그에게서 하나님의 하시는
일을 나타내고자 하심이니라. 4때가 아직 낮이매 나를 보내신 이의 일
을 우리가 하여야 하리라. 밤이 오리니 그때는 아무도 일할 수 없느니
라. 5내가 세상에 있을 동안에는 세상의 빛이로라. 6이 말씀을 하시고
땅에 침을 뱉아 진흙을 이겨 그의 눈에 바르시고, 7이르시되 실로암 못
에 가서 씻으라 하시니 (실로암은 번역하면 보냄을 받았다는 뜻이라.)
이에 가서 씻고 밝은 눈으로 왔더라. 8이웃 사람들과 및 전에 저가 걸
인인 것을 보았던 사람들이 가로되 이는 '앉아서 구걸하던 자가 아니
냐?' 9혹은 '그 사람이라' 하며 혹은 '아니라' '그와 비슷하다' 하거
늘 제 말은 '내가 그로라' 하니 10저희가 묻되, 그러면 네 눈이 어떻게
떠졌느냐? 11대답하되, 예수라 하는 그 사람이 진흙을 이겨 내 눈에 바
르고, 나더러 실로암에 가서 씻으라 하기에 가서 씻었더니 보게 되었노
라. 12저희가 가로되, '그가 어디 있느냐?' 가로되, '알지 못하노라' 하
니라."

내가 세상의 빛! 세상은 나의 하는 일을 보리라

성서를 공부하는 대부분의 사람들이 오늘 공부하는 소경의 눈을 뜨게 하는 부분에서 단순히 예수 그리스도의 능력에 초점을 맞추곤 한다. 그러나 예수 그리스도는 자신이 소경의 눈을 뜨게 하는 것은 만민이 하나님께로부터 오신 자신을 보고 믿게 하시기 위함이라는 말씀에 중점을 두어 가르치고 계신다. "그에게서

하나님의 하시는 일을 나타내고자 하심이니라." 말씀처럼 온 인류에게 하나님의 일을 보여 주어 깨달음을 주시기 위함이라는 말씀이다. 이것을 달리 말하면 하나님의 하시는 일을 세상에 보이시려고 수백 년 전부터 '실로암'이라는 못을 있게 하셨다. '실로암'의 뜻은 '보냄을 받았다'는 뜻이라고 한다. 그렇다면 누가 누구에게 보냄을 받았는가? 소경이 예수 그리스도로부터 보냄을 받았고, 그로 인해 소경은 실로암의 물로 눈을 씻은 후 눈이 뜨여 세상을 보게 된 것이다.

다시 말하여 하나님의 인류 구원사업은 치밀하게 계획(計劃)되어 수백 년 전부터 '실로암' 못을 있게 하신 후 소경의 아버지로 하여금 눈먼 아들을 낳게 하시고, 예수 그리스도의 직제자들이 **'이 사람이 소경으로 난 것은 누구의 죄입니까?'**라는 질문까지 하게 하였다는 말이다.

창세(創世) 이후로 지금까지 날 때부터 소경된 사람의 눈을 뜨게 한 일이 없었는데, 오직 하나님이 보내신 하나님의 아들이 그런 능력의 일을 한다는 것을 세상에 알게 하기위해 소경으로 나게 하셨다는 말이다. 예수께서는 5절에서 "내가 세상의 빛!! 세상은 나의 하는 일을 보리라"고 말씀하신다.

인류 구원의 일들을 유대인뿐만 아니라 온 인류가 깨닫게 하시기 위하여 하나님이 이토록 세심하게 일을 하신다는 말이다. 정말 놀라움과 감격으로 하나님의 위대한 인류 구원의 사업이라는 높은 사랑에 대하여 감사의 예배를 드려야 할 것이다.

하나님이 계획을 세우시고 소경의 아버지로 하여금 눈먼 아들을 낳게 하신 것은 **"내 살을 먹고 내 피를 마시는 자는 영생을 가졌고, 마지막 날에 내가 그를 다시 살리리니"**(6:54) 라는 말씀대로 위의 일들을 세상이 알게 하시려고 소경까지 낫게 하시며 인류에게 설명을 하신다. 하나님의 빈틈없는 인류 개조(改造) 계획에 고개가 저절로 숙여져서 하나님께 경외를 표하고, 만 개의 입으로 감사와 찬송을 드려도 다 드리지 못한 일이다.

예수 그리스도의 가르치심으로 보면 세상에 크고 작은 모든 일들에 다 뜻이 있다는 말이다. 뜻 없이 이루어진 일들은 단 하나도 없다. 이 땅에 있는 만물은 모두가 나름대로 뜻이 있고 대단한 가치가 있다.

본문 공부

1,2절 "예수께서 길 가실 때에 날 때부터 소경된 사람을 보신지라. ◇제자들이 물어 가로되 랍비여! 이 사람이 소경으로 난 것이 뉘 죄로 인함이오니이까? 자기오니이까, 그 부모오니이까?"

예수께서 제자들과 함께 길을 가실 때에 길옆에 앉아 구걸하는 소경된 사람을 보셨다. 이 사람은 태어나면서부터 소경이었다.

2절에서는 제자들이 소경으로 태어나게 된 것이 누구의 죄 때문인가를 스승인 예수께 묻고 있다.

3절 "예수께서 대답하시되 이 사람이나 그 부모가 죄를 범한 것이 아니라 그에게서 하나님의 하시는 일을 나타내고자 하심이니라."

당시 사람들은 날 때부터의 신체(身體) 불구는 죄 때문인 것으로 알고 있었다. 그래서 '누구의 죄로 인함입니까?' 라며 제자들이 예수께 질문을 한 것이다. 그러나 예수께서는 너무나 놀랍게도 "그에게서 하나님의 하시는 일을 나타내고자 하심이라" 고 하신다. 그 사람의 부모나 자기 본인의 죄로 온 것이 아니라는 말씀이다.

4절 "때가 아직 낮이매 나를 보내신 이의 일을 우리가 하여야 하리라. 밤이 오리니 그때는 아무도 일할 수 없느니라."

'때가 아직 낮이매' 이 말씀은 무슨 말씀인가? 지금 때는 '낮이매' 낮이므로 일하는 시간이요, 일할 때라는 말씀이다.

'나를 보내신 이의 일' 나를 보내신 이의 일 - 즉, 하나님의 일을 우리(예수 자신과 제자들)가 해야 한다고 하신다. 이 말 끝에는 밝은 낮에 하나님의 일을 해야 유대인들이 볼 수 있다는 뜻도 들어있다.

'밤이 오리니 그때는 아무도 일할 수 없느니라' 밤이 오면 어두워지므로 그 때는 일할 수 없다. 바꾸어 말하면 예수 그리스도가 십자가상에서의 죽음의 때가 오기 전에 일하신다는 말씀이기도 하다.

'나를 보내신 이의 일' 즉, '하나님의 일'은 소경의 눈을 뜨게 하는 일이다. 예수 그리스도가 하나님의 아들로서 소경의 눈을 뜨게 하는 일을 보고 세상 만민이 '과연 저분은 하나님께로부터 오셨구나' 하고 믿게 하기 위한 일이다.

5절 "내가 세상에 있을 동안에는 세상의 빛이로라."

내(예수)가 세상에 있을 동안에는 자신이 세상을 밝히는 빛의 역할을 하신다는 말씀이다. 달리 말하면 예수 자신이 행한 일들이 세상을 비추는 태양처럼 온 인류가 알게 되리라는 말씀이다.

'세상의 빛'은 유대인뿐만이 아니라 이 세상의 현재 사람에게나 미래 사람에게도 다 비추게 되는 빛이며, 지금 공부하는 우리들에게도 '세상의 빛'은 비추고 있다.

6,7절 "이 말씀을 하시고 땅에 침을 뱉아 진흙을 이겨 그의 눈에 바르시고 ◇이르시되 '실로암 못에 가서 씻으라' 하시니 (실로암은 번역하면 보냄을 받았다는 뜻이라.) 이에 가서 씻고 밝은 눈으로 왔더라."

6절은 예수께서 자신의 일 즉, 하나님의 일을 1절부터 5절까지에서 설명하신 후에 그 일을 직접 하시는 장면이다. 땅에 뱉은 침으로 진흙을 이겨 소경의 눈에 발라주신다.

소경의 눈에 침으로 이갠 진흙을 발라주신 예수께서 소경에게 '실로암 못에 가서 씻으라' 고 하시니, 소경이 그대로 가서 씻고 밝아진 눈으로 돌아왔다. '실로암'의 뜻은 '보냄을 받았다'는 뜻이라고 한다. 즉, 소경이 예수께로부터 보냄을 받았다는 풀이가 되겠다.

8,9절 "이웃 사람들과 및 전에 저가 걸인인 것을 보았던 사람들이 가로되 이는 앉아서 구걸하던 자가 아니냐. ◇혹은 그 사람이라 하며, 혹은 아니라 그와 비슷하다 하거늘 제 말은 '내가 그로라' 하니"

소경으로 오랜 세월을 살던 사람의 눈이 뜨여서 세상을 본다면 얼마나 기쁘겠는가? 본인은 하늘을 향해 두 팔을 벌리고 펄쩍펄쩍 뛰었을 것이다. 이 광경을 많은 사람들이 보고, 눈이 뜨인 소경은 소경대로 많은 사람들에게 자랑을 하므로 이웃 사람들과 전에 그가 눈먼 걸인으로 생활 하던 것을 보아 아는 사람들 사이에서 '그 사람이 맞다', '아니다. 모습만 비슷하다' 등의 논쟁이 일어난다.

사람들 사이에서 논쟁이 계속 되자 드디어 본인이 밝힌다. '맞다. 내가 바로 그 소경이다.'라고 한다.

10,11절 "저희가 묻되 그러면 네 눈이 어떻게 떠졌느냐? ◇대답하되 예수라 하는 그 사람이 진흙을 이겨 내 눈에 바르고 나더러 실로암에 가서 씻으라 하기에 가서 씻었더니 보게 되었노라."

시끌벅적하게 논쟁하던 사람들이 본인의 말을 듣고 놀라 묻는다. '그러면 네 눈이 어떻게 떠졌느냐?' 조금 전까지 소경이었던 사람이 앞을 보게 되었으니 누군들 놀라지 않겠는가.

눈을 뜬 사람이 놀라서 묻는 사람들에게 자기가 겪은 일을 대답한다. "예수라고 하는 사람이 진흙을 이겨 내 눈에 바르더니 나에게 '실로암에 가서 씻으라'고 했고, 내가 그의 말대로 가서 씻었더니 눈이 뜨이면서 보이더라."

12절 "저희가 가로되, 그가 어디 있느냐? 가로되, 알지 못하노라 하니라."

사람들이 또 묻는다. '예수 그가 어디 있느냐?' 질문을 받은 소경이었던 사람이 '알지 못한다'고 대답을 한다.

앞을 못보는 사람의 눈에 진흙을 발라주고 떠나버린 예수님 일행이 어디에 있는지 어찌 알겠는가. 다음 공부를 기다려 보자.

2012년 11월 10 발표

〈제42과〉
유대교의 월권—출교(黜敎)

본문 말씀 9:13~23

"13저희가 전에 소경 되었던 사람을 데리고 바리새인들에게 갔더라.
14예수께서 진흙을 이겨 눈을 뜨게 하신 날은 안식일이라. 15그러므로
바리새인들도 그 어떻게 보게 된 것을 물으니 가로되, '그 사람이 진흙
을 내 눈에 바르매 내가 씻고 보나이다' 하니 16바리새인 중에 혹은 말
하되 '이 사람이 안식일을 지키지 아니하니 하나님께로서 온 자가 아
니라' 하며 혹은 말하되 '죄인으로서 어떻게 이러한 표적을 행하겠느
냐' 하여 피차 쟁론이 되었더니 17이에 소경 되었던 자에게 다시 묻
되 '그 사람이 네 눈을 뜨게 하였으니 너는 그를 어떠한 사람이라 하느
냐?' 대답하되 '선지자니이다' 한대 18유대인들이 저가 소경으로 있다
가 보게 된 것을 믿지 아니하고 그 부모를 불러 묻되 19'이는 너희 말
에 소경으로 났다 하는 너희 아들이냐? 그러면 지금은 어떻게 되어 보
느냐?' 20그 부모가 대답하여 가로되 '이가 우리 아들인 것과 소경으
로 난 것을 아나이다.' 21'그러나 지금 어떻게 되어 보는지 또는 누가
그 눈을 뜨게 하였는지 우리는 알지 못하나이다. 저에게 물어 보시오.
저가 장성하였으니 자기 일을 말하리이다.' 22그 부모가 이렇게 말한
것은 이미 유대인들이 누구든지 예수를 그리스도로 시인하는 자는 출교
(黜敎)하기로 결의하였으므로 저희를 무서워함이러라. 23이러므로 그 부
모가 말하기를 '저가 장성하였으니 저에게 물어 보시오' 하였더라."

유대교의 월권!! 출교(黜敎)

유대인들은 예수 그리스도가 안식일을 지키지 않았으므로 하나님께로부터 온 그리스도가 아니라고 말하고 있지만, 39과에서 공부한 대로 예수께서는 **"내가 진리를 말하므로 너희가 나를 믿지 아니한다"**(8:45)고 유대인들의 마음을 꿰뚫고 계신다. 그런데 유대인들은 예수를 그리스도로 믿지 않을 뿐만 아니라 '예수를 그리스도로 인정하는 일반인'들까지도 출교(黜敎)시키기로

이미 결의를 해두고 있었는데, 이런 일들은 유대교뿐만 아니다.

구교(舊敎)에서 루터를 죽이려고 한 이유도 루터가 당시의 교회(구교)에서 자행되고 있던 교권 남용과 면죄부 등 95개 조항에 달하는 잘못을 지적하며 교회의 개혁을 주장하므로 즉, 바른 말을 하므로 죽이려 한 일들도 같은 맥락이다. 당시 대주교 '알버트'는 루터가 적시한 95개 조항을 교황에게 보내면서 '루터의 공적인 설교와 그런 문제들에 대한 저술 활동을 하지 못하도록 금지시켜줄 것'을 요청했다. 대주교 '테첼' 역시 95개 조항을 읽고 고함을 질렀다. '내가 루터를 화형 시키고 말겠어. 그 놈의 재를 강물에 뿌려주리라!'고 할 정도로 분개하였다고 한다.

이런 일은 비단 서구의 기독교계에서만 있었던 건 아니며, 오래 전 이 땅의 불교계에서도 있었다. 서기 660~676년 사이에 신라 불교의 최고 경지에 오른 원효도 겉으로는 파계승이라는 것 때문에 불교계의 배척을 받았는데, 실제는 원효가 불교를 대중 속으로 깊숙이 전파하려는 데에서 벌어진 일이었다. 원효가 전한 '정토신앙'이란 "아미타불(阿彌陀佛)에 귀의한다"는 뜻의 나무아미타불 같은 염불을 외는 것만으로도 아미타불이 산다는 서방정토(西方淨土)에서 극락왕생(極樂往生)할 수 있다는 단순한 가르침을 전하였다. 즉, 가난하고 천한 사람들이 절에 가지 않고도 마음속에 부처를 성심껏 모시면 극락왕생한다는 가르침이었다. 이 때문에 원효는 불교계로부터 배척과 탄압을 받아야 했다.

귀족불교라는 간판을 걸고 울타리를 친 채 부자와 고관(高官)들만 신자로 모셔오던 계급(階級)불교에서 천민들도 믿을 수 있는 대중 불교로 되면 기득권자들의 특권이 없어지게 되므로 원효를 탄압하였던 것이다.

위와 같은 일은 개인적인 일이긴 하지만 나 자신도 겪은 바 있다. 내가 한국 무교회에서 출교(黜教)를 당하고 40년 신앙의 길을 함께 걷던 사람에게 절교를 당한 일들도, 자신들과 다른 새로운 진리 발견으로 시작된 일들이다. 곧 십자가상의 사건이 대속이 아니라, 예수 그리스도의 생명을 받는 십자가상에서 두 강도는 인류의 대표자로 들포도나무로 죽고, 예수 그리스도는 하나님의 생명의 참포도나무로 죽어 들포도나무에게 '하나님의 생명을 접붙임하는 진리'를 발표하였기 때문이었다.

이처럼 종교는 어느 종파라고 할 것 없이 바른 진리를 말하게 되면 자신들과 다르다 하여 출교(黜教)의 대상으로 삼곤 한다. 그러나 많은 세월이 흐른 지금, 루터는 면죄부의 죄악상을 지적한 기독교의 개혁자로, 원효는 왕족과 귀족층에서만 믿던 귀족불교를 대중불교로 변화시킨 개혁자로 믿어 의심치 않는다.

본문 공부

13절 "저희가 전에 소경 되었던 사람을 데리고 바리새인들에게 갔더라."

여기서 '저희'는 평소 소경되었던 사람을 알지 못하거나, 안다고 해도 소경의 이웃이 아닌 사람들을 말하고 있다. 즉, 유대교의 열성파라고 할 수 있는 사람들이다.

이 사람들이 율법을 잘 판단하고 유대교의 재판관 같은 역할을 하는 바리새인들에게 판단을 요구할 심산으로 소경 되었던 사람을 데리고 갔다고 보여 진다.

14절 "예수께서 진흙을 이겨 눈을 뜨게 하신 날은 안식일이라."

유대교 열성 당원 같은 사람들은 소경의 눈을 뜨게 한 이적(異蹟)보다 더 중요하게 생각 하는 점이 있었다. 바로 **'안식일에 진흙을 이겨 소경의 눈에 바른 일'**이었다. 즉, '안식일에는 아무 일도 하지 말라'는 계율을 어긴 데에 있다. 주객이 전도된 셈이다.

창세 이후 처음으로 소경의 눈을 뜨게 하는 기적이었지만, 유대인들은 오로지 계율위반에 대해서만 트집을 잡으려 하고 있다.

15,6절 "그러므로 바리새인들도 그 어떻게 보게 된 것을 물으니 가로되 '그 사람이 진흙을 내 눈에 바르매 내가 씻고 보나이다' 하니 ◇바리새인 중에 혹은 말하되 '이 사람이 안식일을 지키지 아니하니 하나님께로서 온 자가 아니라' 하며, 혹은 말하되 '죄인으로서 어떻게 이러한 표적을 행하겠느냐' 하여 피차 쟁론이 되었더니"

바리새인들이 열성당원들의 고발하는 말을 듣고 소경이었던 사람에게 '어떻게 보게 되었느냐?'고 물으니 '예수라고 하는 그 사람이 진흙을 내 눈에 바르매 내가 씻고 보게 되었다'고 대답한다.

열성당원들의 고발과 소경이었던 사람의 말을 들은 바리새인들은 소경의 눈을 뜨게 한 예수의 이적을 두고 두 패로 나뉘어 쟁론을 벌인다.

한 패는 "예수가 안식일을 지키지 않았으니 하나님께로부터 온 자가 아니다." 다른 한 패는 "죄인으로서 어떻게 이러한 표적을 행하겠느냐?"고 말한다.

후자의 말은 '창세 이 후로 소경의 눈을 뜨게 한 일이 없었으니 비록 계율은 어겼지만 예수의 능력은 인정해야 되지 않겠느냐'는 생각이 들어있다고 보이니 바리새인들 중에서도 바르게 판단하는 사람이 있었다고 보아야 하겠다.

17절 "이에 소경 되었던 자에게 다시 묻되 '그 사람이 네 눈을 뜨게 하였으니 너는 그를 어떠한 사람이라 하느냐?' 대답하되 '선지자니이다' 한대"

앞에서 논쟁을 하던 바리새인들이 소경 되었던 자에게 다시 묻는다. "그 사람이 네 눈을 뜨게 하였다면 너는 그를 어떠한 사람이라 생각하느냐?" 이 물음에 소경이었던 사람이 '선지자'라고 대답한다.

소경도 판단한 일을 학자요, 지도자들인 바리새인들이 판단을 못한 것이다. 그들이 색 안경을 쓰고 보면서 율법의 잣대로만 판단하려 한 때문이다.

18~20절 "유대인들이 저가 소경으로 있다가 보게 된 것을 믿지 아니하고 그 부모를 불러 묻되 ◇이는 너희 말에 소경으로 났다하는 너희 아들이냐? 그러면 지금은 어떻게 되어 보느냐? ◇그 부모가 대답하여 가로되 이가 우리 아들인 것과 소경으로 난 것을 아나니다."

소경의 생각을 듣고도 판단을 내리지 못한 유대인들은 결국, 소경의 부모를 불러 묻는다.

"이 사람은 당신 아들이며, 본래 소경으로 태어났느냐? 그렇다면 지금은 어떻게 보게 되었느냐?"

소경의 부모가 "이는 우리 아들이 맞고, 소경으로 태어난 것도 사실"이라고 대답한다.

21절 "그러나 지금 어떻게 되어 보는지 또는 누가 그 눈을 뜨게 하였는지 우리는 알지 못하나이다. 저에게 물어 보시오. 저가 장성하였으니 자기 일을 말하리이다."

소경이었던 자의 부모가 앞절에 이어 하는 말이다. 아들이 소경으로 난 것이 맞다고 하면서도 어떻게 보게 되었는지, 누가 눈을 치료하여 뜨게 되었는가는 알지 못한다고 말한다.

그리고는 "당신들이 알고 싶은 게 있으면 본인에게 물어 보아라. 내 아들이 장성하였으니 자신의 일을 말할 수 있을 것이다"라는 말도 곁들인다.

22,3절 "그 부모가 이렇게 말한 것은 이미 유대인들이 누구든지 예수를 그리스도로 시인하는 자는 출교하기로 결의하였으므로 저희를 무서워함이러라. ◇이러므로 그 부모가 말하기를 '저가 장성하였으니 저에게 물어 보시오' 하였더라."

소경이었던 자의 부모가 '아들에게 물어 보라'고 대답한 것은 이미 유대인들이 "누구든지 예수를 그리스도로 시인하는 자는 출교시키기로 결의"하였다는 말을 들었으므로 출교를 피하기 위함이었다. 출교는 곧 죽음이나 다름없는 조치이기 때문이다.

그래서 소경의 부모는 예수의 능력을 인정하면서도 어쩔 수 없이 본인에게 직접 물어보라고 했다는 기사다.

사실, 바리새인들이 소경의 부모에게 정황을 물어 보겠다고 부른 것도 그들까지 유대 땅에서 출교시키려는 꼼수가 숨어있었다고 보아야 한다. 이 세상에 나면서부터 소경이었던 자식의 눈을 뜨게 해주었다면 어느 부모가 그것을 마다고 하겠으며, 그 사람에게 고마워하지 않겠는가. 당사자와 관련이 없는 사람들도 이 사실을 안다면 눈을 뜨게 한 능력자를 믿고 따를 것이다. 그래서 유대의 종교인들은 소경이 눈을 뜨게 된 증거를 다 없애려 하지 않았겠는가.

이렇게 잘못된 교권(敎權)이 월권(越權)으로 변하여 일반인까지 출교의 대상으로 삼는다는 것은 참으로 무서운 일이 아닐 수 없다.

2012년 12월 10 발표

〈제43과〉

소경이었던 사람, 바리새인과의 논쟁에서 우위에 서다

본문 말씀 9: 24~34

"[24]이에 저희가 소경 되었던 사람을 두 번째 불러 이르되, 너는 영광을 하나님께 돌리라. 우리는 저 사람이 죄인인줄 아노라. [25]대답하되, 그가 죄인인지 내가 알지 못하나, 한 가지 아는 것은 내가 소경으로 있다가 지금 보는 그것이니이다. [26]저희가 가로되, 그 사람이 네게 무엇을 하였느냐? 어떻게 네 눈을 뜨게 하였느냐? [27]대답하되, 내가 이미 일렀어도 듣지 아니하고 어찌하여 다시 듣고자 하나이까? [28]당신들도 그 제자가 되려 하나이까? 저희가 욕하여 가로되 너는 그의 제자나, 우리는 모세의 제자라. [29]하나님이 모세에게는 말씀하신 줄을 우리가 알거니와 이 사람은 어디서 왔는지 알지 못하노라. [20]그 사람이 대답하여 가로되, 이상하다. 이 사람이 내 눈을 뜨게 하였으되 당신들이 그가 어디서 왔는지 알지 못하는도다. [31]하나님이 죄인을 듣지 아니하시고 경건하여 그의 뜻대로 행하는 자는 들으시는 줄을 우리가 아나이다. [32]창세 이후로 소경으로 난 자의 눈을 뜨게 하였다 함을 듣지 못하였으니 [33]이 사람이 하나님께로부터 오지 아니하였으면 아무 일도 할수 없으리이다. [34]저희가 대답하여 가로되, 네가 온전히 죄 가운데서 나서 우리를 가르치느냐? 하고 이에 쫓아내어 보내니라."

바리새인의 선생 역할을 한 소경이었던 사람

오늘 공부 내용을 살펴보면 나면서부터 소경으로 있다가 예수 그리스도에게서 눈 뜨임을 받은 사람이 바리새인들과의 대화에서 주도권을 잡고 있다. 바리새인이 질문을 주로 하고 소경이었던 사람이 대답하는 형식인데, 소경이었던 사람이 조금도 굽힘이 없다. 26절에서 "저희가 가로되 그 사람이 네게 무엇을 하였느냐?

어떻게 네 눈을 뜨게 하였느냐?" 고 묻고, 28절에서는 유대教의 선생의 위치에 있는 바리새인들이 욕을 하면서 "너는 그의 제자지만, 우리는 모세의 제자라!" 고 큰소리를 친다. 대화에서 욕을 하였다는 것은 주도권을 완전히 상실한 것이다.

31~33절에 와서는 소경이었던 사람의 설교와 같은 일장 연설을 듣고 바리새인들은 자신들을 가르치는 줄 알게 되어 화가 나서 "네가 온전히 죄 가운데서 나서 우리를 가르치느냐?" 하며 쫓아내게 된다.

신앙의 눈이 뜨인 사람과 뜨이지 못한 사람의 차이다. 바리새인은 그 시대의 유대교의 선생이요 재판관의 역할을 하던 사람들이지만, 신앙의 눈을 뜬 소경이었던 사람에게 논리적으로나 신앙면에서 논쟁의 적수가 되지 못했다. 일생 학문을 접하지 못하고 모든 면에서 뒤떨어지는 소경이었던 사람이지만, 진리이신 예수 그리스도께 육의 눈과 신앙의 눈을 뜨게 된 이후에는 대 논객으로 변화하여 있었기 때문이다. 이런 현상은 오늘날에도 볼 수 있다. 세상적인 학문이 아무리 높다 하여도 진리를 아는 신앙의 사람에게는 논쟁의 대상이 되지 못한다. 왜 그럴까? 신앙의 사람은 하나님의 진리! 성서를 알고 자연을 알아 자연의 순환을 보며, 심지어 바람이 어떻게 불어 순환의 기류(氣流)가 형성되어 흐르는가도 알기 때문이다.

본문 공부

24절 "이에 저희가 소경 되었던 사람을 두 번째 불러 이르되, 너는 영광을 하나님께 돌리라. 우리는 저 사람이 죄인인줄 아노라."

42과 공부 끝 부분에서 소경되었던 사람의 부모에게 물었으나 그 부모가 바리새인이 무서워 대답을 못하고 '저가 장성하였으니 저에게 물어 보시오.' 하자 바리새인들이 소경을 두 번째 불러 직접 말하고 있다. **"너는 영광을 하나님께 돌려라. 우리는 저 예수라는 사람이 죄인인줄 알고 있다."**

이 말을 바꾸어 말하면 "예수는 죄인이다. 그러므로 네가 눈을 뜬 영광을 하나님께 돌려라" 라는 말이라고 하겠다.

25절 "대답하되, 그가 죄인인지 내가 알지 못하나, 한 가지 아는 것은 내가 소경으로 있다가 지금 보는 그것이니이다."

소경이었던 그가 참으로 명쾌한 대답을 하고 있다. "예수라고 하는 그 사람이 죄인인지 나는 알지 못한다. 다만 한 가지, 분명한 것은 **내가 소경으로 있다가 지금 보게 되었다는 사실이다."** 실질적인 사실을 들어서 대답한 말이다. 이보다 더 명쾌한 답이 있겠는가.

26,7절 "저희가 가로되, 그 사람이 네게 무엇을 하였느냐? 어떻게 네 눈을 뜨게 하였느냐? ◇대답하되, 내가 이미 일렀어도 듣지 아니하고 어찌하여 다시 듣고자 하나이까? 당신들도 그 제자가 되려 하나이까?"

소경이었던 사람이 실제적인 사실을 증명하여 대답을 하였지만, 진리의 눈이 뜨이지 않은 사람들에게는 들어갈 리 없다. 그런 바리새인들이 '그 사람, 예수가 네게 무슨 일을 하였으며, 또한 예수가 어떻게 네 눈을 뜨게 하였느냐?'고 거듭 묻는다.

바리새인들의 물음에 사실적인 대답을 했건만 저들이 이를 무시하고 다시 묻자 소경이었던 사람이 저들에게 핀잔의 말을 던진다.

'내가 이미 말했는데 그 때는 듣지 아니하고 어찌하여 다시 묻습니까? 당신들도 그의 제자가 되려는 것입니까?' 라며 핀잔을 준다. 정말 통쾌한 장면이 아닐 수 없다.

28절 "저희가 욕하여 가로되 너는 그의 제자나 우리는 모세의 제자라."

소경이었던 자의 핀잔을 들은 바리새인들이 화가 많이 나서 욕을 해댄다. '욕하여 가로되, 너는 그 예수의 제자냐? 우리는 모세의 제자다!' '네가 예수의 제자면 우리는 모세의 제자다!'라고 큰소리를 친 것이다. 유대 사회에서 지식인이요, 지도자로 군림하는 저들이 소경이었던 이름도 없는 사람의 핀잔을 들었으니 오죽 화가 나겠는가. 바리새인의 권위가 땅으로 떨어지는 순간이다.

29절 "하나님이 모세에게는 말씀하신 줄을 우리가 알거니와 이 사람은 어디서 왔는지 알지 못하노라."

지나간 역사를 알고 있다는 바리새인이 말한다. "지난날의 역사에서 하나님이 모세와는 소통하고 계신 줄 우리가 알고 있다. 그러나 지금 예수는 우리가 알지 못하고 알 필요도 없다."는 말이다. 그러나 진리에 선 사람이라면 지나간 역사를 알뿐 아니라 앞으로 다가올 일들도 예상하고 있어야 선각자요, 예언자다. 그래야 선생이다. 그러나 바리새인들은 선각자로서 알아야 할 일들을 알지 못한다고 스스로 고백하고 있다. 이러한 경우를 두고 예수께서는 "너희가 진리를 보지 못하면서 본다고 하니 죄가 된다"(9:41)고 하셨다.

30절 "그 사람이 대답하여 가로되, 이상하다. 이 사람이 내 눈을 뜨게 하였으되 당신들이 그가 어디서 왔는지 알지 못 하는도다."

소경되었던 사람의 생각으로 '이상하다'는 말이다. 이 말에는 그동안 유대인 사회에서 선각자로서, 선생으로서 유대교의 크고 작은 일들의 판단자로서 존경을 받아온 바리새인들이 어떻게 해서 나면서부터 앞을 못보는 자신의 눈을 뜨게 한 사람이 어디서 왔는지 알지 못하느냐는 실망의 뜻이 들어있다. 쉽게 말하여 상대하고 있는 바리새인들이 자격 미달의 선생이라는 말이 되겠다.

31절 "하나님이 죄인을 듣지 아니하시고 경건하여 그의 뜻대로 행하는 자는 들으시는 줄을 우리가 아나이다."

자격 미달의 선생인 바리새인들을 향해 소경이었던 사람의 일장설교가 시작되었다. **'하나님이 죄인을 쓰지 않으시고, 경건하여 그의 뜻대로 행하는 자의 기도는 들으시는 줄을 우리가 알고 있는데, 당신들은 그를! 예수를 모르느냐?'**는 말이다. 바꾸어 말하면 '우리처럼 못 배운 사람들도 아는데 당신 같은 지식인들이 모르느냐?'는 말이겠다.

32,3절 "창세 이후로 소경으로 난 자의 눈을 뜨게 하였다 함을 듣지 못하였으니 ◇이 사람이 하나님께로부터 오지 아니하였으면 아무 일도 할 수 없으리이다."

소경되었던 사람이 성난 파도 같은 호통을 친다. "창세 이후 지금까지 사람의 능력으로는 소경으로 난 자의 눈을 뜨게 하였다는 말을 듣지 못하였다." 너희 미련한 놈들만 예수가 하나님의 보내심을 받아 오신 분인 줄 알지 못하고 있는데, 이런 분이 하나님께로부터 오지 않았다면 어떻게 이런 일을 할 수 있겠느냐?는 말이다.

참으로 당당한 설교다.

34절 "저희가 대답하여 가로되, 네가 온전히 죄 가운데서 나서 우리를 가르치느냐? 하고 이에 쫓아내어 보내니라"

소경이었던 하찮은 사람으로부터 31절부터 33절까지 이어진 일장의 설교를 듣고 잔뜩 화가 난 바리새인들이 외친다.

'네가 온전히 죄 가운데서 나서 우리를 가르치느냐?'

바리새인들이 울그락불그락 하는 얼굴로 호통을 치며 소경이었던 사람을 쫓아 보내는 장면이 눈에 선하다.

2013년 1. 10 발표

〈제44과〉
진리이신 예수 그리스도를 알아보지 못하는 것이 죄

본문 말씀 9:35~41

"[35]예수께서 저희가 그 사람을 쫓아냈다 하는 말을 들으셨더니 그를 만나사 가라사대 네가 인자를 믿느냐? [36]대답하여 가로되, 주여! 그가 누구시오니까? 내가 믿고자 하나이다. [37]예수께서 가라사대, 네가 그를 보았거니와 지금 너와 말하는 자가 그이니라. [38]가로되, 주여! 내가 믿나이다! 하고 절하는지라 [39]예수께서 가라사대 내가 심판하러 이 세상에 왔으니, 보지 못하는 자들은 보게 하고, 보는 자들은 소경되게 하려 함이라 하시니, [40]바리새인 중에 예수와 함께 있던 자들이 이 말씀을 듣고 가로되 우리도 소경인가? [41]예수께서 가라사대 너희가 소경 되었으면 죄가 없으려니와 본다고 하니 너희 죄가 그저 있느니라."

바리새인과 사람들의 죄

예수 그리스도께서는 바리새인들에게 진리를 말하는 예수 자신은 알아보지 못하면서 저들이 본다고 하니 죄가 그저 있다고 하셨다. 이 말씀은 곧 '진리를 보지 못하는 것이 죄'라는 뜻이다. 즉, 우주 만물의 생명의 근원인 창조자 하나님의 아들을 알아보지 못하는 것이 죄라는 말씀이다.

사람은 일상에서 시기, 질투, 사기, 미워하는 것, 강도, 살인, 간음 등 그 수를 헤아릴 수 없이 많은 죄를 범하며 살아가고 있지만, 이런 죄들은 세상 사람들의 보편적 죄이므로 나(我)는 큰 죄라고 생각하지 않는다. 그 이유는 세상에서 죄를 범하지 않고 살아가는 사람은 단 하나도 없다고 보기 때문이다. 특히, 예수 그리스도의 산상설교에서처럼 **"미워하는 마음이 곧 살인"**이요, **"음욕을 품는 것이 간음"**이라고 할 때에 사람을 미워하거나, 아름다운 여인을 보면 마음과 얼굴이 일시적이라도 그쪽으로 향하며 음욕을 품는다면 그 사람이 어떻게 하나님의 심판대에 설 수 있을까? 이 세상에서 죄인 아닌 사람은 하나도 없다고 선견자 이사야와 증언자 바울이 선언하고 있다.

그런데 예수께서 **"너희 바리새인들이 죄가 있다"**고 하신 말씀은 인류에게 자신을 보이시려고 수백 년 전부터 「실로암 못」을 있게 하시고, 소경의 아버지로 하여금 소경 아들을 낳게 하셔서 그 소경의 눈을 뜨게 하심으로 온 인류가 깨달아 하나님 아버지께로부터 오신 아들을 믿게 하여 십자가상에서의 죽음을 통해 '인류에게 새로운 하나님의 생명을 주시기 위함을 알게 하려 하시는 하나님의 아들'을 알아보지 못하는 것을 죄로 규정하고 계신다. 특히 오늘 본문에서는 진리의 근원이신 하나님의 아들을 알아보지 못하면서 본다고 하는 것에 대하여 "너희가 소경 되었으면 죄가 없으려니와 본다고 하니 너희 죄가 그저 있느니라"(41절)고 하는 말씀이다. 인류에게 새로운 생명을 주어 그 생명으로 다시 살게 하는 생명의 근원이신 예수 그리스도를 알아보지 못한 것이 죄라는 말씀이다. 그와 달리 소경으로 난 사람은 예수 그리스도를 만남으로 **"주여 내가 믿나이다."** 하며 구원의 대열에 서게 된다.

문제는 십자가상에서 예수 그리스도와 함께 죽은 두 강도 중 한 사람은 예수 그리스도를 생명으로 믿었기에 구원의 길을 걸었고, 한 사람은 믿지 못하여 추락하는 길로 갔는데(눅 23:39~43), 우리 인류 - 나 자신은 예수 그리스도와 죽음으로의 만남이다. 죽을 때는 강도인 내가 죽고, 살 때는 그리스도의 생명을 영접(접붙임으로의 만남)함으로 하나님의 영원한 생명으로 사는 복음이다.

본문 공부

35절 "예수께서 저희가 그 사람을 쫓아냈다 하는 말을 들으셨더니 그를 만나사 가라사대 네가 인자를 믿느냐?"

'종교'란 피도 눈물도 없는 단체라고 해도 지나친 말이 아닐 것이다. 날 때부터 소경이었던 사람이 예수 그리스도의 보내심으로 '실로암' 못에서 눈을 씻고 새로운 세상을 보게 되었는데, 축하는 해주지 못할지언정 유대교 집단에서 출교(黜教)시키는 일을 저질렀다. 즉, 소경이었던 사람은 예수 그리스도께 고침을 받았다는 것이 죄로 인정되어 출교를 당한 것이다. 예수는 바른 말을 하여 유대교 사람들을 화나게 하였다고 하더라도, 눈뜸을 받은 사람은 무슨 잘 못이 있는가? 종교는 유대교뿐 아니라 현대에 이르러서도 자신들에게 해가 될 사람은 서슴없이 출교를 시키곤 한다.

그러나 예수 그리스도는 소경이었던 사람을 만나 "네가 인자를 믿느냐?" 하며 물으신다.

36,7절 "대답하여 가로되 주여 그가 누구시오니까? 내가 믿고자 하나이다. ◇예수께서 가라사대 네가 그를 보았거니와, 지금 너와 말하는 자가 그이니라."

예수께서 소경이었던 사람에게 "네가 인자를 믿느냐?" 라고 묻는 말씀에 소경이었던 사람은 **"주여! 그분이 누구십니까? 내가 믿고자 합니다."** 라고 대답한다.

'나의 눈을 뜨게 해준 사람이 도대체 누구일까? 난 그 분을 만나 뵙고, 그 분을 믿겠다'는 간절함이 들어있다.

눈 뜬 사람이 세상을 처음으로 보면서 종교 지도자를 만나 출교를 당하고 실망을 금 할 수 없는 그 때에, 눈을 뜨게 해주신 예수 그리스도가 눈 뜬 사람 앞에 서서 말씀을 하고 계신다.

"네가 그를 보았다. 지금 너와 말하고 있는 내가 바로 그다." 이 말은 바로 "지금 너와 말하고 있는 내가 너를 눈 뜨게 하였다"는 말이다.

소경이었던 사람은 자신의 눈을 뜨게 해준 분이 누구일까 궁금해 하던 차에, 그 분을 바로 눈앞에서 보게 되니 그의 심정은 어땠을까?

38,9절 "가로되 주여! 내가 믿나이다! 하고 절하는지라 ◇예수께서 가라사대 내가 심판하러 이 세상에 왔으니, 보지 못하는 자들은 보게 하고, 보는 자들은 소경되게 하려 함이라 하시니"

"내가 너를 눈 뜨게 하였다"는 예수님 말씀에 감격한 눈뜬 사람이 "주여! 내가 믿습니다!" 하면서 절을 한다.

날 때부터 소경이어서 암흑의 세월을 살아온 자신의 눈을 뜨게 해주신 그리스도께 예를 다하여 절을 하는 모습이 선명하게 그려진다.

여기서 절의 의미는 크다고 하겠다. 우주 만물의 창조자 되시며, 만물의 생명의 근원이요, 만왕의 왕이신 그리스도를 경배하는 절이기 때문이다.

만왕의 왕 자격으로 경배(敬拜)를 받은 예수 그리스도께서 비로소 세상에 오신 까닭을 말씀하신다.

첫째, 진리를 보지 못한 사람을 보게 하려 함이요,

둘째, 진리를 보지 못하면서 본다고 하는 자들을 소경되게 함이다.

40절 "바리새인 중에 예수와 함께 있던 자들이 이 말씀을 듣고 가로되 우리도 소경인가?"

땅의 사람! 지구 위의 사람들은 모두가 진리를 보지 못하는 사람들이다. 왜 그럴까? 선견자 이사야의 말대로 사람이 죄를 범하여 모두가 "들포도나무로 전락하였기 때문"이다. 때문에 어느 누구도 진리를 보지 못한다는 말이다. 즉, 진리면에서는 누구나 소경이라는 말이다. 예수 그리스도가 이 땅에 오신 것은 십자가 사건을 통해 그리스도의 생명으로 거듭나게 하여 진리를 보는 눈으로 개조하려 함인데, 바리새인들은 자기네가 진리에 밝은 것으로 착각하여 '이미 구원받았으니 죄가 없는데 우리도 소경인가?' 자기끼리 묻고 있다.

41절 "예수께서 가라사대 너희가 소경 되었으면 죄가 없으려니와, 본다고 하니 너희 죄가 그저 있느니라."

들포도나무이면서도 참포도나무로 착각하고 있는 바리새인들에게는 접목이 필요하지 않아 아버지께서는 접목 대상에서 버리실 것이다. 자기네 스스로가 본다고 하는 저들은 영원히 진리를 보지 못할 터이다.

바리새인끼리의 말을 들은 예수께서 말씀하신다. 진리를 보지 못한다고 고백하면 진리를 보는 눈으로 바꿀 수가 있다. 그런데 너희 바리새인들은 너희 스스로 본다고 하니 너희 눈은 개조할 필요가 없다. 그래서 '너희가 소경이라면 죄가 없겠지만, 본다고 하니 죄가 있다'는 말씀이다. 2013년 2월 10 발표

〈제45과〉
죽음의 문으로 들어가는 선한 목자

본문 말씀 10:1~21

"1내가 진실로, 진실로 너희에게 이르노니 양의 우리에 문으로 들어
가지 아니하고 다른 데로 넘어가는 자는 절도며 강도요. 2문으로 들어
가는 이가 양의 목자라. 3문지기는 그를 위하여 문을 열고, 양은 그의
음성을 듣나니 그가 자기 양의 이름을 각각 불러 인도하여 내느니라. 4
자기 양을 다 내어 놓은 후에 앞서 가면 양들이 그의 음성을 아는 고로
따라 오되 5타인의 음성은 알지 못하는 고로 타인을 따르지 아니하고
도리어 도망하느니라. 6예수께서 이 비유로 저희에게 말씀하셨으나 저
희는 그 하신 말씀이 무엇인지 알지 못하니라.

7그러므로 예수께서 다시 이르시되 내가 진실로, 진실로 너희에게 말
하노니 나는 양의 문이라 8나보다 먼저 온 자는 다 절도요 강도니 양
들이 듣지 아니하였느니라. 9내가 문이니 누구든지 나로 말미암아 들어
가면 구원을 얻고, 또는 들어가며 나오며 꼴을 얻으리라. 10도적이 오
는 것은 도적질하고 죽이고 멸망시키려는 것뿐이요, 내가 온 것은 양으
로 생명을 얻게 하고 더 풍성히 얻게 하려는 것이라. 11나는 선한 목자
라. 선한 목자는 양들을 위하여 목숨을 버리거니와 12삯군은 목자도 아
니요, 양도 제 양이 아니라 이리가 오는 것을 보면 양을 버리고 달아나
나니 이리가 양을 늑탈하고 또 헤치느니라. 13달아나는 것은 저가 삯군
인 까닭에 양을 돌아보지 아니함이나

14나는 선한 목자라 내가 내 양을 알고 양도 나를 아는 것이 15아
버지께서 나를 아시고 내가 아버지를 아는 것 같으니 나는 양을 위하
여 목숨을 버리노라. 16또 이 우리에 들지 아니한 다른 양들도 내게 있
어 내가 인도하여야 할터이니 저희도 내 음성을 듣고 한 무리가 되어
한 목자에게 있으리라. 17아버지께서 나를 사랑하시는 것은 내가 다시
목숨을 얻기 위하여 목숨을 버림이라. 18이를 내게서 빼앗는 자가 있는
것이 아니라 내가 스스로 버리노라. 나는 버릴 권세도 있고, 다시 얻을
권세도 있으니 이 계명은 내 아버지에게서 받았노라 하시니라.

19이 말씀을 인하여 유대인 중에 다시 분쟁이 일어나니 20그 중에
많은 사람이 말하되, 저가 귀신 들려 미쳤거늘 어찌하여 그 말을 듣느
냐? 하며 21혹은 말하되, 이 말은 귀신 들린 자의 말이 아니라. 귀신이
소경의 눈을 뜨게 할 수 있느냐? 하더라."

죽음의 문으로 들어가는 선한 목자와 양들!

요한복음 공부를 처음 시작하면서 "인류 역사에서 어느 누구도 요한복음을 바르게 공부한 사람은 없었다"고 했다. 이 주장은 6장에 있는 "내 살을 먹고 내 피를 마시는 자는 영생을 가졌고 마지막 날에 내가 그를 다시 살리리니"라는 말씀에 근거를 두고 한 말이지만, 오늘 공부하는 10장의 "죽음의 문"도 포함된다고 하겠다(요한복음 공부 중에 앞으로도 이와 같이 주해하지 못한 부분이 많이 있음).

오늘 공부에서는 1절과 9절에 두 문이 나온다. 예수께서는 1절에서 "양의 우리에 문으로 들어가지 아니하고 다른 데로 넘어가는 자는 절도며 강도"라고 하셨다. 이 말씀은 목자라고 자칭하는 사람들이 양을 위하여 죽음의 문으로 들어가지 않는 사람은 거짓 목자란 뜻으로, '예수 그리스도 자신만이 양에게 새로운 생명을 주기 위해 죽음의 문으로 들어가신다'는 말씀이다.

여기에서 '우리'란 울 또는 둘레 - 곧, 울타리의 의미를 갖고 있지만, 넓은 의미로는 무리의 의미도 있다고 하겠다. 곧 인류를 '우리' '무리'로 표현하셨다고 보아야 한다. '우리 속'에 오셔서 제자들의 발을 씻기시고, 무리를 이루는 인류를 위해 죽음의 문으로 들어가신다는 말씀이다. 바꾸어 말하면 양을 위해 죽음의 문으로 들어가지 않으면서 양의 목자라고 하는 사람들은 역사적으로 많이 있었으나 이들은 진정으로 선한 목자가 아니라는 말씀이다. 인류에게 새 생명을 주시려고 죽음의 문으로 들어가지 않고 '죽음의 문'을 피하여 울타리를 넘는 사람은 참 목자가 아니며, 예수 그리스도 자신은 죽음의 문으로 들어가신다는 말씀이다. 선한 목자가 아니라면 누가 죽음의 문으로 들어가겠는가?

그런데 예수 그리스도 자신만 죽음의 문으로 들어가는 것이 아니다. 양들도 죽음의 문으로 들어가야 구원이 있다고 하신다. 양이 들어가는 문이 두 번째 문이다. 9절의 "내가 문이니 누구든지 나로 말미암아 들어가면 구원을 얻으리라"는 말씀에서 '누구든지'는 인류 - 곧, 양을 가리키는 말씀이다. 그런데 예수께서는 자신을 문이라고 하신다. 이 문은 무슨 문인가? 죽음의 벌판을 돌아다니는 양떼인 인류도 죽음의 문을 통과하면 구원을 얻는다는 말씀이다. 즉, 예수 그리스도가 죽을 때에 인류라고 하는 양도 같이 죽는다는 말씀이다.

"내가 문이니 누구든지 나로 말미암아 들어가면"에서 '나로 말미암아'란 무슨 말인가? 이는 '나를 거쳐서'라는 말씀이다. 참고한다면 日本語 성서에는 이 부분이 나로'通って入る' '나로 통해 들어오면'이라고 되어있다.

예수 그리스도의 십자가상의 죽음은 예수 혼자 죽는 죽음이 아니다. 역사적으로 분명히 좌 · 우의 강도가 같이 죽었다 그런데 그리스도敎 역사에서 강도의 죽음의 가치를 보지 못하고 〈대속〉이라는 大命題를 앞세워 그 틀, 그 논리에 맞추려다 보니 예수님과 함께 십자가에 매달린 좌 · 우의 강도의 죽음은 간과한 채 대속으로만 생각하여 왔다. 대속의 신앙관(觀)으로 보면, 예수의 죽음과 강도의 죽음은 별개가 된다. 그러나 예수 그리스도의 생명을 받는 접목으로 보면 강도가 예수와 함께 십자가상에서 죽은 것이 참으로 진리로 다가오게 된다. 증언자 '바울 선생'은 위의 십자가상에서 예수 그리스도와 강도가 함께 죽은 것을 로마서 11장에서 접목으로 증언하고 있다.

십자가상에서 좌 · 우의 강도와 예수 그리스도가 죽어 예수의 생명으로 거듭나게 은혜를 입은 두 강도 중에서 한 강도는 예수께 의지 - 즉, 예수를 믿음으로써 구원에 이르고, 다른 강도는 예수께 의지하지 않음으로 추락하는 장면을 누가는 누가복음에서 실감나게 그리고 있다(눅23:39~43).

예수께서는 죽음의 문에 대하여 비유(比喩)로 말씀하셨다. 왜 비유로 말씀하셨을까? 그것은 그 때에 바르게 말씀을 하셨더라도 제대로 알아듣지 못했을 것이다. 그러나 그리스도敎 역사 2000년이 지난 지금에서야 바르게 읽고, 바른 주해가 나오게 된 것이다.

본문 공부

1,2절 "내가 진실로, 진실로 너희에게 이르노니 양의 우리에 문으로 들어가지 아니하고 다른 데로 넘어가는 자는 절도며 강도요, ◇문으로 들어가는 이가 양의 목자라."

예수께서는 중요한 말씀 앞에 강조어로 '진실로, 진실로'를 반복하신다. 10장 1절의 말씀도 그만큼 중요하다는 뜻이다.

양을 훔치거나 해치러 들어가는 도둑이나 강도는 우리의 울타리를 넘어 들어가지만, 양의 목자는 우리의 문으로 들어간다는 평이하면서도 아주 중요한 말씀이다. 이제까지 '양의 우리'에 들어와 하늘의 진리라고 떠들어댄 사람은 많았어도, 우리 안의 양 - 즉, 인류에게 하나님의 생명을 주는 분은 오직 예수 그리스도뿐이란 말씀이다.

양의 우리 - 즉, 세상에 와서 외치는 자는 많았지만, 양을 위해 생명까지 내놓는 사람은 없었다는 말씀이다.

달리 말하면 히브리어에는 사람을 "adam", 흙을 "adama"로 표기하는데, 흙으로 지음 받지 않고 성령의 잉태로 오신 예수 그리스도! 이 분 외에는 인류 구원자로 보내심을 받은 사람이 없다는 말씀이다. 오직 예수 그리스도 자신만 죽음의 문으로 들어가는 者란 것을 말씀하고 계신다.

3절 "문지기는 그를 위하여 문을 열고, 양은 그의 음성을 듣나니 그가 자기 양의 이름을 각각 불러 인도하여 내느니라."

이 절에는 직분이 다른 문지기, 양, 그(목자)라는 세 부류의 무리가 나온다.

○ '문지기!' 문지기는 '그'를 위해 문을 여는 사람 - 즉, 예언자들과 세례요한 같은 사람들로, 이들은 예수께 공생애의 문을 열어드린 분들이라 하겠다.

○ '양!' 그(목자)의 음성을 듣는 '양'은 믿음이 있는 사람! 쉽게 이야기하면 나다나엘 같은 사람 또는 우리처럼 믿는 사람들이다.

○ '그!' 그는 목자로서 자기 양의 이름을 각각 부르며 인도하는 예수 그리스도 자신을 말하고 있다.

4,5절 "자기 양을 다 내어 놓은 후에 앞서 가면 양들이 그의 음성을 아는 고로 따라 오되 ◇타인의 음성은 알지 못하는 고로 타인을 따르지 아니하고 도리어 도망하느니라."

4절에서는 참된 목자가 하는 일들을 말씀하신다. 아침이면 목자가 양을 우리에서 내어 놓은 후에 앞서가면 양은 목자의 음성을 알기 때문에 따라 간다는 말씀이다.

양은 목자가 아닌 타인의 음성을 알아듣질 못한다. 양들은 낯

선 음성을 들으면 오히려 도망을 한다.

6절 "예수께서 이 비유로 저희에게 말씀하셨으나 저희는 그 하신 말씀이 무엇인지 알지 못하니라."

1절에서 5절까지의 말씀! 곧 문, 문지기, 양들이 그(목자)-즉, 예수 자신과 관련되어 있음을 비유로 말씀하셨다. 그러나 그 말씀을 듣는 유대인들은 그 뜻을 알아듣질 못했다.

그러면 이때에 왜 비유로 말씀하셨을까? 예수께서 자신의 죽음에 대하여 직접 말씀하셨더라도 저들은 깨닫지 못했을 것이다. 눈앞의 일도 믿질 않는데 미구에 일어날 일을 누가 깨닫겠는가. 그것을 다 아시는 예수 그리스도시다.

7절 "그러므로 예수께서 다시 이르시되 내가 진실로, 진실로 너희에게 말하노니 나는 양의 문이라."

예수께서 선언하신다. "나는 양의 문"이라고. '양의 문'은 목자의 인도에 따라서 양들이 들어가기도 하고, 나가기도 하는 문이라고 하셨으니 이 말씀은 곧, "나는 목자"라는 선언이다. 바꾸어 말하면 우리는 우리의 목자인 예수를 통해서만 구원의 문으로 들어갈 수 있다는 말씀이다.

8절 "나보다 먼저 온 자는 다 절도요 강도니 양들이 듣지 아니하였느니라."

'먼저 온 자'는 이제까지의 종교지도자들이다. 그런데 왜 구약에서 하나님의 말씀을 대변하였던 선지자들까지도 '절도요 강도니' 하셨을까? 그것은 아담의 혈통으로, 선지자라고 하더라도 그들도 알고 보면 '들포도나무'에 불과 하다는 말씀으로 읽으면 좋겠다.

"나보다 먼저 온 자"는 비록 하나님의 말씀을 대변하던 선지자라고 하드라도 강도였으며, 오직 인류에게 새 생명! 곧 '하나님의 품속에 있다'가 성령의 잉태로 온 자신만이 인류에게 새 생명을 주는 것을 분명히 하신 말씀으로 보인다.

9절 "내가 문이니 누구든지 나로 말미암아 들어가면 구원을 얻고, 또는 들어가며 나오며 꼴을 얻으리라."

'내가 문이니' 여기서의 문은 7절에서 선언하신 '양의 문' 이다. 하여 양 - 곧 우리 인류가 예수라는 문으로 들어가면 구원을 얻게 되고, 그 문을 드나들며 영원한 양식인 꼴을 얻게 된다는 말씀이다.

이 말씀은 곧 예수 그리스도와 함께 십자가상에서 좌 · 우 강도의 모습으로 인류가 믿음으로 죽으면 예수의 흘린 피를 받게 되므로, 예수 그리스도가 3일 만에 부활 할 때에 예수와 함께 부활하여 그 부활 신앙으로 하늘 백성이 되어 예수 그리스도께서 이룬 십자가상의 진리를 양식으로 영원히 산다는 말씀이다.

10절 "도적이 오는 것은 도적질하고 죽이고 멸망시키려는 것뿐이요, 내가 온 것은 양으로 생명을 얻게 하고 더 풍성히 얻게 하려는 것이라."

도적 - 즉, 종교 지도자들이라고 자칭하는 자들은 울안의 양들을 탐하고, 양들을 멸망시키려는 것뿐이다. 그렇지만, 예수께서 온 것은 '양으로 하여금 생명을 얻게 하고, 더욱 풍성하게 하려는 것'이라고 하신다.

다시 말하면 예수의 흘린 피로 양들에게 생명을 얻게 하신다는 말씀이다. 곧 9절의 **'나로 말미암아, 또는 나와 같이 죽으므로 생명을 얻게 하신다'**는 말씀에 이어지는 말씀이다.

11~3절 "나는 선한 목자라. 선한 목자는 양들을 위하여 목숨을 버리거니와 ◇삯군은 목자도 아니요, 양도 제 양이 아니라 이리가 오는 것을 보면 양을 버리고 달아나나니 이리가 양을 늑탈하고 또 헤치느니라. ◇달아나는 것은 저가 삯군인 까닭에 양을 돌아보지 아니함이니라"

선한 목자는 양들의 생명을 구하기 위하여 목숨을 버린다는 말씀으로, "선한 목자인 나는 죄인인 너희에게 새 생명을 주기 위하여 목숨을 버릴 것"이라는 뜻이 들어있는 말씀이라고 하겠다.

선한 목자는 양들을 위해 죽기도 하지만, 그러나 삯군은 목자도 아니요, 양도 제 양이 아니다. 그래서 삯군은 이리가 오면 서둘러 달아나고, 이리는 양을 늑탈한다. 즉, 삯군은 자신들에게 이익이 없이 어려운 일을 당하면 양들을 버린다는 말씀이다.

여기서 삯군은 소위 종교지도자를 자처하는 도적들이다.

14~6절 "나는 선한 목자라. 내가 내 양을 알고 양도 나를 아는 것이 ◇아버지께서 나를 아시고 내가 아버지를 아는 것 같으니 나는 양을 위하여 목숨을 버리노라. ◇또 이 우리에 들지 아니한 다른 양들도 내게 있어 내가 인도하여야 할터이니 저희도 내 음성을 듣고 한 무리가 되어 한 목자에게 있으리라."

예수께서는 "나는 목자라서 내 양을 알고 양들도 나를 아는데

(14절), 이는 아버지께서 나를 아시고, 내가 아버지를 아는 것과 같다"(15절)고 하신다.

곧 하나님이 예수 안에 계시고, 예수 그리스도가 하나님 안에 계셔 하나인 것처럼 예수가 양에게 새 생명을 주기 위해 죽는다는 말씀이다. 양이 예수 그리스도의 생명을 받으면 그리스도의 생명을 받은 양과도 하나라는 말씀을 하신다.

'우리에 들지 아니한 다른 양' 이란 무슨 말씀인가? 정말 조심스러운 말이지만, 그 시대의 사람이 아닌 - 과거와 미래의 사람을 아울러 그렇게 말씀하신 것으로 본다. 여기에는 유대인뿐만 아니라 모든 이방인 즉, 모든 인류가 포함되며, 한 무리가 된 양들은 목자인 예수께 있으리라는 말씀이다.

17절 "아버지께서 나를 사랑하시는 것은 내가 다시 목숨을 얻기 위하여 목숨을 버림이라."

예수께서는 하나님 아버지가 자신을 사랑하시는 이유를 설명하신다.

'내가 다시 목숨을 얻기 위하여' 는 무슨 말인가? 그리스도라는 참포도나무가 인류라고 하는 들포도나무를 참포도나무로 변화시키기 위한 접붙임에 쓰일 진액을 주기 위하여 피를 흘려 죽는다는 말씀이다. 즉, 예수 그리스도가 양들에게 자신! 곧 하나님의 생명을 주어 인류의 생명을 구하기 위하여 죽는다는 말씀이다.

18절 "이를 내게서 빼앗는 자가 있는 것이 아니라 내가 스스로 버리노라. 나는 버릴 권세도 있고, 다시 얻을 권세도 있으니 이 계명은 내 아버지에게서 받았노라 하시니라."

예수께서는 자신의 목숨을 '빼앗는 자가 있는 것이 아니라 내가 스스로 버리노라' 고 하신다. 이어서 '나는 버릴 권세도 있고 다시 얻을 권세도 있으니 이 계명은 내 아버지에게서 받았노라' 고도 하신다.

우리 그리스도인이 주목해야 할 것은 '이 계명은 내 아버지에게서 받았노라' 는 부분이다. 바꾸어 읽으면 '아버지의 뜻으로 이 일들을 한다'는 말씀이다. 곧, 농부인 하나님 아버지가 당신의 포도농장에 참포도나무는 한그루도 없고, 들포도나무만 무성함을 보시고 이 농장의 들포도나무를 참포도나무로 바꾸신다는 뜻이 들어있다.

19~21절 "이 말씀을 인하여 유대인 중에 다시 분쟁이 일어나니 ◇그 중에 많은 사람이 말하되, 저가 귀신 들려 미쳤거늘 어찌하여 그 말을 듣느냐? 하며 ◇혹은 말하되, 이 말은 귀신 들린 자의 말이 아니라. 귀신이 소경의 눈을 뜨게 할 수 있느냐? 하더라"

이제까지 예수 말씀을 듣고 있던 유대인들 사이에서 분쟁이 일어나고 있다. 이는 마치 예수께서 하신 '내가 평화를 주러 온 것이 아니라, 검을 주러 왔다'는 말씀 때처럼 분쟁이 일어난 것이다. 어디에나 「참」이 들어가면 분쟁이 일어나는 모양이다.

예수님의 말씀을 듣던 유대인들 중에 많은 사람은 '저 사람 예수가 귀신들려 미쳤거늘 왜 그의 말을 듣느냐?'고 힐난한다.

그러나 일부 사람들은 '예수의 이 말은 귀신 들린 자의 말이 아니다'고 하면서 오히려 '귀신이 소경의 눈을 뜨게 할 수 있느냐?' 고 반박하고 있다.

2013년 3월 10일 발표

바람으로 계시는 創造主 하나님의 靈 · 上

2017년 11월 20일 인쇄
2017년 11월 30일 발행

지은이 | 임 중 기
펴낸이 | 강 경 호
인쇄·기획 | 도서출판 시와사람
등 록 | 1994년 6월 10일 제 05-01-0155호
주 소 | 광주시 동구 양림로119번길 21-1(학동)
전 화 | (062)224-5319, 227-5319
팩 스 | (062)225-5319
E-mail | jcapoet@hanmail.net

ISBN 978-89-5665-498-0 03230
ISBN 978-89-5665-497-3 (세트)

값 30,000원